蘇民峰

虎年運程
二〇二二

圓方出版社

蘇民峰 長髮，生於一九六〇年，人稱現代賴布衣，對風水命理等術數有獨特之個人見解。憑着天賦之聰敏及與術數的緣分，對於風水命理之判斷既快且準，往往一針見血，疑難盡釋。

以下是蘇民峰這三十多年之簡介：

八三年 開始業餘性質會客以汲取實際經驗。

八六年 正式開班施教，包括面相、掌相及八字命理。

八七年 毅然拋開一切，隻身前往西藏達半年之久。期間曾遊歷西藏佛教聖地「神山」、「聖湖」，並深入西藏各處作實地體驗，對日後人生之看法實跨進一大步。回港後開設多間店舖（石頭店），售賣西藏密教法器及日常用品予有緣人士，又於店內以半職業形式為各界人士看風水命理。

八八年 夏天受聘往北歐勘察風水，足跡遍達瑞典、挪威、丹麥及南歐之西班牙，回港後再受聘往加拿大等地勘察。同年接受《繽紛雜誌》訪問。

八九年 再度前往美加，為當地華人服務，期間更多次前往新加坡、日本、台灣等地。同年接受《城市周刊》訪問。

九〇年 夏冬兩次前往美加勘察，更多次前往台灣，又接受台灣之《翡翠雜誌》、《生活報》等多本雜誌訪問。同年授予三名入室弟子蘇派風水。

九一年 續去美加、台灣勘察。是年接受《快報》、亞洲電視及英國 BBC 國家電視台訪問。所有訪問皆詳述風水命理對人生的影響，目的為使讀者及觀眾能以正確態度去面對人生。同年又出版了「現代賴布衣手記之風水入門」錄影帶，以滿足對風水命理有研究興趣之讀者。

九二年　續去美加及東南亞各地勘察風水，同年 BBC 之訪問於英文電視台及衞星電視「出位旅程」播出。此年正式開班教授蘇派風水。

九四年　首次前往南半球之澳洲勘察，研究澳洲計算八字的方法與北半球是否不同。同年接受兩本玄學雜誌《奇聞》及《傳奇》之訪問。是年創出寒熱命論。

九五年　再度發行「風水入門」之錄影帶。同年接受《星島日報》及《星島晚報》之訪問。

九六年　受聘前往澳洲、三藩市、夏威夷、台灣及東南亞等地區勘察風水。同年接受《凸周刊》、《壹本便利》、《優閣雜誌》及美聯社、英國 MTV 電視節目之訪問。是年正式將寒熱命論授予學生。

九七年　首次前往南非勘察當地風水形勢。同年接受日本 NHK 電視台、丹麥電視台、《置業家居》、《投資理財》及《成報》之訪問。同年創出風水之五行化動土局。

九八年　首次前往意大利及英國勘察。同年接受《TVB 周刊》、《B International》、《壹週刊》等雜誌之訪問，並應邀前往有線電視、新城電台、商業電台作嘉賓。

九九年　再次前往歐洲勘察，同年接受《壹週刊》、《東周刊》、《太陽報》及無數雜誌、報章訪問，同時應邀往商台及各大電視台作嘉賓及主持。此年推出首部著作，名為《蘇民峰觀相知人》，並首次推出風水鑽飾之「五行之飾」、「陰陽」、「天圓地方」系列，另多次接受雜誌進行有關鑽飾系列之訪問。

二千年　再次前往歐洲、美國勘察風水，並首次前往紐約，同年 masterso.com 網站正式成立，並接受多本雜誌訪問關於網站之內容形式，及接受校園雜誌《Varsity》、日本之《Marie Claire》、復康力量出版之《香港100個叻人》、《君子》、《明報》等雜誌報章作個人訪問。同年首次推出第一部風水著作《蘇民峰風生水起（巒頭篇）》、第一部流年運程書《蛇年運程》及再次推出新一系列關於風水之五行鑽飾，並應無綫電視、商業電台、新城電台作嘉賓主持。

〇一年　再次前往歐洲勘察風水，同年接受《南華早報》、《忽然一周》、《蘋果日報》、日本雜誌《花時間》、NHK電視台、關西電視台及《讀賣新聞》之訪問，以及應紐約華語電台邀請作玄學節目嘉賓主持。同年再次推出第二部風水著作《蘇民峰風生水起（理氣篇）》及《馬年運程》。

〇二年　再一次前往歐洲及紐約勘察風水。續應紐約華語電台邀請作玄學節目嘉賓主持，及應邀往香港電台作嘉賓主持並接受《3週刊》、《家週刊》、《快週刊》及日本的《讀賣新聞》之訪問。是年出版《蘇民峰玄學錦囊（相掌篇）》、《蘇民峰八字論命》、《蘇民峰玄學錦囊（姓名篇）》。

〇三年　再次前往歐洲勘察風水，並首次前往荷蘭，續應紐約華語電台邀請作玄學節目嘉賓主持。同年接受《星島日報》、《東方日報》、《成報》、《太陽報》、《壹週刊》、《壹本便利》、《蘋果日報》、《新假期》、《文匯報》、《自主空間》之訪問，及出版《蘇民峰玄學錦囊（風水天書）》與漫畫《蘇民峰傳奇1》、《蘇民峰風生水起（例證篇）》。

〇四年　再次前往西班牙、荷蘭、歐洲勘察風水，續應紐約華語電台邀請作風水節目嘉賓主持，及應有線電視、華娛電視之邀請作其節目嘉賓，同年接受《新假期》、《MAXIM》、《壹週刊》、《太陽報》、《東方日報》、《星島日報》、《成報》、《經濟日報》、《快週刊》、《Hong Kong Tatler》之訪問，及出版《蘇民峰之生活玄機點滴》、漫畫《蘇民峰傳奇2》、《家宅風水基本法》、

○五年始
《The Essential Face Reading》、《The Enjoyment of Face Reading and Palmistry》、《Feng Shui by Observation》及《Feng Shui — A Guide to Daily Applications》。

應邀為無綫電視、有線電視、亞洲電視、商業電台、日本NHK電視台作嘉賓或主持，同時接受《壹本便利》、《味道雜誌》、《3週刊》、《HMC》雜誌、《壹週刊》之訪問，並出版《觀掌知心（入門篇）》、《中國掌相》、《八字萬年曆》、《八字入門捉用神》、《八字進階論格局看行運》、《生活風水點滴》、《風生水起（商業篇）》、《如何選擇風水屋》、《談情說相》、《峰狂遊世界》、《瘋蘇Blog Blog趣》、《師傅開飯》、《蘇民峰美食遊蹤》、《蘇民峰 • Lilian 蜜蜜煮》、《A Complete Guide to Feng Shui》、《Practical Face Reading & Palmistry》、《Feng Shui — a Key to Prosperous Business》、五行化動土局套裝、《相學全集一至四》、《八字秘法（全集）》、《簡易改名法》、《八字筆記（全集）》、《蘇語錄與實用面相》、《中國掌相》、《風水謬誤與基本知識》。

蘇民峰顧問有限公司
網址：https://www.masterso.com
預約及會客時間：星期一至五下午二時至五時

第一章

虎年概論

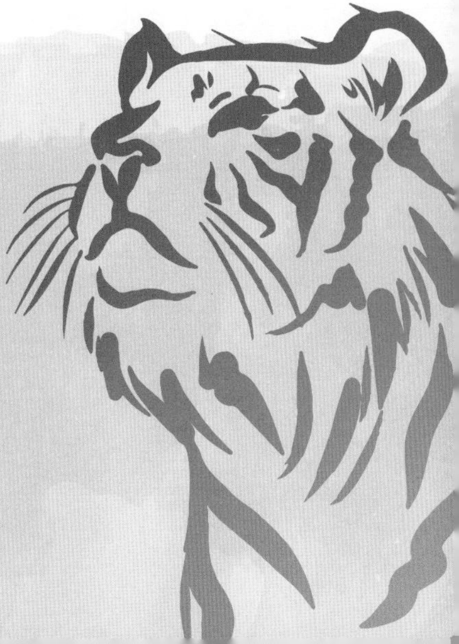

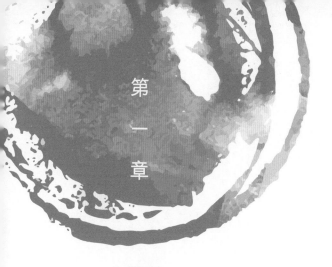

肖虎者出生時間

1926年2月4日22時14分至1927年2月5日3時34分
1938年2月4日19時16分至1939年2月5日1時22分
1950年2月4日17時22分至1951年2月4日23時12分
1962年2月4日15時16分至1963年2月4日21時08分
1974年2月4日13時03分至1975年2月4日18時52分
1986年2月4日11時14分至1987年2月4日16時51分
1998年2月4日8時47分至1999年2月4日14時42分
2010年2月4日6時42分至2011年2月4日12時38分
2022年2月4日4時57分至2023年2月4日10時47分

肖兔者出生時間

1927年2月5日3時34分至1928年2月5日9時15分
1939年2月5日1時22分至1940年2月5日7時03分
1951年2月4日23時12分至1952年2月5日4時59分
1963年2月4日21時08分至1964年2月5日3時06分
1975年2月4日18時52分至1976年2月5日0時44分
1987年2月4日16時51分至1988年2月4日22時52分
1999年2月4日14時42分至2000年2月4日20時31分
2011年2月4日12時38分至2012年2月4日18時30分
2023年2月4日10時47分至2024年2月4日16時37分

肖龍者出生時間

1928年2月5日9時15分至1929年2月4日15時19分
1940年2月5日7時03分至1941年2月4日12時53分
1952年2月5日4時59分至1953年2月4日10時49分
1964年2月5日3時06分至1965年2月4日8時49分
1976年2月5日0時44分至1977年2月4日6時37分
1988年2月4日22時52分至1989年2月4日4時35分
2000年2月4日20時31分至2001年2月4日2時21分
2012年2月4日18時30分至2013年2月4日0時17分

出生時間

肖蛇者出生時間

1929年2月4日15時19分至1930年2月4日20時59分
1941年2月4日12時53分至1942年2月4日18時46分
1953年2月4日10時49分至1954年2月4日16時39分
1965年2月4日8時49分至1966年2月4日14時45分
1977年2月4日6時37分至1978年2月4日12時14分
1989年2月4日4時35分至1990年2月4日10時10分
2001年2月4日2時21分至2002年2月4日8時10分
2013年2月4日0時17分至2014年2月4日6時03分

肖馬者出生時間

1930年2月4日20時59分至1931年2月5日2時41分
1942年2月4日18時46分至1943年2月5日0時41分
1954年2月4日16時39分至1955年2月4日22時18分
1966年2月4日14時45分至1967年2月4日20時24分
1978年2月4日12時14分至1979年2月4日18時13分
1990年2月4日10時10分至1991年2月4日16時19分
2002年2月4日8時10分至2003年2月4日14時02分
2014年2月4日6時03分至2015年2月4日11時58分

肖羊者出生時間

1931年2月5日2時41分至1932年2月5日8時26分
1943年2月5日0時41分至1944年2月5日6時22分
1955年2月4日22時18分至1956年2月5日4時10分
1967年2月4日20時24分至1968年2月5日2時17分
1979年2月4日18時13分至1980年2月5日0時11分
1991年2月4日16時19分至1992年2月4日21時53分
2003年2月4日14時02分至2004年2月4日19時51分
2015年2月4日11時58分至2016年2月4日17時53分

肖猴者出生時間

1932年2月5日8時26分至1933年2月4日14時55分
1944年2月5日6時22分至1945年2月4日12時16分
1956年2月5日4時10分至1957年2月4日9時58分
1968年2月5日2時17分至1969年2月4日8時09分
1980年2月5日0時11分至1981年2月4日6時01分
1992年2月4日21時53分至1993年2月4日3時40分
2004年2月4日19時51分至2005年2月4日1時29分
2016年2月4日17時53分至2017年2月3日23時48分

肖雞者出生時間

1933年2月4日14時55分至1934年2月4日20時04分
1945年2月4日12時16分至1946年2月4日18時11分
1957年2月4日9時58分至1958年2月4日15時56分
1969年2月4日8時09分至1970年2月4日13時33分
1981年2月4日6時01分至1982年2月4日11時52分
1993年2月4日3時40分至1994年2月4日9時30分
2005年2月4日1時29分至2006年2月4日7時23分
2017年2月3日23時48分至2018年2月4日5時41分

肖狗者出生時間

1922年2月4日22時22分至1923年2月5日3時58分
1934年2月4日20時04分至1935年2月5日2時54分
1946年2月4日18時11分至1947年2月4日23時58分
1958年2月4日15時56分至1959年2月4日21時46分
1970年2月4日13時33分至1971年2月4日19時32分
1982年2月4日11時52分至1983年2月4日17時45分
1994年2月4日9時30分至1995年2月4日15時23分
2006年2月4日7時23分至2007年2月4日13時12分
2018年2月4日5時41分至2019年2月4日11時31分

十二生肖

肖豬者出生時間

1923年2月5日3時58分至1924年2月5日9時57分
1935年2月5日2時54分至1936年2月5日7時39分
1947年2月4日23時58分至1948年2月5日5時49分
1959年2月4日21時46分至1960年2月5日3時24分
1971年2月4日19時32分至1972年2月5日1時28分
1983年2月4日17時45分至1984年2月4日23時29分
1995年2月4日15時23分至1996年2月4日21時13分
2007年2月4日13時12分至2008年2月4日19時0分
2019年2月4日11時31分至2020年2月4日17時22分

肖鼠者出生時間

1924年2月5日9時57分至1925年2月4日16時22分
1936年2月5日7時39分至1937年2月4日13時26分
1948年2月5日5時49分至1949年2月4日11時30分
1960年2月5日3時24分至1961年2月4日9時26分
1972年2月5日1時28分至1973年2月4日7時20分
1984年2月4月23時29分至1985年2月4日5時09分
1996年2月4日21時13分至1997年2月4日3時0分
2008年2月4日19時0分至2009年2月4日0時45分
2020年2月4日17時22分至2021年2月3日23時05分

肖牛者出生時間

1925年2月4日16時22分至1926年2月4日22時14分
1937年2月4日13時26分至1938年2月4日19時16分
1949年2月4日11時30分至1950年2月4日17時22分
1961年2月4日9時26分至1962年2月4日15時16分
1973年2月4日7時20分至1974年2月4日13時03分
1985年2月4日5時09分至1986年2月4日11時14分
1997年2月4日3時0分至1998年2月4日8時47分
2009年2月4日0時45分至2010年2月4日6時42分
2021年2月3日23時05分至2022年2月4日4時57分

虎年運程特別注意事項

三煞位

今年三煞位在**正北**，而三煞位最忌者為動土，如室外或室內正北位動土，為犯正三煞，容易引致人口損傷。室外三煞位動土，可用五行化動土局化解。如室內三煞位必須動土，就應由東北或西北方開始動土，然後再向北方，這樣可減少動土所帶來的災害。

太歲方

今年太歲在**東北**，太歲方不宜動土，否則會引致人口不和，易生疾病，其化解方法與三煞位動土相似，由正北或正東先動，然後慢慢移向東北。

沖太歲方

今年**西南**為沖太歲方，亦不宜動土，如要動土則要先由左右兩方開始。

五黃方

今年五黃方在**中宮**。如大門、廚房、睡房在中宮則易生疾病，五黃大病位尤其不利男性，特別容易引起喉嚨、氣管、骨痛及皮膚敏感等毛病，其次是腸胃問題。又五黃方不宜動土，唯恐動旺死符，引致疾病連連。如必須動土，亦宜在外圍開始先動，然後慢慢移向中宮位置，這樣可減輕動土帶來的影響。

五黃方在大門

可用灰色地氈，並在地氈底放一片銅片化解。如疾病依然，可在大門旁加音樂盒及掛一風鈴於門內化解。

五黃方在廚房

最為嚴重，因五黃屬土，廚房屬火，火生土旺，生旺五黃而病重。如要化解，可在廚房灶旁放音樂盒，廚櫃門掛銅鈴，廚房門口放灰色地氈及銅片化解；亦可多放一點水在廚房內以制火。

五黃方在睡房

化解方法與前兩者一樣。又因今年五黃在中宮，所以要盡量避免在室內此方裝修動土，但未入伙的房子則不在此限。

二黑方

今年二黑位在**西南**，而二黑位最不利女主人，容易引致腹部、腸胃疾病，其次是氣管，尤其對年長女士不利，其化解方法與五黃方相同。又二黑之動土亦會生旺病符，如要動土，亦要由外圍開始，然後動至西南。

肖虎犯太歲

今年肖虎犯太歲，犯太歲者心情不佳，人事不和。十二歲犯太歲者心情不定，情緒不穩。二十四歲犯太歲者易有感情變化、損傷、疾病，特別要注意筋骨、手腳等部位的意外損傷，農曆一月及七月為疾病損傷月，所以最好在此兩月去捐血或洗牙以應損傷；農曆一月亦宜外遊化解，寒命人宜去東、南方；熱命人宜往西、北方，至於平命人則無所謂，任何方向皆可，但仍以西、北方較為有利。疾病方面，除了可以捐血化解，亦可在家居設置風水佈局，在全屋中宮放一杯水化解。三十六歲及四十八歲犯太歲者則情緒不穩、悲觀，事事往壞處想，亦宜在農曆一月外遊化解；農曆七月則宜捐血、洗牙化損傷。六十歲宜注意身體健康。如發現嘴唇暗黑、門牙已經脫落者，更要留意。又犯太歲之年易生變化，易見遷移、外出、結婚、分手或添丁等事，所謂「一喜擋三災，無喜心情壞」。

肖猴沖太歲

肖猴今年沖太歲，沖者動也，所以今年肖猴者容易有感情變化、事業變化、住屋變化，但變化本身無好壞可言，只不過是出現變化而已，要再配合命格才知道是變好還是變壞。熱命人今年宜守；寒命人則宜攻，新投資可在今年起步；平命人運程亦以守為佳。又今年太歲虎屬木，而猴屬金，金木交戰，要特別注意筋骨、手腳受損，又農曆一月及七月要注意交通意外及損傷，可以捐血、洗牙，亦可在家居中央放一杯水化解。

肖蛇刑太歲

刑者是非較多，人事不和。肖蛇今年為太歲相刑年，是非必然較平常多，可在今年正北桃花位放一杯水，正東爭鬥位放粉紅色物件，這必有助減免是非。

肖龍太歲相穿

雖然是非稍多，但並不嚴重，可在正北桃花位放一杯水、正東是非位放粉紅色物件旺人緣、化是非。

（註：今年所有犯太歲的生肖，均可在家中正南方放一個馬形擺設、西北方放一個狗形擺設化解。如相信佩戴飾物化解者，亦可佩戴一個豬形鏈墜，但肖蛇者則宜用馬形擺設及鏈墜。）

肖豬太歲相合

合者人緣好，易得貴人扶助，故今年肖豬為相合年，人緣必佳。

桃花生肖

肖牛

今年為紅鸞桃花年，而紅鸞為正桃花、好桃花。未有對象者宜把握機會；已有對象者則有婚嫁機會；已婚者宜多加注意，勿使其變成桃花劫而自找麻煩，應盡量利用桃花化為人緣，這樣對事業必然有幫助。

肖羊 今年為天喜桃花，而天喜亦是正桃花，只是力量沒有紅鸞那麼大，但其作用跟紅鸞一樣，故未婚者今年要把握機會；單身的你宜多些外出碰碰機會；即使已婚者亦可利用桃花化作人緣，這樣間接對事業亦有幫助。

肖兔 今年為咸池桃花生肖，咸池桃花為霧水情緣，易聚易散。此外，特別容易跟已經相識之人發生短暫情緣，但一般會一瞬即逝，要延過今年才可能穩定發展。

化桃花

如閣下已婚，又從事一些不常接觸陌生人的工作，則桃花對你根本無用，可以化解。

肖牛 可在家中正西放音樂盒化解。

肖羊 可在家中正西放音樂盒化解。

肖兔 可在家中正南放紅色物件化解。

虎年出生嬰兒運程及改名宜忌

虎年是由西曆二〇二二年二月四日上午四時五十七分立春開始至二〇二三年二月四日上午十時四十七分立春前止。

生於一月（西曆二月四日上午四時五十七分至三月五日下午十時五十四分）

男命一生行運較佳，五十多年大運，尤其是三十歲至六十歲之間最佳。

女命一生行運平穩，宜專業或大機構工作。晚年安樂。

不論男命、女命，命皆喜木、火。

牀頭宜東、南、東南、西南。

顏色宜青、綠、紅、橙、紫。

改名宜用屬木、火之字（可買改名書參考，如《蘇民峰玄學錦囊（姓名篇）》）。屬木之字用牙發音，如彥、浩、旭、加等字。屬火之字用舌發音，如利、李、力、彤、琳等。

生於二月（西曆三月五日下午十時五十四分至四月五日上午三時五十一分）

命帶桃花，早年桃花稍重，且易得貴人扶助。

男命四十多歲前平穩，宜專業或在大機構工作；四十多歲後有二十年較順運，可自我發展或逐步高陞。

女命一生運程通順，十多歲行運至七十多歲，尤以五十多歲之後二十年最佳，然亦為平穩向上之命，不會大上大落。

命中五行皆可用，然以金、水較佳。

牀頭宜西、北、西北、東北。

顏色宜白、金、銀、黑、灰、藍。

名字宜用屬金、水之字。齒發音之字屬金，如式、先、阡、沖、晨等字。口唇發音之字屬水，如月、明、美、貝、芬等。

生於三月（西曆四月五日上午三時五十一分至五月五日下午九時十六分）

男命三十多歲前平穩，三十多歲至五十多歲運程漸佳。五十多歲至六十多歲平穩。六十多歲後還有三十年運，晚年安樂。

女命二十多歲入大運，六十年大運，尤其二十多歲至五十多歲最佳，晚運亦亨通。

命中五行皆可為用，然以金、水較佳。

牀頭宜西、北、西北、東北。

顏色宜白、金、銀、黑、灰、藍。

名字宜用屬金、水之字。

生於四月（西曆五月五日下午九時十六分至六月六日上午一時三十二分）

月令相刑，少年是非稍多，父母多爭執。皮膚及腸胃要小心。

男命二十多歲入運至四十多歲，然後稍遜，五十多歲後再行三十年更佳大運，晚運亨通。

女命三十多歲入運至六十多歲，宜好好把握，六十多歲後可退守，到七十多歲後還有二十年晚年運，故晚年必然安穩。

命中五行喜金、水。

牀頭宜西、北、西北、東北。

顏色宜白、金、銀、黑、灰、藍。

名字宜用屬金、水之字。

生於五月（西曆六月六日上午一時三十二分至七月七日上午十一時五十分）

年月相合，早年生活較為穩定，人緣佳。

男命十多歲入運至七十多歲，尤其四十多歲至七十多歲之大運最佳。

女命四十歲前平平，四十多歲後開始入運至七十多歲，晚年安樂。

命中五行喜金、水。

牀頭宜西、北、西北、東北。

顏色宜白、金、銀、黑、灰、藍。

名字宜用屬金、水之字。

生於六月（西曆七月七日上午十一時五十分至八月七日下午九時四十分）

命帶桃花，早年人緣佳，易得貴人眷顧。

男命六十年大運，一生漸入佳境，三十多歲後運程最佳，宜好好把握。

女命一生行運平穩，宜專業或入大機構發展，五十多歲後入大運為退休好運，安享晚年。子女運亦佳。

命中五行喜金、水。

牀頭宜西、北、西北、東北。

顏色宜白、金、銀、黑、灰、藍。

名字宜用屬金、水之字。

生於七月（西曆八月七日下午九時四十分至九月八日上午零時二十五分）

男命一生平穩，宜專業或在大機構發展，五十多歲入大運，晚年安樂。

女命一生行運較佳，六十年的大運，一生漸入佳境，尤其四十多歲之後二十年運最佳。

命中五行喜木、火。

牀頭宜東、南、東南、西南。

顏色宜青、綠、紅、橙、紫。

名字宜用木、火之字。

生於八月（西曆九月八日上午零時二十五分至十月八日下午三時五十五分）

男命一生平穩，四十多歲入大運至六十多歲，宜好好把握。

女命十多歲入大運至七十多歲，一生漸入佳境，然以五十歲前最佳，然後停十年，之後還有二十年晚年運。

命中五行喜木、火。

牀頭宜東、南、東南、西南。

顏色宜青、綠、紅、橙、紫。

名字宜用木、火之字。

生於九月（西曆十月八日下午三時五十五分至十一月七日下午七時零一分）

男命三十多歲入運至五十多歲，宜把握機會，五十多歲至六十多歲稍停，然後再行三十年運。晚年安樂。

女命二十多歲入運至五十多歲，五十多歲至六十多歲稍停，六十多歲後的二十年運氣亦佳。晚年安樂。

命中五行喜木、火。

牀頭宜東、南、東南、西南。

顏色宜青、綠、紅、橙、紫。

名字宜用木、火之字。

生於十月（西曆十一月七日下午七時零一分至十二月七日上午十一時四十七分）

月令相合，早年人緣佳，家庭亦較穩定。

男命二十多歲入運至四十多歲，四十多歲至五十多歲稍停，然後再有三十年大運。

女命三十多歲入運至六十多歲，三十年大運，必有一番作為。

命中五行喜木、火。

牀頭宜東、南、東南、西南。

顏色宜青、綠、紅、橙、紫。

名字宜用木、火之字。

生於十一月（西曆十二月七日上午十一時四十七分至二〇二三年一月五日下午十一時零分）

男命十多歲入運至七十多歲，尤其在四十多歲後更佳，宜把握機會。

女命平穩，宜專業或入大機構工作，四十多五十歲入三十年大運，可發展自己事業，安享晚年。

命中五行喜木、火。

牀頭宜東、南、東南、西南。

顏色宜青、綠、紅、橙、紫。

名字宜用木、火之字。

生於十二月（西曆二〇二三年一月五日下午十一時零分至二月四日上午十時四十七分）

命帶桃花，早年人緣佳，易得貴人扶助。
男命一生行運，尤其三十多歲至六十多歲之時最佳，宜把握機會，必有一番作為。
女命一生平穩，宜專業或入大機構發展，五十多歲後有三十年大運，晚年安樂。
命中五行喜木、火。
牀頭宜東、南、東南、西南。
顏色宜青、綠、紅、橙、紫。
名字宜用木、火之字。

註：牀頭宜東、南、東南、西南者，其寫字枱亦宜面向這些方向。顏色方面，只需配合房間牆身及窗簾顏色、長大後座駕顏色、辦公室顏色；但衣服顏色則不用配合。

五行化動土局之由來

五行化動土局，是本人在一九九七年，發現住屋對門之單位在大興土木裝修時所發明的。在風水學上，動土為戊己都天煞，為大煞，為極嚴重之煞氣，輕則引致疾病連連、屢醫無效；重則要開刀做手術，所以不得不加以化解。細想之下，便發明了這個五行化動土局，原理是由八字之五行相生相剋演變而來。本人之住宅大門方向向北，而北方屬水，於是我把金放於最後，然後在金之前再順序放水、木、火、土。土之所以在最前面，是用以剋制北方屬水所帶來之動土煞氣。這原理是金生水、水生木、木生火、火生土，最後用土剋水，從而把煞氣剋出屋外。其後，我再把原理細分為東面及東南面煞氣化解方法、南面煞氣化解方法、西面及西北面煞氣化解方法和東北及西南面之化解方法。之後又為免客人遇有動土卻分不出其方向，便發明圓形之擺法，使其金生水、水生木、木生火、火生土、土生金，五行周流不滯而使煞氣不能侵入。

現在提供五行化動土局如下（本人之著作《風生水起（巒頭篇）》、《風水天書》及《如何選擇風水屋》內有詳細記載），務使各位讀者遇有動土時能加以運用，消災解病。

五行物件

木　任何植物。

火　任何紅色、螢光或發光物件。

土　天然石頭。

金　金屬發聲物件，如風鈴、音樂盒，或六個銅錢亦可，但最簡單為音樂盒，因扭緊發條以後便可發出金屬撞擊聲音；但記住不可使用電子音樂盒，因電屬火，火會剋金，產生相反效果。

水　普通水喉自來水，不要用蒸餾水。

化煞方向

煞在東方及東南方——為木煞，宜先放音樂盒對着有煞方向，然後依次倒序放石頭、紅色物件、植物、水。

動土煞在東方及東南方——→金、土、火、木、水煞在南方——為火煞，先放水對着動土之處，再依次倒序放音樂盒、石頭、紅色物件、植物。

動土煞在南方——↑水、金、土、火、木

煞在西南及東北方——為土煞，宜先放植物對着動土方向，然後依次倒序放水、音樂盒、石頭、紅色物件。

動土煞在西南及東北方——↑木、水、金、土、火

煞在西方及西北方——為金煞，先放紅色物件對着動土方向，再依次倒序放植物、水、音樂盒、石頭。

動土煞在西方及西北方——↑火、木、水、金、土

煞在北方——為水煞，先放石頭對着動土方向，再依次倒序放紅色物件、植物、水、音樂盒。

動土煞在北方——↑土、火、木、水、金

如有動土而不知道方向，可以把以上代表木、火、土、金、水五行之物件圍成圓圈，對着動土方，則任何方向之動土煞皆可化解；當然，其力量不及專門針對特定方向而置之直向五行化煞大局。

煞不知在何方之化解方法

寒熱命論的出現，始於一九八三年開始替人算命至今，加上多年教授學生之經驗，發現古代流傳之書籍以及本人老師吳晚軒先生所傳授之命理知識，實在有不足之處，但又未能找出其究竟為何。在此不是說本人之老師吳晚軒先生所傳授給本人之命理理論有誤，因他已把所知的傾囊傳授，像我對我的學生一樣，毫無保留；只是每一樣理論學說都在不斷演變，從古代看命用五星，至宋代徐子平出現，把五星的方法改良，令算命從此不用看星，而把星歸納於五行之內，從而轉用十天干、十二地支、五行（木、火、土、金、水）作為算命之依據。此法一直流傳至今，是一個初步之演化程序。但當中一定有不完善的地方，因為算命之術發展至今，還是沿用一千年以前之旺者宜剋宜洩，衰者宜幫宜扶的方法去判斷。雖然已把古代很多無用的東西刪掉，但當中還是存在着很多問題。

在一九九二至一九九四年間，寒熱命的理論突然在我腦海中出現。直至一九九六、一九九七年間，便正式傳授給我的學生（當然也包括以前所教過的學生）。所以，從學習到醞釀至發明，當中經過了十多年的努力。而寒命、熱命、平命理論一出以後，很多以前未能解決之命理懸案都能一一迎刃而解。因寒命人喜火，以木生火；而熱命人喜水，以金生水；平命人水火不忌，然以水運較佳，又乾土屬火，濕土則屬水。以此理論，當知道一個人的出生年月日時以後，便可以知其一生運程之吉凶，根本不用再詳細計算命者身旺身弱，以何為用神。到近年甚至再推翻根本無從格、化格，只有熱命、寒命、平命而已。

寒命人　生於立秋後、驚蟄前（西曆八月八日後、三月六日前）。

熱命人　生於立夏後、立秋前（西曆五月六日後、八月八日前）。

平命人　生於驚蟄後、立夏前（西曆三月六日後、五月六日前）。

寒熱命用法

當各位知道自己屬寒命、熱命或是平命以後，就可以知道自己一生之運程。寒命喜火以木生火，熱命喜水以金生水，平命喜水不忌火。而土為平，帶水為濕土，帶火為乾土。

然後只要再知道木、火、土、金、水每十二年一個循環、每十二月一個循環和每十二日一個循環，即可計算自己運程之吉凶。簡單而言，二〇一〇至二〇一五年為木火，利寒命人；二〇一六至二〇二一年為金水，利熱命人；二〇二二至二〇二七年屬木火，利寒命人；二〇二八至二〇三三年又轉回金水，餘此類推，每六年一個改變，每十二年一個循環，這樣便可以知道自己運程之大概吉凶好壞。如要詳細知道自己大運之情況，可參考本人之《八字萬年曆》之「寒熱命入門篇」、《八字入門捉用神》、《八字論命》及《八字進階論格局看行運》。

木、火、土、金、水之所屬生肖之年

鼠	屬水
牛	屬土帶水
虎	屬木帶火
兔	屬木
龍	屬土帶水
蛇	屬火
馬	屬火
羊	屬土帶火
猴	屬金帶水
雞	屬金
狗	屬土帶火
豬	屬水

木、火、土、金、水之所屬月份

農曆一月	屬木帶火
農曆二月	屬木
農曆三月	屬土帶水
農曆四月	屬火
農曆五月	屬火
農曆六月	屬土帶火
農曆七月	屬金帶水
農曆八月	屬金
農曆九月	屬土帶火
農曆十月	屬水
農曆十一月	屬水
農曆十二月	屬土帶水

木、火、土、金、水之所屬日子

寅	屬木帶火	卯	屬木
辰	屬土帶水	巳	屬火
午	屬火	未	屬土帶火
申	屬金帶水	酉	屬金
戌	屬土帶火	亥	屬水
子	屬水	丑	屬土帶水

每日之木、火、土、金、水似乎難以得出，但其實只要閣下有電腦，並輸入一組寅、卯、辰、巳、午、未、申、酉、戌、亥、子、丑以後，以此再排，就可以得出前前後後每年每月每日之木、火、土、金、水。下表提供二〇二二年西曆一月一日開始之第一組寅、卯、辰、巳、午、未……只要依次排列即可。

西曆二〇二二年一月

一日	寅	十二日	丑
二日	卯	十三日	寅
三日	辰	十四日	卯
四日	巳	十五日	辰
五日	午	十六日	巳
六日	未	十七日	午
七日	申	十八日	未
八日	酉	十九日	申
九日	戌	二十日	酉
十日	亥	廿一日	戌
十一日	子	廿二日	亥

第二章

虎年地運預測

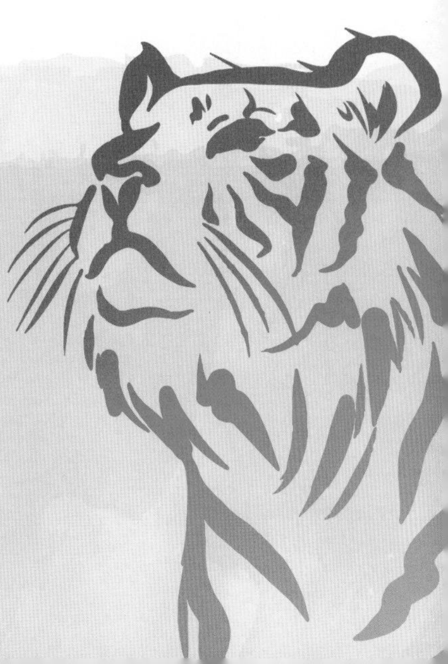

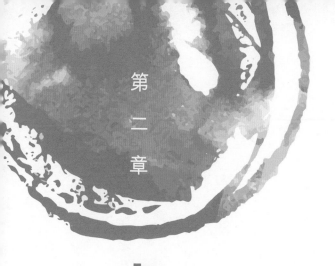

二〇二二年壬寅年之八字圖

壬寅	壬寅	戊子	甲寅

一月	癸卯
二月	甲辰
三月	乙巳
四月	丙午
五月	丁未
六月	戊申
七月	己酉
八月	庚戌
九月	辛亥
十月	壬子
十一月	癸丑
十二月	甲寅

今年為水火交接年，與去年一樣，各人運程都容易出現反覆，經濟上的逆順低高不定，故在投資方面要步步為營，切勿盲目冒進；然今年為雙數年，一般為先跌後升之年，故宜於春夏低位入貨，待秋冬高位宜沽，如長線看，亦可看長一點至明年秋前，等適合位置沽貨，又投資股票或其他投資；如果不是做生意的話，主要是看個人眼光和定力，與個人運氣無直接關係，故寒、熱、平命人也是一樣的。

今年五行強弱

五行方面，今年以木獨旺，領先其他五行很多；其次是水；再次之為火；稍弱為土；最弱者為金，今年排名最後，如沾手則要三思。

木──最旺，行業包括紙張、傢具、布、成衣、木材、中藥、印刷等。

水──次旺，為零售、貿易、航運、酒水、銀行金融等一切流動性質的行業。

火──再次旺，為電子、電腦、石油、燃煤、電力、通訊等。

土──稍弱，為建築、基建、水泥、建材等。

金──最弱，為**貴價金屬**、**五金**、**機械**、**鋼材**等。

金融股票

今年為先跌後升之局，宜春夏待低位入市，靜待秋冬收成；惟今年是木火運的第一年，相信動力不大，故今年賺到微利便算是不錯了。

樓房地產

今年開始進入木火之年，樓房地產即使不馬上下滑，相信也難有上升動力，故入市可能不要心急，宜謀定而後動。

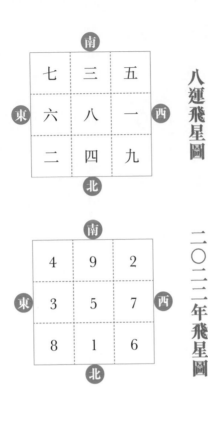

八運飛星圖

南（上）、北（下）、東（左）、西（右）

七	三	五
六	八	一
二	四	九

二〇二二年飛星圖

南（上）、北（下）、東（左）、西（右）

4	9	2
3	5	7
8	1	6

今年為水火互換年，金水運過去，木火年來臨，而一般木火運經濟會較為呆滯，樓房、股票容易出現逆轉，尤其是持有歐美股票者更要留意；又木火年亦為個人運程順逆轉變之年，國家如是，個人如是，故在順逆間要小心拿捏，方能免招致損失。

又今年五黃入中，唯恐疾病細菌、天災人禍會較多，不得不防，而中宮為世界各地，內陸及高山地區。

現在仍然為下元八運，西南位仍然是五黃災星之位置，而今年二黑病符亦飛臨此方，故今年西南方之天災人禍可能會較為頻繁，而西南方為西安之西南位，包括西藏、四川、雲南等地；遠些為不丹、尼泊爾、孟加拉、印度以至印度洋一帶的國家，如斯里蘭卡、印尼等地。

其次東北位，八運中仍然是二黑死符，亦恐不太平穩，而東北為中國東北、韓國、蘇聯東部，遠至加拿大、阿拉斯加一帶。

二〇二二年為五黃入中之年，世界各國之天災人禍恐防會比平常多，尤其高山及內陸地區。今年二黑病符在西南方與八運五黃相並，故今年西南方為本年最要留意之方位。

正東

今年為三碧木，為爭鬥之方位，與八運六白金木並，金木交戰，唯恐爭鬥及意外之事較多；正東為台灣地區、日本、太平洋及美加西岸一帶。

東南

本年東南為四綠文昌位，故此方本年不利文人發展及軟性實力；惟八運東南為七赤金，金木交戰而易見損傷，故東南地區唯恐意外頻生，而東南為廣東、香港、菲律賓、西馬、西印尼及澳紐一帶。

正南

今年正南為九紫火，而九紫為喜慶之星，八運西南為三碧爭鬥星，故二〇〇四年後此方爭鬥不絕；惟今年九紫火能洩三碧木，故今年此方較為平和，甚至喜事盈門，正南方為中南半島如泰國、緬甸、越南、東馬及印尼中部一帶。

西南

八運西南為五黃土，今年西南為二黑土，二五疊臨恐損主重病，天災人禍唯恐較為頻繁，故中國西南及印度洋一帶今年仍要好好提防，做足準備。

正西

今年正西為七赤金，八運正西為一白水，金能生水既利經濟，亦利旅遊；惟一白水旺，西歐、中東一帶唯恐仍水災頻生，故仍要做好準備。

西北

本年西北為六白金，八運西北為九紫火，火為火災，金為肺、骨，亦為長輩，故西北區國家之領導、家長要提防身體及火災；西北為俄羅斯東部及北歐、冰島、蘇格蘭一帶。

正北

今年正北為一白水，八運正北為四綠木，正北區除利旅遊外，亦利文昌獲獎；而正北為中國北部、蒙古及蘇聯中部。

東北

今年為八白土，八運東北為二黑土，故此居既利財星亦旺病星；而東北為中國東北、北海道、韓國、蘇聯東部，以至阿拉斯加及加拿大西岸等地。

中宮

今年中宮為五黃土，八運中宮為八白土，土見土旺既利財星亦旺病星，中宮泛指內陸及高山地區。

第三章

虎年風水佈局

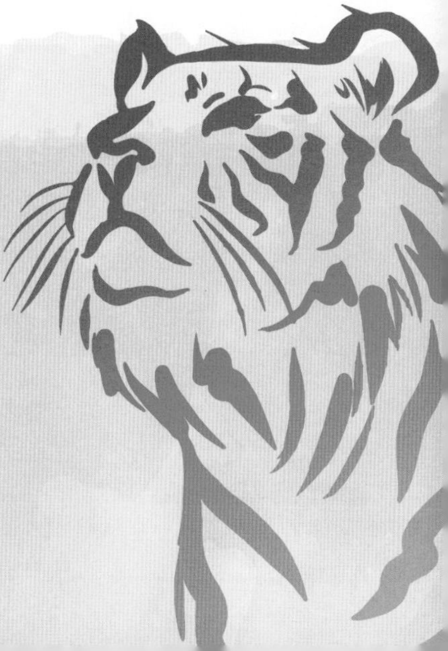

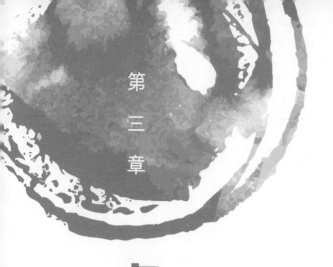

虎年流年風水佈局

正東	今年為三碧爭鬥位
東南	今年為四綠文昌位
正南	今年為九紫喜慶位（亦為未來之財星）
西南	今年為二黑細病位
正西	今年為七赤破軍金星（亦為過去之財星）
西北	今年為六白武曲金星
正北	今年為一白桃花星
東北	今年為八白財位（當運之財星）
中宮	今年為五黃大病位

南

四（文昌位） 四枝富貴竹或一杯水	九（喜慶位） 四盆植物及九枝紅花	二（細病位） 音樂盒
三（爭鬥位） 粉紅色物件	五（大病位） 音樂盒及一杯水	七（破軍位） 一杯水
八（財位） 一杯水	一（桃花位） 音樂盒及一杯水	六（武曲位） 一杯水（催財）或八粒白石（利升遷）

東（左）　西（右）

北

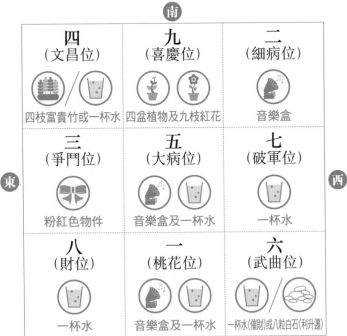

正東

正東位屬「三碧爭鬥位」，可在家居正東位放置粉紅色物件化解。但若閣下是靠口才維生，則可以不化解。

東南

今年「四綠文昌位」在東南。如要催旺東南文昌位，最宜放四枝富貴竹，但單單放一杯水，都有催旺文昌位的作用。文昌位除了對進修和在學人士有幫助之外，在訂立契約和處理文件的時候，催旺文昌位都能起到正面的作用。

正南

正南今年是「喜慶位」。要是你蜜運多時，但婚期未定，便可以在屋內正南位置放四盆植物，外面圍放九枝紅花。當然，任何喜慶的事情都可包括在內，如閣下已經結婚而想要添丁，亦可以催旺正南喜慶位；已經有了孩子，也可以為升職、加薪而努力，但就不用放九枝紅花。

西南

西南今年屬「二黑細病位」，如家居的大門、廚房或睡房位處西南，居住者即容易生病，而主要病變會集中在腹部及呼吸系統。氣管問題可將風鈴、音樂盒或一些可發出聲音的金屬物件放在正北位化解；腹瀉、腹痛則放紅色地氈化解。而兩者可交替使用。

正西

今年正西是「七赤星」，七赤星目前雖是退氣財星，但旺氣仍在，宜在正西位放一杯水以起催財作用。

西北

西北今年是「武曲位」，利文職以外的人。渴望升職的話，可以在西北放八粒白色的石頭。如要財源廣進，則要放一杯水。這裏所指的文職以外，可稱之為武職，即如裝設電腦、修理火車路軌、三行工人、紀律部隊或其他技術性人員等。

正北

正北今年是「桃花位」，要催旺桃花，可以放一杯水，再在旁邊放一個上鏈發聲的音樂盒，宜久不久拉動音樂盒發條，讓其金屬聲震動旁邊的水以催旺桃花。由於桃花除了代表男女關係外，還包括一般的人際關係；所以，已婚人士也可以催旺桃花，對於特別想加強人際關係，或從事的工作需要經常應酬和搞好人際關係之人士，都能起到正面的作用，但就不需要加音樂盒，只放一杯水就可以。

東北

今年「八白財星」在東北，催財可以擺放一杯水或任何水種植物或魚缸在此位，以利財運。

中宮

今年中宮是「五黃大病位」，會引起身體不適，而主要影響的身體部位是呼吸系統及腹部，例如肺、骨、喉嚨、氣管、皮膚、腸胃等疾病。如果家居大門位於中宮、廚房在中宮，又或者你睡覺的方位在家居的中宮，自然病得更加嚴重。要化解疾病位，可以在中宮位擺放音樂盒、風鈴或其他可發聲的金屬物件，如多過一條的舊鑰匙亦可，並在旁邊放一杯水。

掃一掃、知多D

化病攻略

金—音樂盒	代表任何金屬發聲物件，如銅鈴、鑰匙、銅製錢幣等。
土—石	任何石製物件或天然石頭。
水—水	自來水一杯、水種植物或魚缸。
木—植物	任何植物，但仙人掌除外。
火—紅色	任何紅色物件，如利是封、揮春等。

催財局

今年喜慶位在正南，七赤位在正西，財位在東北，如要催財，可在此三方放一杯水，並在水中加一粒黑石。注意催財局不可長用，每用三個月便要停一個月，然後再用，否則無效。

掃一掃、知多D

催財局

催桃花人緣局

今年桃花位在正北，太歲三合位在正南、西北，可在正北放一杯水加音樂盒以催旺桃花。如再放一個馬形擺設在正南、一個狗形擺設在西北，可增加人緣。桃花、人緣同至，自然馬到功成。但如只要人緣不要桃花，正北則不用放音樂盒。

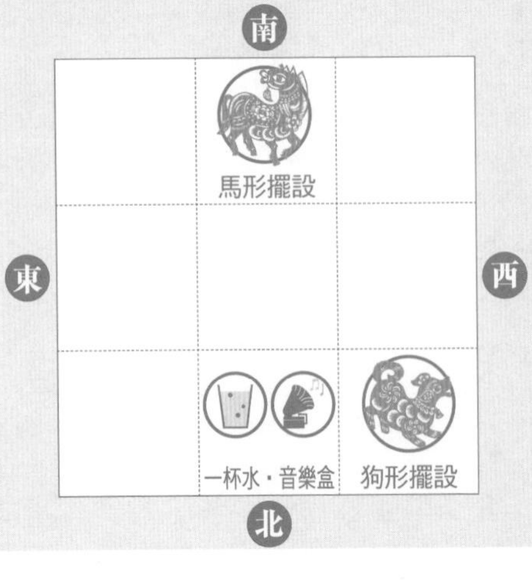

掃一掃、知多D

催桃花人緣局

催生意局

如今年生意欠佳，訂單不足，可在東南文昌位放四枝富貴竹，並於東北財位放八粒白色石春於水中，自然能催旺生意。

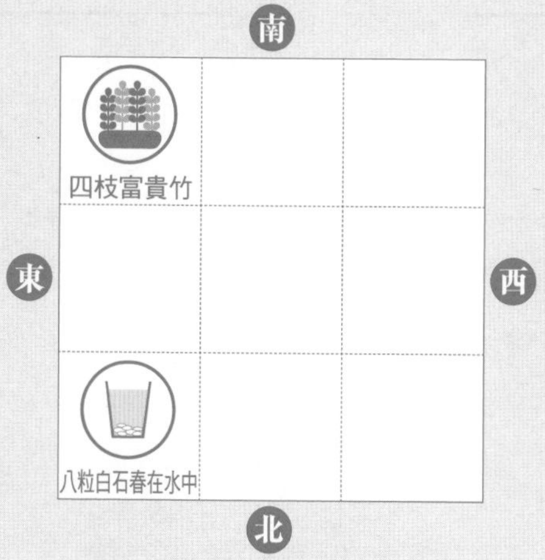

催文昌考試局

要催文昌，需在正北一白方放四枝富貴竹，並於東南四綠方放一杯水，以起一四同宮發科名之效。

催升職加薪局

可在東北財位放一杯水、西北武曲位放八粒白色石春在水中，這樣對文職或文職以外的升遷加薪能起到正面作用。

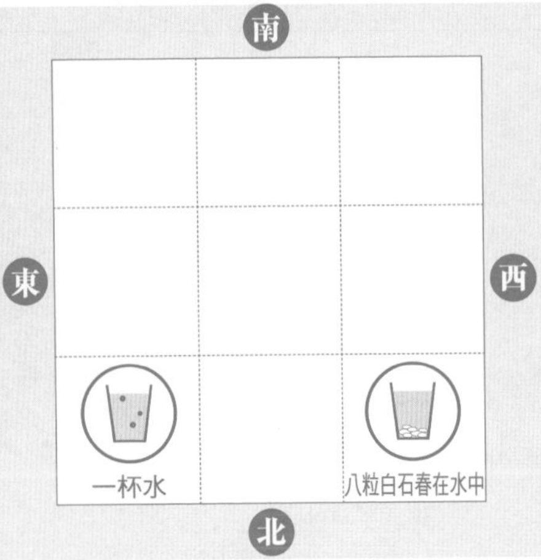

催喜慶姻緣局

今年喜慶位在正南，宜在正南放四棵泥種植物，外面圍九枝紅花，以催旺喜慶；再於正北桃花位放一杯水催旺人緣。

催喜慶姻緣局

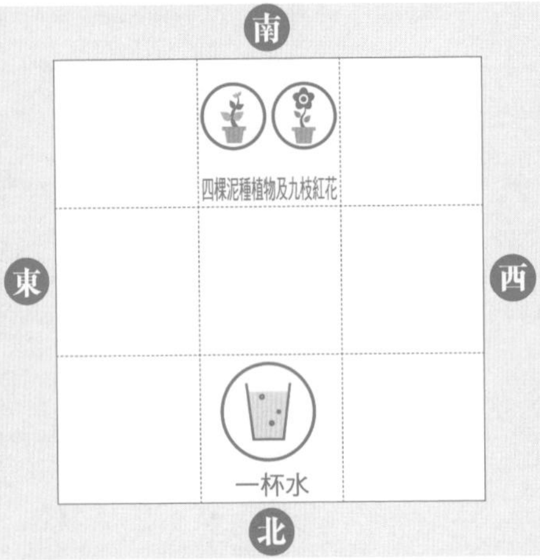

旺人緣化是非局

可在今年正北桃花位放一杯水、正東爭鬥位放粉紅色物件，以旺人緣、化是非。

旺人緣化是非局

正東

正東今年為三碧爭吵位，宜在大門放粉紅色地氈化解是非，門內門外也可。

大門開在正東方

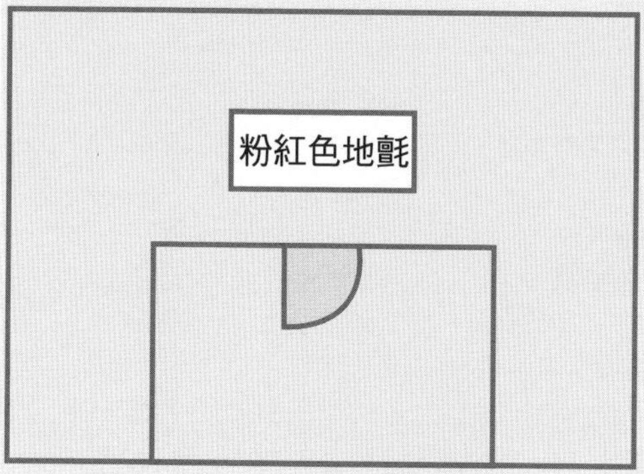

東南

東南今年為文昌位，可放灰色地氈，並在地氈底放綠色布，以催旺文昌星。（地氈可放門內或門外。）

大門開在東南方

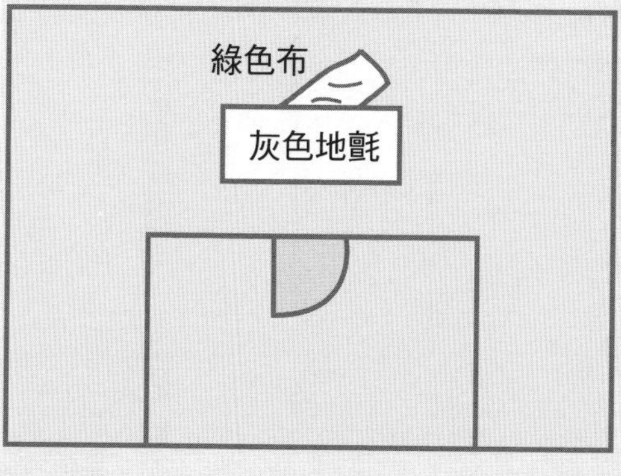

正南

正南今年為喜慶位，室外宜放綠色地氈催旺喜慶，室內則可放紅色地氈。

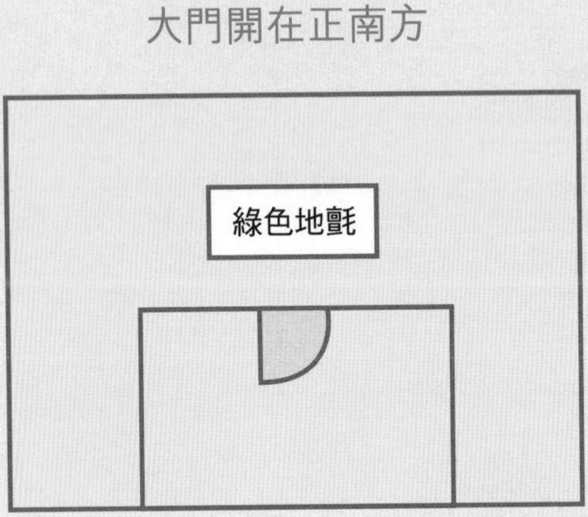

西南

西南今年為細病位，宜用灰色地氈，並在地氈底放金屬物件，以化解病星。（地氈放大門內外都可。）

正西

正西今年為七赤破軍星，可放灰色地氈在屋內引財。

大門開在正西方

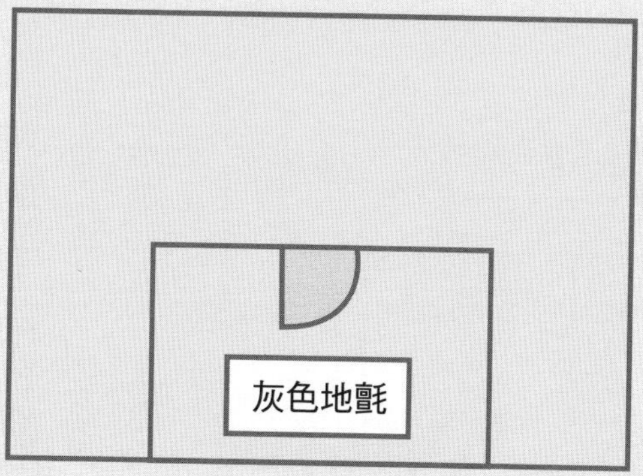

西北

西北今年為武曲位，利文職以外的人士，宜放黃色或啡色地氈在屋外以催升職；如催財則可於屋內放灰色地氈。

大門開在西北方

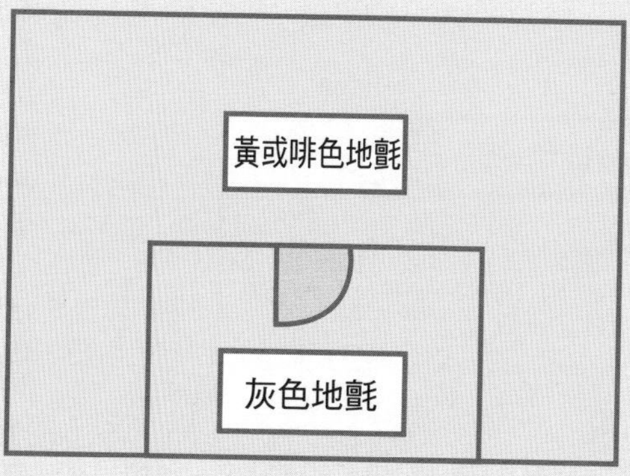

正北

正北今年為一白桃花星，宜放灰色或藍色地氈催旺桃花。（如要化桃花，則在屋內放綠色地氈或門外放啡色地氈。）

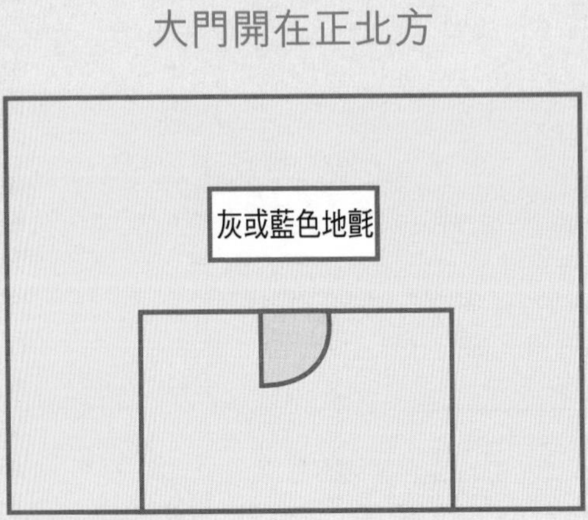

東北

東北今年為八白財星，宜在門外放紅色地氈催旺財星。

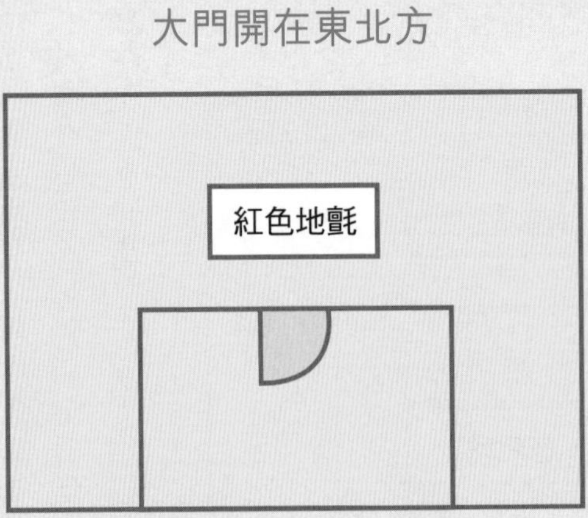

中宮

中宮今年為大病位，宜用灰色地氈，並在地氈底放金屬物件；再在門內掛鈴或大門內旁邊放音樂盒化解。

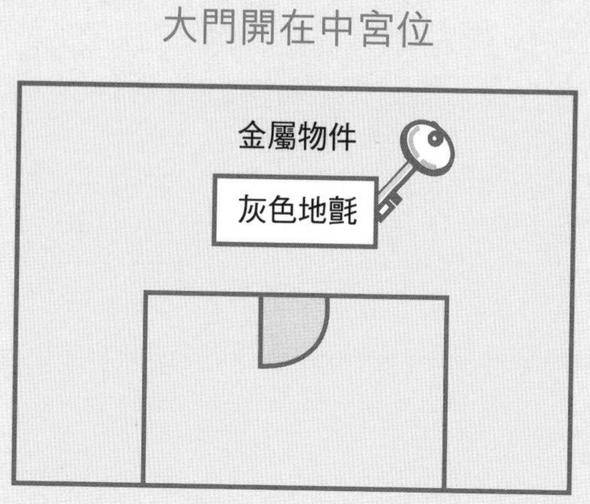

註：大門方向與大門開在哪一方位並無直接關係，重點是要尋找大門開在屋中的哪個方向。(見左圖例)

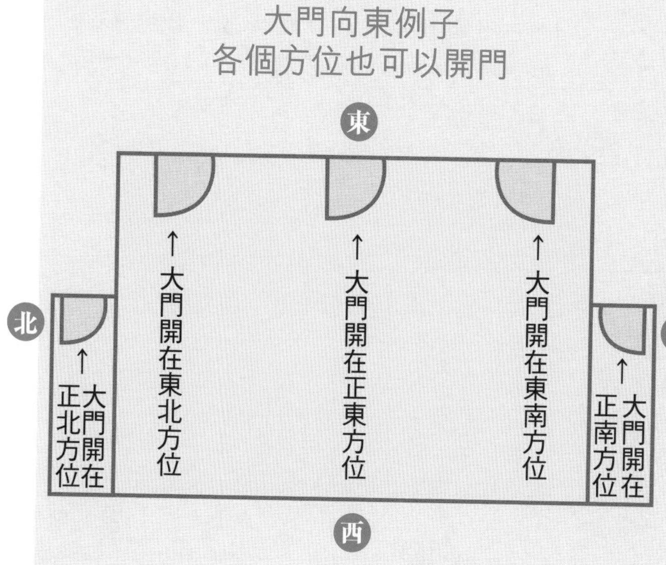

南

四

1	4	7	1
9	3	6	9
8	2	5	8

九

6	9	3	6
5	8	2	5
4	7	1	4

二

8	2	5	8
7	1	4	7
6	9	3	6

東

三

9	3	6	9
8	2	5	8
7	1	4	7

五

(年飛星)

2 十月	5 七月	8 四月	2 一月
1 十一月	4 八月	7 五月	1 二月
9 十二月	3 九月	6 六月	9 三月

七

4	7	1	4
3	6	9	3
2	5	8	2

西

八

5	6	2	5
4	7	1	4
3	6	9	3

一

7	1	4	7
6	9	3	6
5	8	2	5

六

3	6	9	3
2	5	8	2
1	4	7	1

北

二〇二二年流月飛星圖

1	6	8
9	2	4
5	7	3

一月

9	5	7
8	1	3
4	6	2

二月

8	4	6
7	9	2
3	5	1

三月

7	3	5
6	8	1
2	4	9

四月

6	2	4
5	7	9
1	3	8

五月

5	1	3
4	6	8
9	2	7

六月

4	9	2
3	5	7
8	1	6

七月

3	8	1
2	4	6
7	9	5

八月

2	7	9
1	3	5
6	8	4

九月

1	6	8
9	2	4
5	7	3

十月

9	5	7
8	1	3
4	6	2

十一月

8	4	6
7	9	2
3	5	1

十二月

虎年每月風水佈局

每月風水佈局，主要用於每月與每年的五黃、二黑大細病位有否重疊、遇九紫火生旺、八白土助旺，如有便要加強化解。另每月文昌位，用以加強文昌考試之用；每月財位，可加強催財之力。

掃一掃、知多D

每月風水講解

農曆一月（西曆二月四日至三月五日）

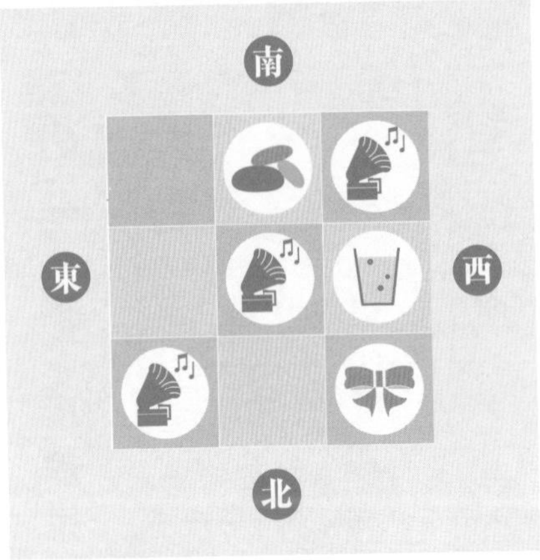

正東

本年正東為三碧木，本月正東為九紫火，木生火旺既化爭鬥亦利喜事臨門。

東南

本年東南為四綠木，本月東南為一白水，一四同宮發科名之顯，本月此區有利讀書考試。

正南

本年正南為九紫火，本月正南為六白金，火剋金而不利肺、骨、氣管，宜放石頭化解。

西南

本年西南為二黑土，本月西南為八白土，既旺財星亦旺疾星，宜多響音樂盒化病。

正西

本年正西為七赤金，本月正西為四綠木，金木交戰而易見損傷，宜放一杯水去洩水生木，這樣既旺財星亦利文昌。

西北

本年西北為六白金，本月西北為三碧木，宜放粉紅色物件去洩木制金。

正北

本年正北為一白水，本月正北為七赤金，金生水旺，利桃花亦利人緣。

東北

本年東北為八白財星，本月東北為五黃病星，宜放音樂盒化解病星。

中宮

本年中宮為五黃死符，本月中宮為二黑病符，二五疊臨而損主重病，宜多響音樂盒化解。

●農曆二月（西曆三月五日至四月五日）

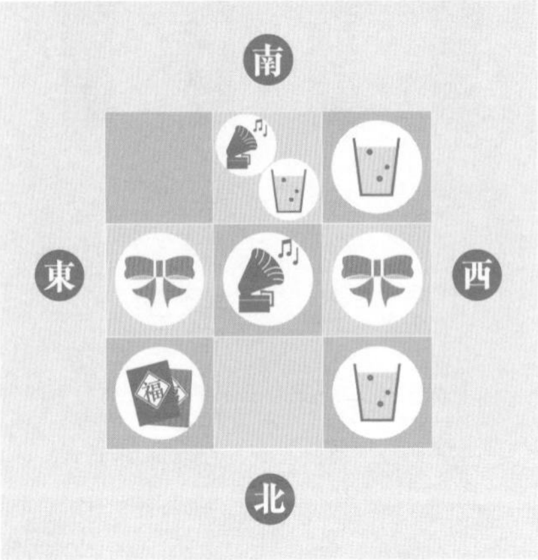

正東

本年正東為三碧木，本月正東為八白土，木來剋土而不利腹部腸胃，宜放粉紅色物件化解，這既利洩弱是非，也能生旺財星。

東南

本年東南為四綠木，本月東南為九紫火，四遇九而有利喜事臨門。

正南

本年正南為九紫火，本月正南為五黃土，火生土旺而生旺病星，除了放音樂盒外，亦宜放一杯水去制火。

西南

本年西南為二黑土，本月西南為七赤金，金能洩土洩弱病星，可再放一杯水催財。

正西

本年正西為七赤金，本月正西為三碧木，金木交戰而易見損傷，宜放粉紅色物件洩木制金。

西北

本年西北為六白金，本月西北為二黑土，金能洩土洩弱病星，可再加一杯水而有利武職人士財運。

正北

本年正北為一白水，本月正北為六白金，金能生水，既利桃花亦利財星。

東北

本年東北為八白土，本月東北為四綠木，木剋土而不利小口，宜放紅色物件化解。

中宮

本年中宮為五黃土，本月中宮為一白水，土剋水而不利腎、膀胱、泌尿系統，宜多響音樂盒化病，亦能生旺桃花。

農曆三月（西曆四月五日至五月五日）

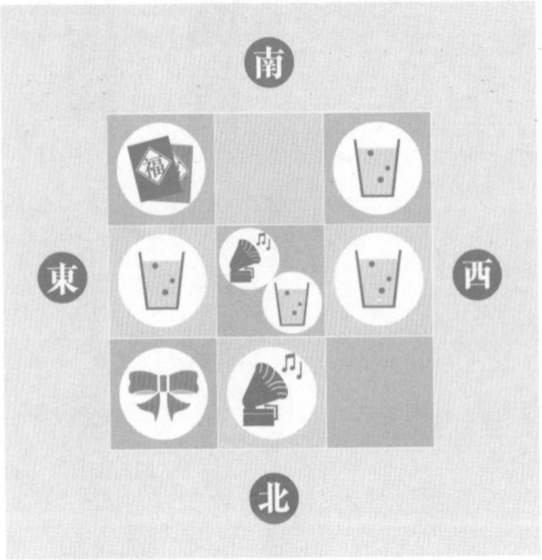

正東

本年正東為三碧木，本月正東為七赤金，三遇七為穿心煞而易見車禍損傷，宜放一杯水化解。

東南

本年東南為四綠木，本月東南為八白土，木土交戰而不利小口，宜放紅色物件化解。

正南

本年正南為九紫火，本月正南為四綠木，木火相生既利文昌，亦利喜慶。

西南

本年西南為二黑病符土，本月西南為六白武曲金，金能洩土而洩弱病星，可再放一杯水有利武職人士財運。

正西

本年正西為七赤金，本月正西為二黑土，金能洩土洩弱病星，可再放一杯水有利財星。

西北

本年西北為六白金，本月西北為一白水，金能生水，既利桃花亦利財星。

正北

本年正北為一白水，本月正北為五黃土，土剋水而不利腎、膀胱、泌尿系統，宜放音樂盒化解。

東北

本年東北為八白土，本月東北為三碧木，木剋土而不利小孩，宜放粉紅色物件化解。

中宮

本年中宮為五黃土，本月中宮為九紫火，火生土旺而生旺死符，除了多響音樂盒外，亦要放一杯水以制火。

農曆四月（西曆五月五日至六月六日）

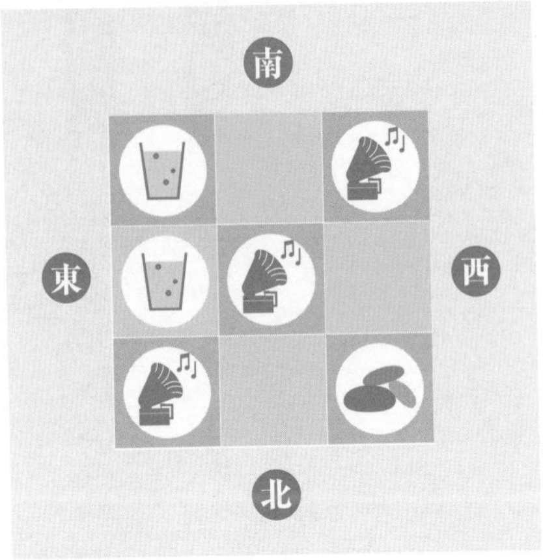

正東

本年正東為三碧木，本月正東為六白金，金木交戰而易見損傷，宜放一杯水化解。

東南

本年東南為四綠木，本月東南為七赤金，金剋木而易見損傷，宜放一杯水化解。

正南

本年正南為九紫火，本月正南為三碧木，木生火而有利喜慶。

西南

本年西南為二黑土，本月西南為五黃土，二五疊臨而損主重病，宜多響音樂盒以化病星。

正西

本年正西為七赤金，本月正西為一白水，金生水旺，既利桃花亦利財。

西北

本年西北為六白金，本月西北為九紫火，火金交戰而不利肺、骨、氣管，宜放石頭化解。

正北

本年正北為一白水，本月正北為四綠木，一遇四為一四同宮，發科名之顯，此區本月有利讀書考試。

東北

本年東北為八白財星，本月東北為二黑病符，土遇土既利財星亦旺疾病，仍要放音樂盒去化解病星。

中宮

本年中宮為五黃土，本月中宮為八白土，既旺財星亦旺病星，宜多響音樂盒化病。

農曆五月（西曆六月六日至七月七日）

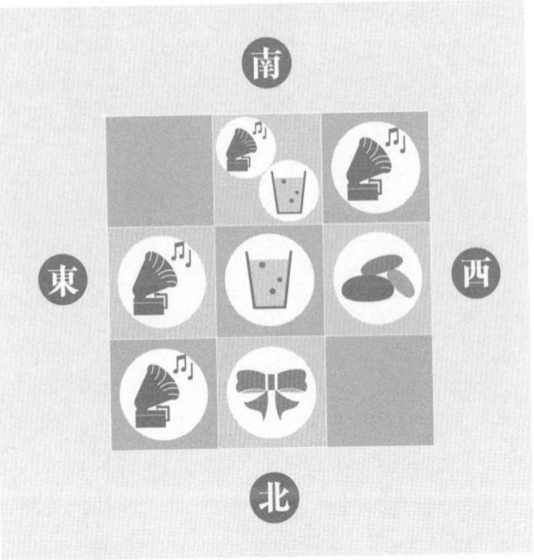

正東

本年正東為三碧木，本月正東為五黃土，三五相遇而皆凶星，宜放音樂盒洩土制木。

東南

本年東南為四綠木，本月東南為六白金，金木交戰宜放水洩金生木，這必有利文昌考試。

正南

本年正南為九紫火，本月正南為二黑土，火生土旺生旺病星，宜放音樂盒及一杯水去洩土制火。

西南

本年西南為二黑土，本月西南為四綠木，木剋土而激怒病星，宜多響音樂盒化解。

正西

本年正西為七赤金，本月正西為九紫火，火金交戰而不利肺、骨、氣管，宜放石頭化解。

西北

本年西北為六白金，本月西北為八白土，土生金而有利財星。

正北

本年正北為一白水，本月正北為三碧木，水生木旺而生旺爭鬥，宜放粉紅色物件化解。

東北

本年東北為八白土，本月東北為一白水，土剋水而不利腎、膀胱、泌尿系統，宜放音樂盒洩土生水，這必有利桃花人緣。

中宮

本年中宮為五黃土，本月中宮為七赤金，金能洩土洩弱病星，可再放一杯水催財。

農曆六月（西曆七月七日至八月七日）

正東

本年正東為三碧木，本月正東為四綠木，既旺文昌亦旺爭鬥，仍宜放粉紅色物件化解爭鬥。

東南

本年東南為四綠文昌木，本月東南為五黃死符土，木剋土而激怒病星，宜放音樂盒洩土制木。

正南

本年正南為九紫火，本月正南為一白水，水火交戰而不利情緒，宜放植物化解。

西南

本年西南為二黑土，本月西南為三碧木，二三相遇為鬥牛煞與訟招災，宜放音樂盒洩土制木。

正西

本年正西為七赤金，本月正西為八白土，土生金旺而有利財星。

西北

本年西北為六白金，本月西北為七赤金，六七相遇為交劍煞而易見損傷，宜放一杯水化解。

正北

本年正北為一白水，本月正北為二黑土，水土相遇而不利腸胃，宜放音樂盒化解。（腹瀉則改放紅色物件）

東北

本年東北為八白土，本月東北為九紫火，火生土旺而有利財星。

中宮

本年中宮為五黃土，本月中宮為六白金，金能洩土洩弱病星，但仍然宜多響音樂盒化病。

農曆七月（西曆八月七日至九月八日）

正東

本年正東為三碧木，本月正東為三碧木，本月此區是非必多，宜多放粉紅色物件化解。

東南

本年本月東南皆為四綠木，本月此區最利讀書考試。

正南

本年本月正南皆為九紫喜慶，本月此區有利喜事臨門。

西南

本年本月西南皆為二黑病符土，故本月宜多響音樂盒化病。

正西

本年本月正西皆為七赤金，可再放一杯水催財。

西北

本年本月西北皆為六白金，可再加一杯水而利文職工作以外之財運。

正北

本年本月正北皆為一白桃花，加桃花可放一杯水，洩桃花可放植物。

東北

本年本月東北皆為八白土，本月此區最利財星。

中宮

本年本月皆為五黃死符，宜多響音樂盒洩弱其力。

農曆八月（西曆九月八日至十月八日）

正東

本年正東為三碧木，本月正東為二黑土，三遇二為鬥牛煞與訟招災，宜放音樂盒洩土制木。

東南

本年東南為四綠木，本月東南為三碧木，既利文昌亦旺爭鬥，宜放粉紅色物件化解。

正南

本年正南為九紫火，本月正南為八白土，火生土旺而有利財星。

西南

本年西南為二黑土，本月西南為一白水，氣管毛病宜多響音樂盒，腹瀉宜放紅色物件。

正西

本年正西為七赤金，本月正西為六白金，七遇六為交劍煞而易見損傷，宜放一杯水化解。

西北

本年西北為六白金，本月西北為五黃土，金能洩土洩弱病星，仍宜放音樂盒化病。

正北

本年正北為一白水，本月正北為九紫火，一遇九為水火交戰而不利情緒，宜放植物化解。

東北

本年東北為八白土，本月東北為七赤金，土生金而有利財星。

中宮

本年中宮為五黃土，本月中宮為四綠木，木剋土而激怒病星，宜多響音樂盒洩土制木。

農曆九月（西曆十月八日至十一月七日）

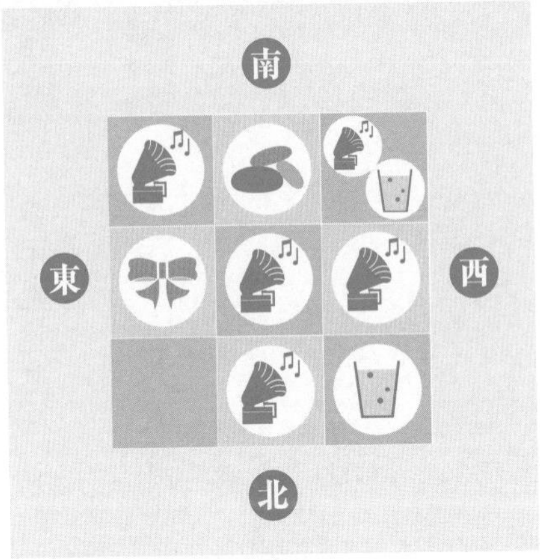

正東

本年正東為三碧木，本月正東為一白水，水生木旺而生旺爭鬥，宜放粉紅色物件化解。

東南

本年東南為四綠木，本月東南為二黑土，木剋土而惹怒病星，宜放音樂盒洩土制木。

正南

本年正南為九紫火，本月正南為七赤金，火剋金而不利肺、骨、氣管，宜放石頭化解。

西南

本年西南為二黑土，本月西南為九紫火，火生土旺而生旺病星，除多響音樂盒外，亦宜加一杯水化解。

正西

本年正西為七赤金，本月正西為五黃土，雖金能洩土洩弱病星，但仍宜放音樂盒化解。

西北

本年西北為六白金，本月西北為四綠木，金木交戰而易見損傷，宜放一杯水化解。

正北

本年正北為一白水，本月正北為八白土，土剋水而不利腎、膀胱、泌尿系統，宜放音樂盒洩土生水。

東北

本年東北為八白土，本月東北為六白金，土生金而有利財星，亦利升遷。

中宮

本年中宮為五黃土，本月中宮為三碧木，木剋土而惹怒病星，宜多響音樂盒洩土制金。

農曆十月（西曆十一月七日至十二月七日）

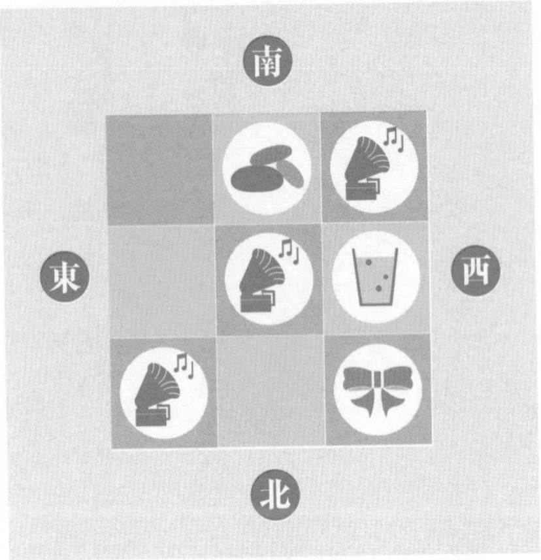

正東

本年正東為三碧木，本月正東為九紫火，木生火旺既化爭鬥亦利喜事臨門。

東南

本年東南為四綠木，本月東南為一白水，一四同宮發科名之顯，本月此區有利讀書考試。

正南

本年正南為九紫火，本月正南為六白金，火剋金而不利肺、骨、氣管，宜放石頭化解。

西南

本年西南為二黑土，本月西南為八白土，既旺財星亦旺疾星，宜多響音樂盒化病。

正西

本年正西為七赤金，本月正西為四綠木，金木交戰而易見損傷，宜放一杯水去洩水生木，這樣既旺財星亦利文昌。

西北

本年西北為六白金，本月西北為三碧木，宜放粉紅色物件去洩木制金。

正北

本年正北為一白水，本月正北為七赤金，金生水旺，既利桃花亦利人緣。

東北

本年東北為八白財星，本月東北為五黃病星，宜放音樂盒化解病星。

中宮

本年中宮為五黃死符，本月中宮為二黑病符，二五疊臨而損主重病，宜多響音樂盒化解。

農曆十一月（西曆十二月七日至二〇二三年一月五日）

正東

本年正東為三碧木，本月正東為八白土，木來剋土而不利腹部腸胃，宜放粉紅色物件化解，這既利洩弱是非，也能生旺財星。

東南

本年東南為四綠木，本月東南為九紫火，四遇九而有利喜事臨門。

正南

本年正南為九紫火，本月正南為五黃土，火生土旺而生旺病星，除了放音樂盒外，亦宜放一杯水去制火。

西南

本年西南為二黑土，本月西南為七赤金，金能洩土洩弱病星，可再放一杯水催財。

正西

本年正西為七赤金，本月正西為三碧木，金木交戰而易見損傷，宜放粉紅色物件洩木制金。

西北

本年西北為六白金，本月西北為二黑土，金能洩土洩弱病星，可再加一杯水而有利武職人士財運。

正北

本年正北為一白水，本月正北為六白金，金能生水，既利桃花亦利財星。

東北

本年東北為八白土，本月東北為四綠木，木剋土而不利小口，宜放紅色物件化解。

中宮

本年中宮為五黃土，本月中宮為一白水，土剋水而不利腎、膀胱、泌尿系統，宜多響音樂盒化病，亦能生旺桃花。

農曆十二月（西曆二〇二三年一月五日至二月四日）

正東

本年正東為三碧木，本月正東為七赤金，三遇七為穿心煞而易見車禍損傷，宜放一杯水化解。

東南

本年東南為四綠木，本月東南為八白土，木土交戰而不利小口，宜放紅色物件化解。

正南

本年正南為九紫火，本月正南為四綠木，木火相生既利文昌，亦利喜慶。

西南

本年西南為二黑病符土，本月西南為六白武曲金，金能洩土而洩弱病星，可再放一杯水有利武職財星。

正西

本年正西為七赤金，本月正西為二黑土，金能洩土洩弱病星，可再放一杯水有利財星。

西北

本年西北為六白金，本月西北為一白水，金能生水，既利桃花亦利財星。

正北

本年正北為一白水，本月正北為五黃土，土剋水而不利腎、膀胱、泌尿系統，宜放音樂盒化解。

東北

本年東北為八白土，本月東北為三碧木，木剋土而不利小孩，宜放粉紅色物件化解。

中宮

本年中宮為五黃土，本月中宮為九紫火，火生土旺而生旺死符，除了多響音樂盒外，亦要放一杯水以制火。

1. 大門向南 172.5 至 202.5 度

i) 一九八四年至二〇〇三年入伙之屋用此圖

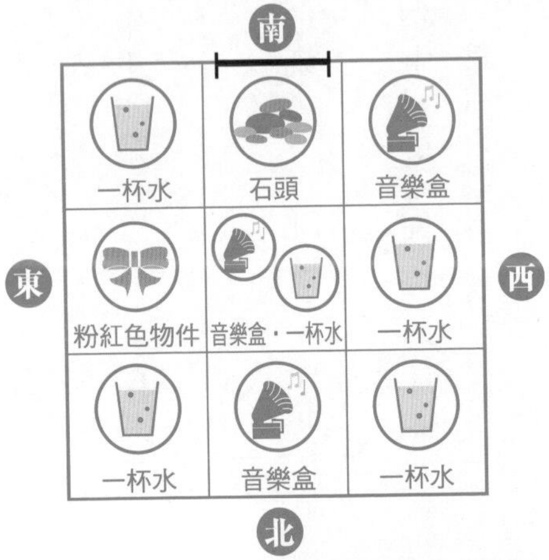

向午丁

六 4 1	二 8 6	四 6 8
五 5 9	七 3 2	九 1 4
一 9 5	三 7 7	八 2 3

坐子癸

4	9	2
3	5	7
8	1	6

二〇二二飛星圖

ii) 二〇〇四年後入伙之屋用此圖

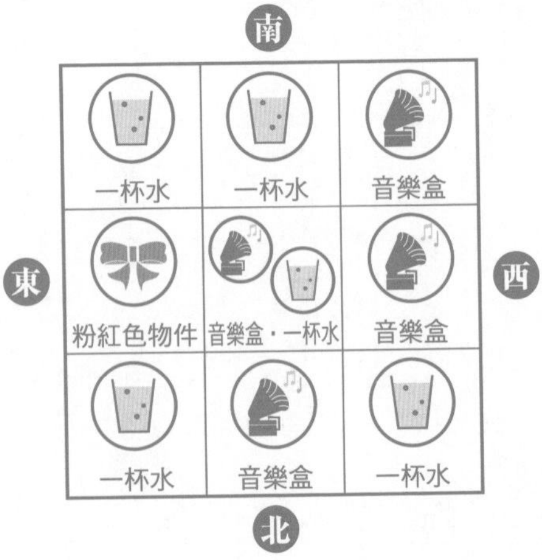

向午丁

七 3 4	三 8 8	五 1 6
六 2 5	八 4 3	一 6 1
二 7 9	四 9 7	九 5 2

坐子癸

2. 大門向西南偏南 202.5 至 217.5 度

i) 一九八四年至二○○三年入伙之屋用此圖

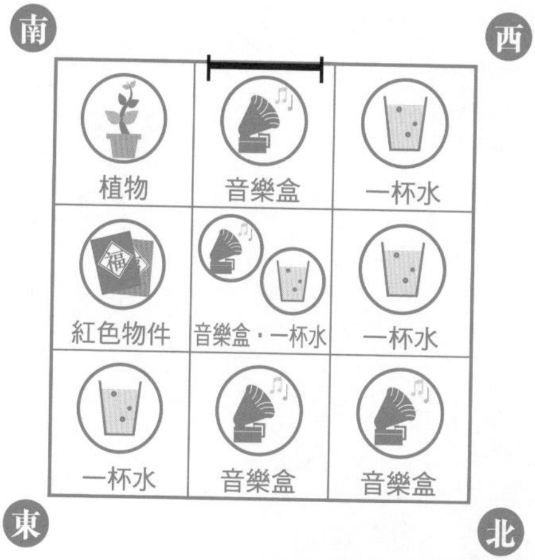

向未

六 9 5	二 5 9	四 7 7
五 8 6	七 1 4	九 3 2
一 4 1	三 6 8	八 2 3

坐丑

4	9	2
3	5	7
8	1	6

二○二二飛星圖

ii) 二○○四年後入伙之屋用此圖

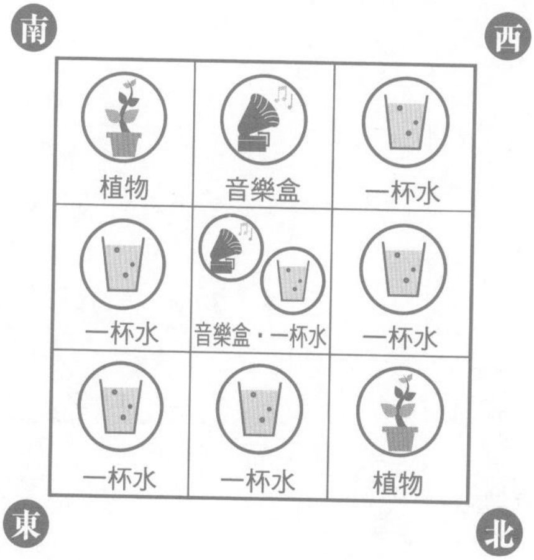

向未

七 3 6	三 7 1	五 5 8
六 4 7	八 2 5	一 9 3
二 8 2	四 6 9	九 1 4

坐丑

3. 大門向西南 217.5 至 247.5 度

i) 一九八四年至二〇〇三年入伙之屋用此圖

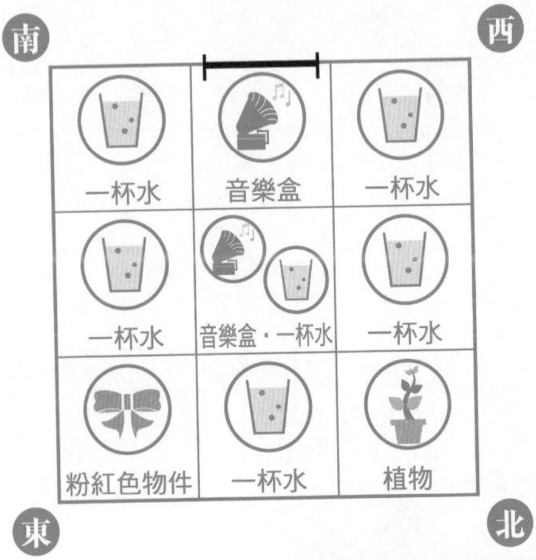

向坤申

六 2 3	二 6 8	四 4 1
五 3 2	七 1 4	九 8 6
一 7 7	三 5 9	八 9 5

坐艮寅

二〇二二飛星圖

4	9	2
3	5	7
8	1	6

ii) 二〇〇四年後入伙之屋用此圖

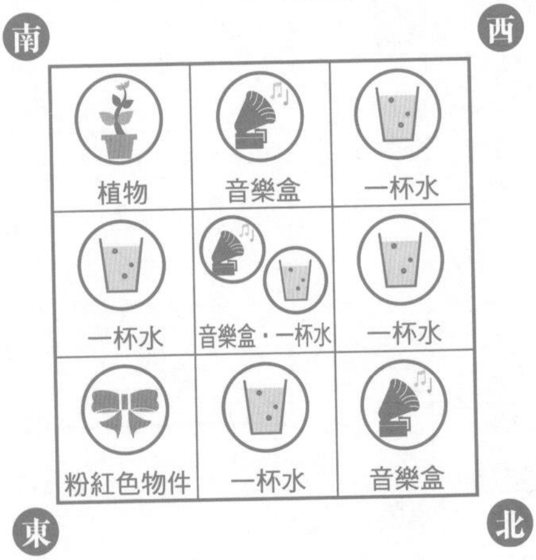

向坤申

七 1 4	三 6 9	五 8 2
六 9 3	八 2 5	一 4 7
二 5 8	四 7 1	九 3 6

坐艮寅

4. 大門向西偏西南 247.5 至 262.5 度

i) 一九八四年至二〇〇三年入伙之屋用此圖

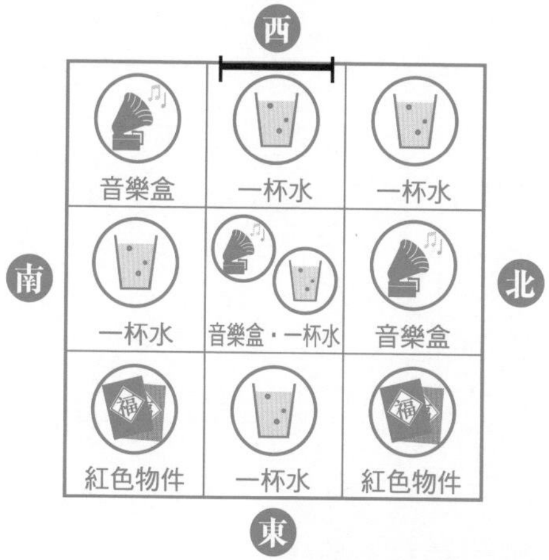

坐甲 / 向庚

六 4 8	二 9 4	四 2 6
五 3 7	七 5 9	九 7 2
一 8 3	三 1 5	八 6 1

二〇二二飛星圖

4	9	2
3	5	7
8	1	6

ii) 二〇〇四年後入伙之屋用此圖

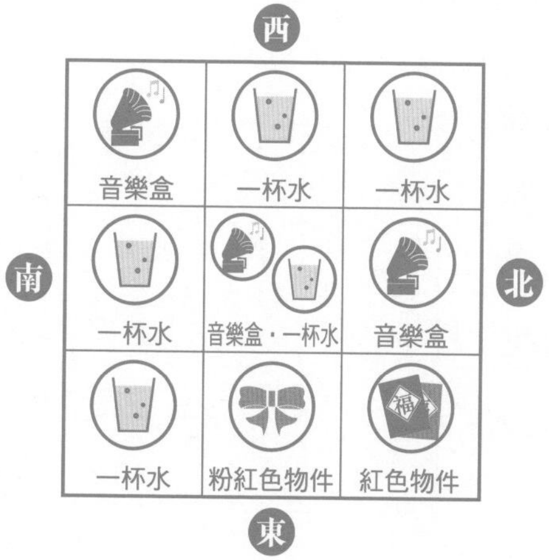

坐甲 / 向庚

七 7 9	三 2 5	五 9 7
六 8 8	八 6 1	一 4 3
二 3 4	四 1 6	九 5 2

5. 大門向西 262.5 至 292.5 度

i) 一九八四年至二〇〇三年入伙之屋用此圖

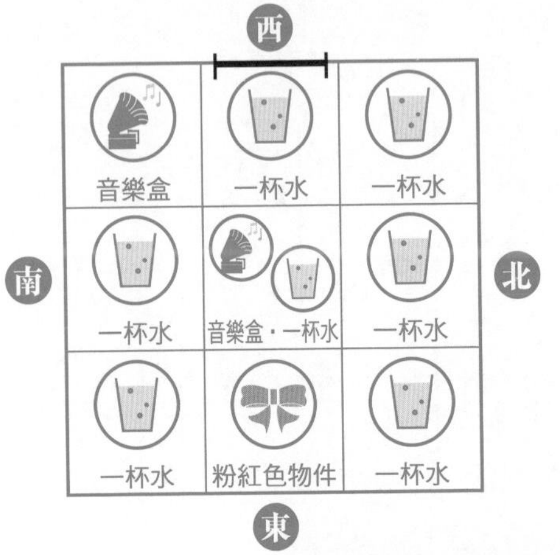

坐卯乙 / 向酉辛

六 6 1	二 1 5	四 8 3
五 7 2	七 5 9	九 3 7
一 2 6	三 9 4	八 4 8

二〇二二飛星圖

4	9	2
3	5	7
8	1	6

ii) 二〇〇四年後入伙之屋用此圖

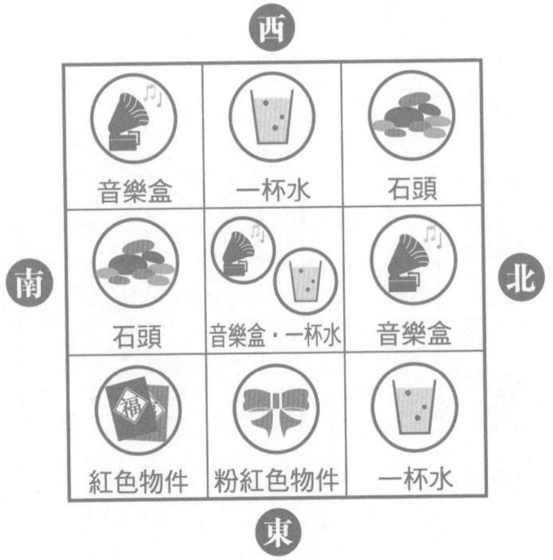

坐卯乙 / 向酉辛

七 5 2	三 1 6	五 3 4
六 4 3	八 6 1	一 8 8
二 9 7	四 2 5	九 7 9

6. 大門向西北偏西 292.5 至 307.5 度

i) 一九八四年至二〇〇三年入伙之屋用此圖

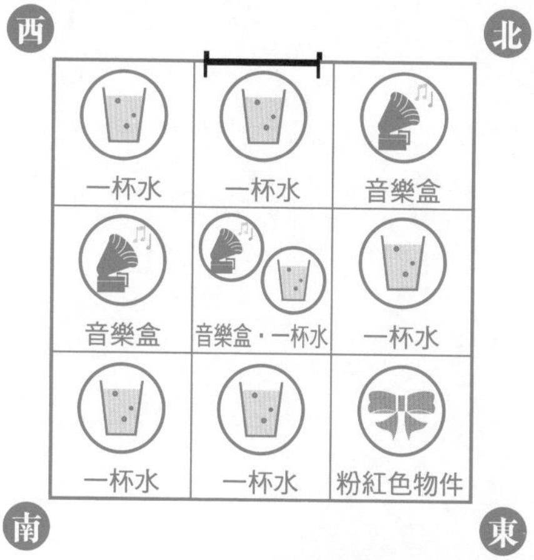

坐辰

六 7 9	二 2 4	四 9 2
五 8 1	七 6 8	九 4 6
一 3 5	三 1 3	八 5 7

向戌

二〇二二飛星圖

4	9	2
3	5	7
8	1	6

ii) 二〇〇四年後入伙之屋用此圖

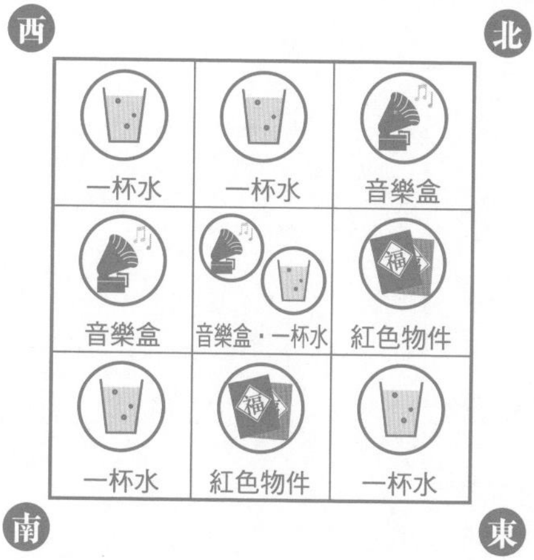

坐辰

七 6 8	三 2 4	五 4 6
六 5 7	八 7 9	一 9 2
二 1 3	四 3 5	九 8 1

向戌

7. 大門向西北 307.5 至 337.5 度

i) 一九八四年至二〇〇三年入伙之屋用此圖

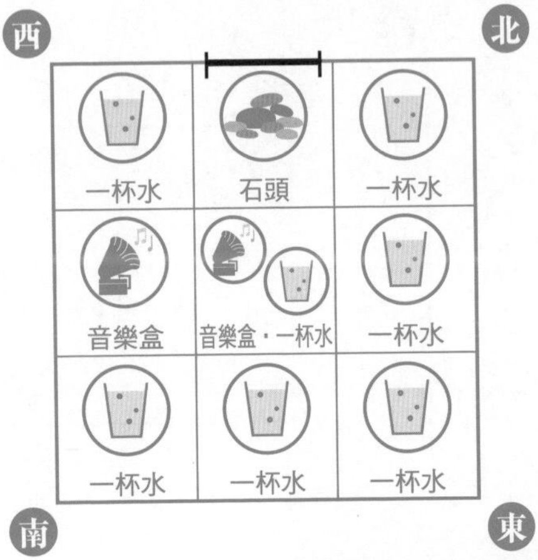

坐巽巳

六 5 7	二 1 3	四 3 5
五 4 6	七 6 8	九 8 1
一 9 2	三 2 4	八 7 9

向乾亥

4	9	2
3	5	7
8	1	6

二〇二二飛星圖

ii) 二〇〇四年後入伙之屋用此圖

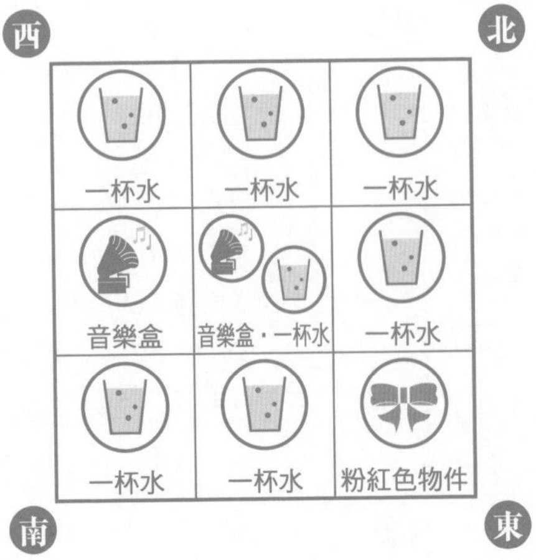

坐巽巳

七 8 1	三 3 5	五 1 3
六 9 2	八 7 9	一 5 7
二 4 6	四 2 4	九 6 8

向乾亥

8. 大門向北偏西北 337.5 至 352.5 度

i) 一九八四年至二〇〇三年入伙之屋用此圖

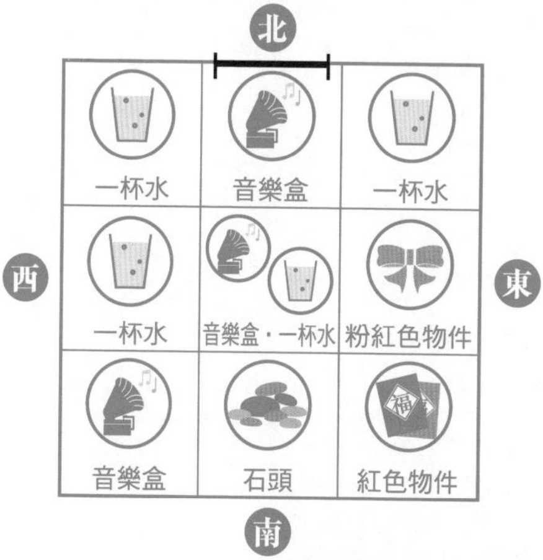

坐丙

六 3 2	二 7 7	四 5 9
五 4 1	七 2 3	九 9 5
一 8 6	三 6 8	八 1 4

向壬

二〇二二飛星圖

4	9	2
3	5	7
8	1	6

ii) 二〇〇四年後入伙之屋用此圖

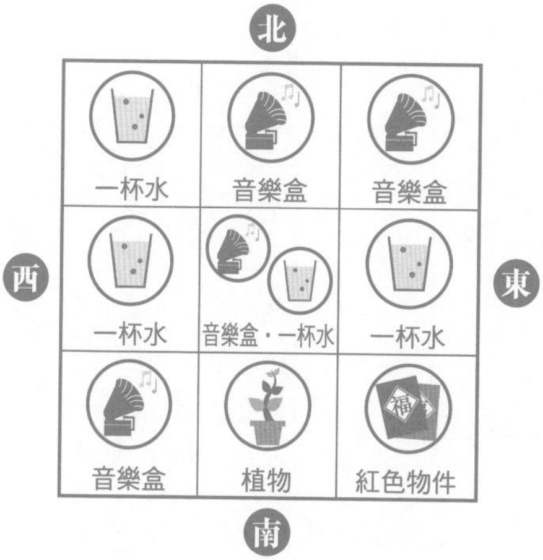

坐丙

七 2 5	三 7 9	五 9 7
六 1 6	八 3 4	一 5 2
二 6 1	四 8 8	九 4 3

向壬

9. 大門向北 352.5 至 22.5 度

i) 一九八四年至二〇〇三年入伙之屋用此圖

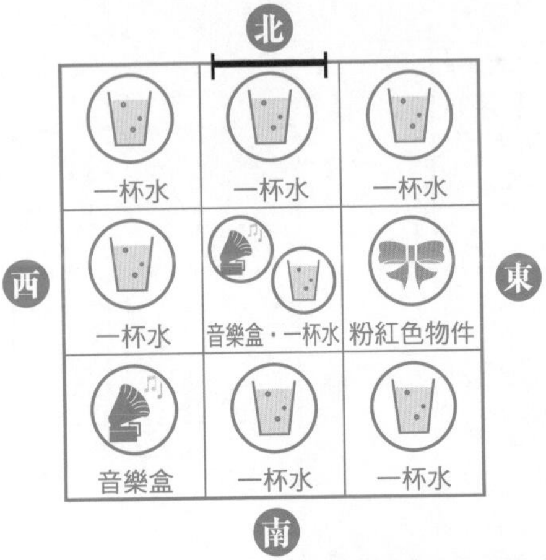

坐午丁

六 1 4	二 6 8	四 8 6
五 9 5	七 2 3	九 4 1
一 5 9	三 7 7	八 3 2

向子癸

4	9	2
3	5	7
8	1	6

二〇二二飛星圖

ii) 二〇〇四年後入伙之屋用此圖

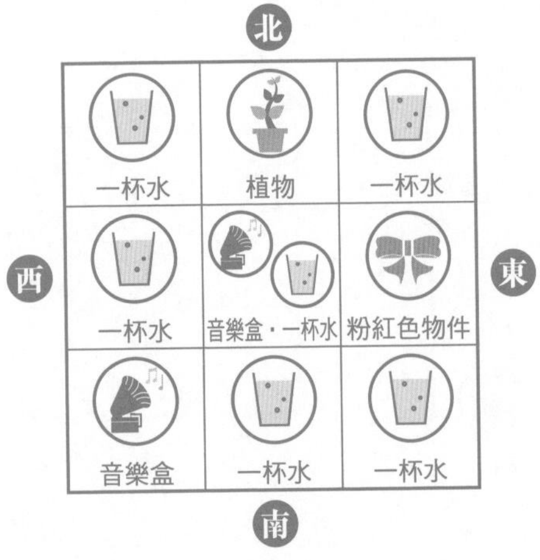

坐午丁

七 4 3	三 8 8	五 6 1
六 5 2	八 3 4	一 1 6
二 9 7	四 7 9	九 2 5

向子癸

10. 大門向東北偏北 22.5 至 37.5 度

i) 一九八四年至二〇〇三年入伙之屋用此圖

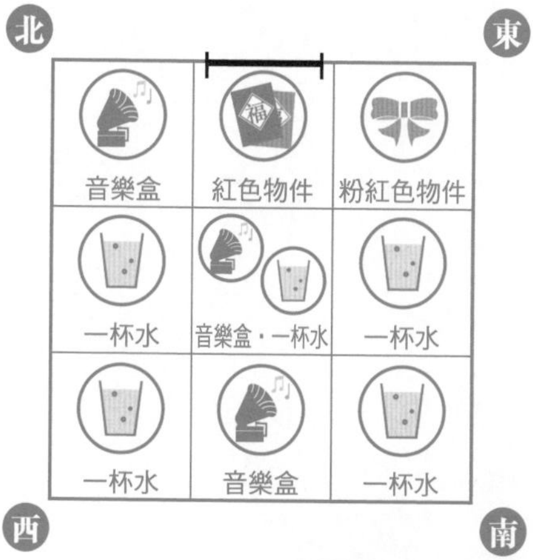

坐未

六 5 9	二 9 5	四 7 7
五 6 8	七 4 1	九 2 3
一 1 4	三 8 6	八 3 2

向丑

4	9	2
3	5	7
8	1	6

二〇二二飛星圖

ii) 二〇〇四年後入伙之屋用此圖

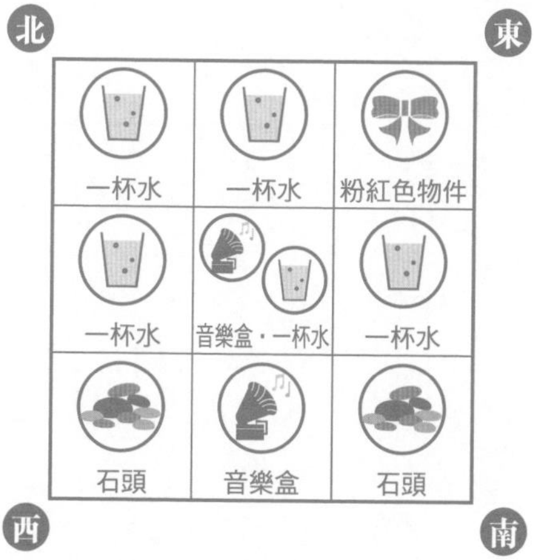

坐未

七 6 3	三 1 7	五 8 5
六 7 4	八 5 2	一 3 9
二 2 8	四 9 6	九 4 1

向丑

11. 大門向東北 37.5 至 67.5 度

i) 一九八四年至二〇〇三年入伙之屋用此圖

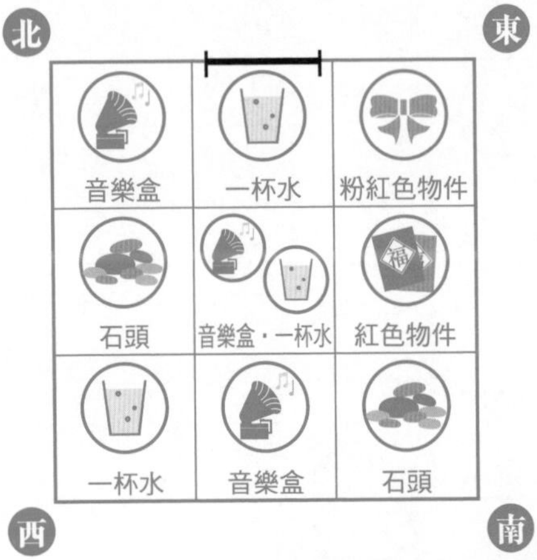

坐坤申

六 3　2	二 8　6	四 1　4
五 2　3	七 4　1	九 6　8
一 7　7	三 9　5	八 5　9

向艮寅

二〇二二飛星圖

4	9	2
3	5	7
8	1	6

ii) 二〇〇四年後入伙之屋用此圖

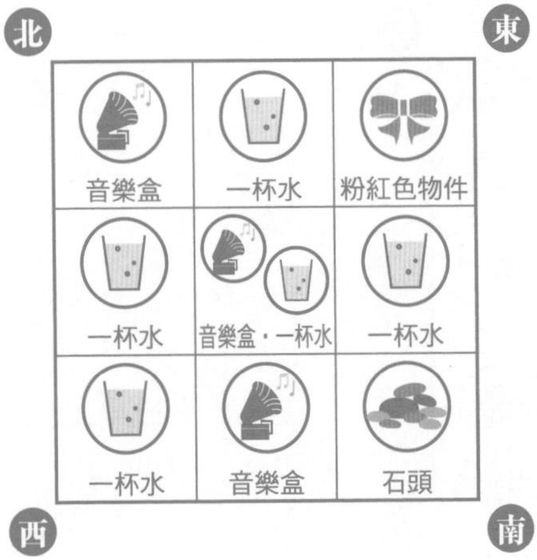

坐坤申

七 4　1	三 9　6	五 2　8
六 3　9	八 5　2	一 7　4
二 8　5	四 1　7	九 6　3

向艮寅

12. 大門向東偏東北 67.5 至 82.5 度

i) 一九八四年至二〇〇三年入伙之屋用此圖

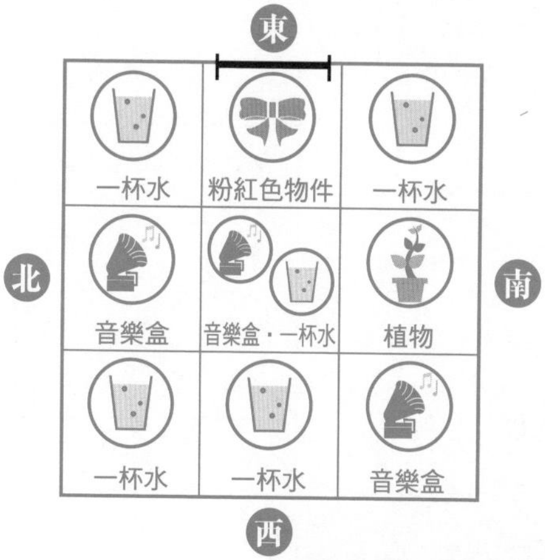

向甲 / 坐庚

六 8 4	二 4 9	四 6 2
五 7 3	七 9 5	九 2 7
一 3 8	三 5 1	八 1 6

二〇二二飛星圖

4	9	2
3	5	7
8	1	6

ii) 二〇〇四年後入伙之屋用此圖

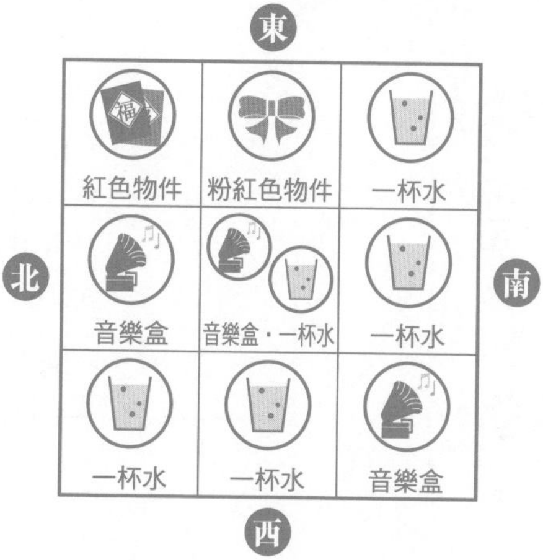

向甲 / 坐庚

七 9 7	三 5 2	五 7 9
六 8 8	八 1 6	一 3 4
二 3 4	四 6 1	九 2 5

13. 大門向東 82.5 至 112.5 度

i) 一九八四年至二〇〇三年入伙之屋用此圖

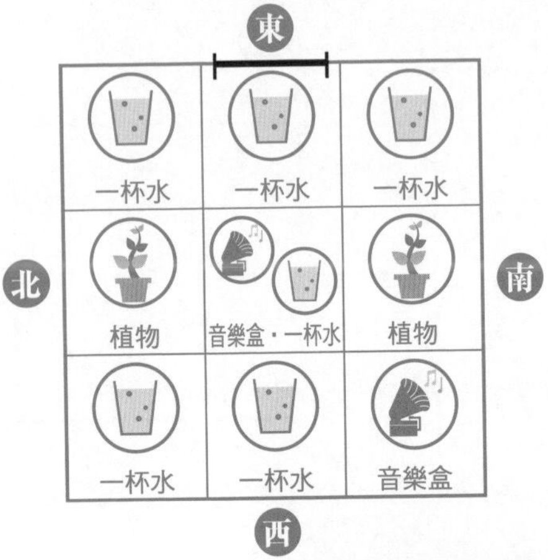

向卯乙

六 1 6	二 5 1	四 3 8
五 2 7	七 9 5	九 7 3
一 6 2	三 4 9	八 8 4

坐酉辛

二〇二二飛星圖

4	9	2
3	5	7
8	1	6

ii) 二〇〇四年後入伙之屋用此圖

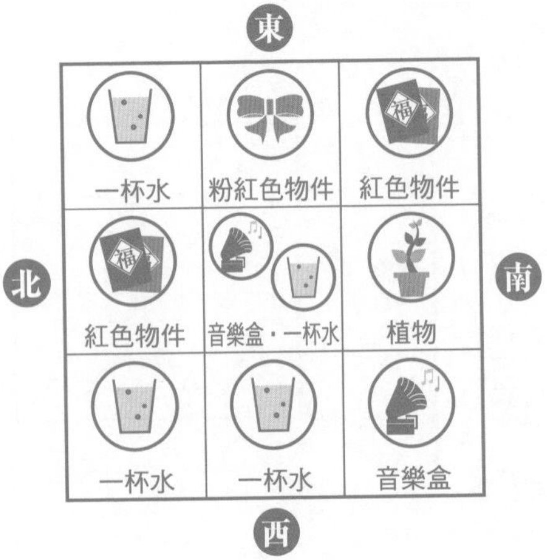

向卯乙

七 2 5	三 6 1	五 4 3
六 3 4	八 1 6	一 8 8
二 7 9	四 5 2	九 9 7

坐酉辛

14. 大門向東南偏東 112.5 至 127.5 度

i) 一九八四年至二〇〇三年入伙之屋用此圖

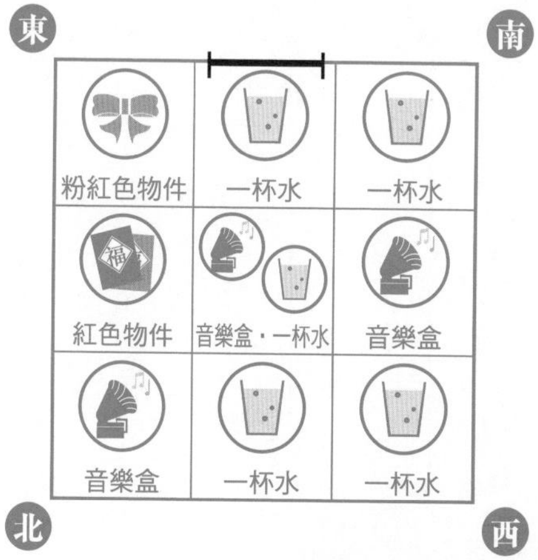

向辰

六 9 7	二 4 2	四 2 9
五 1 8	七 8 6	九 6 4
一 5 3	三 3 1	八 7 5

坐戌

二〇二二飛星圖

4	9	2
3	5	7
8	1	6

ii) 二〇〇四年後入伙之屋用此圖

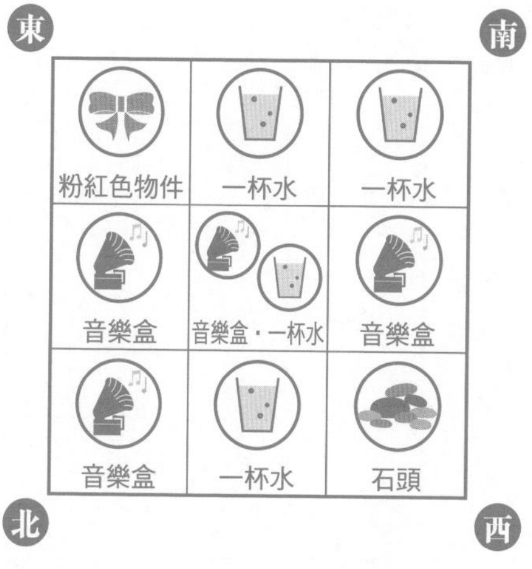

向辰

七 8 6	三 4 2	五 6 4
六 7 5	八 9 7	一 2 9
二 3 1	四 5 3	九 1 8

坐戌

15. 大門向東南 127.5 至 157.5 度

i) 一九八四年至二〇〇三年入伙之屋用此圖

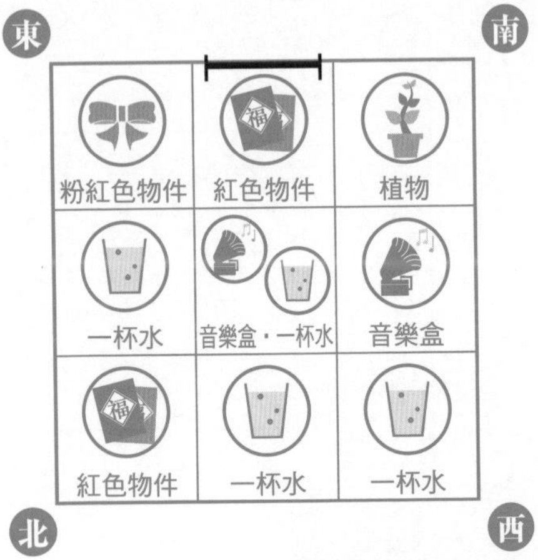

向巽巳

六 7 5	二 3 1	四 5 3
五 6 4	七 8 6	九 1 8
一 2 9	三 4 2	八 9 7

坐乾亥

4	9	2
3	5	7
8	1	6

二〇二二飛星圖

ii) 二〇〇四年後入伙之屋用此圖

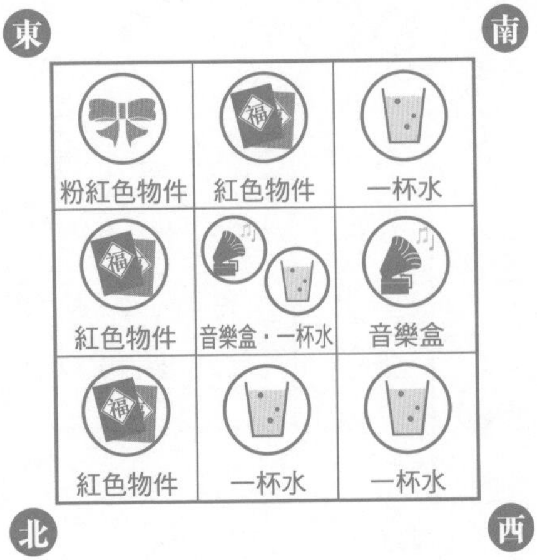

向巽巳

七 1 8	三 5 3	五 3 1
六 2 9	八 9 7	一 7 5
二 6 4	四 4 2	九 8 6

坐乾亥

16. 大門向南偏東南 157.5 至 172.5 度

i) 一九八四年至二〇〇三年入伙之屋用此圖

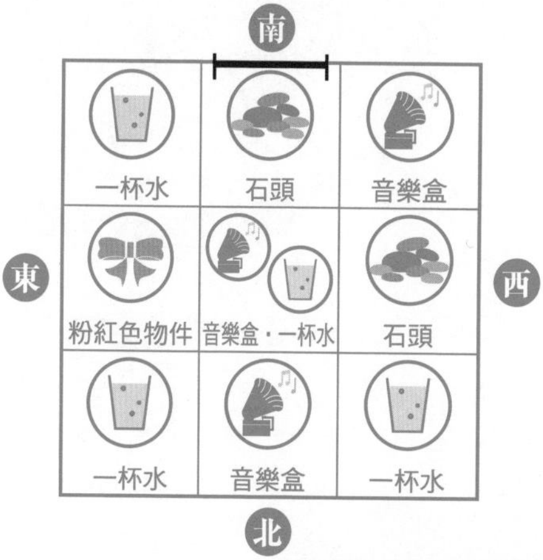

向丙

六 2 3	二 7 7	四 9 5
五 1 4	七 3 2	九 5 9
一 6 8	三 8 6	八 4 1

坐壬

二〇二二飛星圖

4	9	2
3	5	7
8	1	6

ii) 二〇〇四年後入伙之屋用此圖

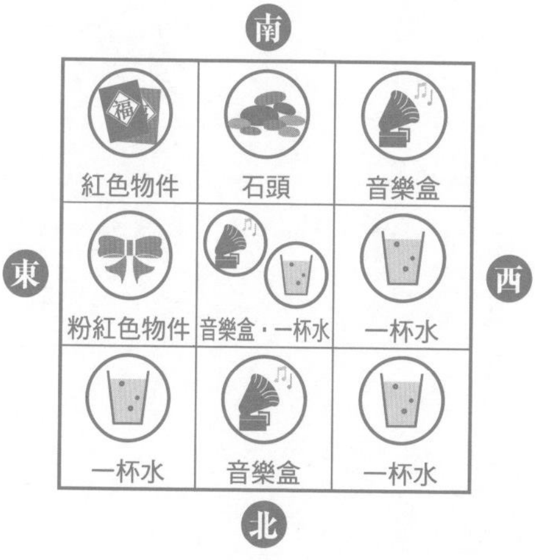

向丙

七 5 2	三 9 7	五 7 9
六 6 1	八 4 3	一 2 5
二 1 6	四 8 8	九 3 4

坐壬

第四章

虎年生肖運程

寒、熱、平命計算方法

寒命人 出生於西曆八月八日後，三月六日前（即立秋後、驚蟄前）。

熱命人 出生於西曆五月六日後，八月八日前（即立夏後、立秋前）。

平命人 出生於西曆三月六日後，五月六日前（即驚蟄後、立夏前）。

寒命人 利木火、東南、青綠紅橙紫。

熱命人 利金水、西北、白金銀黑灰藍。

平命人 木火土金水皆可為用，然金水較佳。

二〇一六年始至二〇二一年，這數年都是金水流年，尤其二〇一九至二〇二一年為大水年，對熱命人特別有利，平命人亦可進攻，寒命人則宜守靜。惟今年二〇二三年春夏後寒命人可以進攻，其運至二〇二八年秋止，尤其二〇二五至二〇二七年運程能加速進步。

肖虎運程

- 一九三八
- 一九五〇
- 一九六二
- 一九七四
- 一九八六
- 一九九八
- 二〇一〇

寒命人——出生於西曆八月八日後、三月六日前（即立秋後、驚蟄前）。

熱命人——出生於西曆五月六日後、八月八日前（即立夏後、立秋前）。

平命人——出生於西曆三月六日後、五月六日前（即驚蟄後、立夏前）。

肖虎

的你去年為紅鸞桃花生肖，有婚嫁、懷孕、添丁的機會，如去年仍未因紅鸞桃花年而結婚，今年犯太歲年則要加緊步伐了，因為今年犯太歲年的你，惟一喜擋三災，無喜心情壞，如拍拖良久仍未結婚的你，如不能成事，本年則有分手機會；如去年懷孕，而今年添加新成員，在犯太歲年是正常的，因為從統計所得，在沖犯太歲的年份，婚嫁、懷孕、添丁的比率是很高的，筆者從事風水行業那麼多年，看見父母生肖與子女生肖相沖，相同是一件平常事。

肖虎的你如果今年並無以上喜事，則要好好處理情緒，因犯太歲年容易無故產生負面情緒，這尤以三十六歲的你為甚，其次是四十八歲的虎，至於十二歲的虎，由於現代人思想比較早熟，十二歲也恐防出現情緒問題，故以上三個年份出生的虎，今年要好好提醒自己，盡量放鬆一點，不要給自己太多壓力。可以的話，農曆一月最好外遊散心，秋冬天出生的寒命人宜去東、南方；春夏天出生的平、熱命人則宜去西、北方，記着不要去錯方向，否則容易產生反效果的，而六十歲的你則要好好注意身體，及注意嘴部是否生得端正，如嘴歪唇斜、嘴唇暗黑、門牙不正或早早脫落，那更加要小心身體，早去作全身檢查，又犯太歲生肖比較容易碰上意外損傷，故農曆一月、七月宜捐血、洗牙以應損傷，而其他年紀較大的肖虎者當然也要小心身體，慎防傾跌。

今年為肖虎的財運年，犯太歲的你今年是財運年，如能好好收拾負面情緒，則今年財運是不難有進展的，惟今年是水火互換年，不論寒、熱、平命人的運程都會較為反覆，平、熱命人的好運快則二〇二一年夏天完結，即使餘氣猶在，最多也只能延至二〇二四年底；秋冬天出生的寒命人今年雖然開始起運，惟遇上此犯太歲年，唯恐會拖慢其進展，如不急於起步可待至二〇二三年或二○二五年才開始，而運程最終會在二○一八年夏天前或二○二三年夏天前，主要是看自己是於二○二二年開始順利，還是二○二五年才開始。

今年犯太歲的你，一顆吉星也沒有，故缺乏外來助力。

凶星有「劍鋒」、「伏尸」，這是每年犯太歲生肖必然跟從的星，這兩星代表易受金屬所損，見血，故犯太歲生肖特別要小心舟車之險，尤其是農曆一月、七月損傷月，更要小心一點，駕駛者更要加倍留神。

「太歲」，即犯太歲之意，其影響已前述。

「披頭」、「地煞」，無甚影響，無需理會。

寒命人

今年為木火運的第一年開始，此後六年也是木火年，你的運程將會漸入佳境，尤其是二○二五至二○二七年這三年大火年將會更進一步，如入了大運的你更能順水推舟，即使未入大運，也能得流年運程之助而有不錯的進展，所以由今年開始，如有新計劃又或者想作出改變，時機將會日漸成熟。

熱命人

你的一段順運終於完結了，故由今年開始，你要放慢步伐，運程快則今年夏天開始完結，慢則能延至二○二四年底，所以你自己要審視一下，運程到底是二○二六年開始轉順，還是二○二九年才開始；如果是後者，運程才可能延續至二○三四年。

平命人

平穩的你經過六年順暢的金水年後，今年開始踏入木火年，運程會開始慢下來，雖然平穩的你高低起跌沒有寒、熱命人那麼明顯，但一些小順小逆也總是有的，故今年下來，也要作出心理準備，此後數年可能沒有之前般順利了。

一九三八年出生的虎——今年是辛苦個人力量得財年，年紀雖已不小，但活力仍在，即使年紀大了，也要與社會保持互動，既然體力尚好，那就多點外出走走好了。

一九五〇年出生的虎—今年為貴人舒服懶年，經過一生的辛勞，是時候放慢一下腳步，享受一下慢活的日子了。

一九六二年出生的虎—今年為權力地位提升年，但年屆六十，除非是從商者，否則你在本年再進一步的機會始終不大，這可能是家裏添了小成員而使你的輩份提升又或是更受人尊重而已。

一九七四年出生的虎—今年為財運年，各個肖虎者以你財運最佳，如能擺脫犯太歲所帶來的情緒影響，今年應該是有進步的，寒命人固然佳，平、熱命人也能因財運年而得到不錯的收益。

一九八六年出生的虎—今年為思想學習投資年，惟三十六歲犯太歲最容易受負面情緒影響，故今年適宜順其自然，見步行步，一切重要決定，留待明年好了。

一九九八年出生的虎—今年為辛苦個人力量得財年，而這年忙些是好現象，這必有助沖散犯太歲的壞影響，而二十四歲犯太歲對女性的虎影響較大，較容易出現意外損傷，故本年農曆一月及七月宜捐血、洗牙以應損傷，又二十四歲犯太歲也容易出現感情變化，故又是一喜擋三災，無喜感情壞的年份。

二〇一〇年出生的虎—由於現代人較早熟，十二歲也容易出現情緒問題，故今年在學習方面要放鬆一點，學業成績上不要太過着緊，考試成績佳固然好，不佳的話，明年再行努力好了。

財運

今年是財運年，惟犯太歲的你，容易因情緒問題而影響到你的財運，故秋冬天出生的寒命人要好好收拾心情，望能在順運的第一年打好基礎，讓往後六年能行得更為順利。

事業

本年為財運年，對收入不穩的從商自僱者幫助較大，而上班一族只有踏進六十歲的你機會較大，其他肖虎者今年就放鬆心情，望能將犯太歲的壞影響減至最低；工作方面，就明年再努力好了。

感情

犯太歲年，一喜擋三災，無喜心情壞。而感情變化主要是二十四、三十六及四十八這三個歲數，其他肖虎者出現大變化的機會始終不大，所以在感情上不是每個肖虎者都需要特別注意的。

身體

犯太歲年除了情緒問題外，亦會特別容易碰上意外損傷，駕駛者固然要特別小心，即使並無駕車，走路時也要慎防傾跌，尤其是農曆一月和七月；可以的話減少駕駛，並在此兩個月去捐血、洗牙、驗身，以應損傷。

是非

犯太歲年，是非一定比平常多，除了小心言行，最好也能減少外出應酬，尤其是農曆一月，這是最容易招惹是非的月份；其次是農曆七月，又可在本年正北桃花位放一杯水，正東爭鬥位放粉紅色物件去旺人緣化是非。

農曆一月

本月為肖虎的權力地位提升月，惟農曆年才剛過去，除非在去年已經落實升遷，否則能在此時升遷的機會不大，可能只是責任大了，要管的事情多了，讓你徒添壓力而已。本月為你的犯太歲月，過年後容易情緒不穩，故在工餘時要盡量放鬆自己，情緒悲觀時宜約三數知己吐一下苦水，這比自鑽牛角尖為佳。

財運

農曆年才剛過去，很多公司仍未完全運作，加上肖虎的你又是犯太歲生肖，而本月又是你的犯太歲月，財運就先不要去想好了。

事業

雖然是權力地位提升月，惟一年之始，能在本月升遷的機會不大，且本年犯太歲的你，亦不宜太過進取，即使在轉運中的寒命人，在春季亦不宜太過進取，還是待至清明後才努力好了。

感情

犯太歲年的你，是一喜擋三災，無喜心情壞的年份，如果打算在今年結婚、懷孕，本月是一個計劃的好時機，否則本年在感情上要加倍維繫，尤其是這個農曆一月及明年農曆一月，其他已有穩定感情的肖虎者記得要留意；反而單身的虎，感情走無可走，變無可變，反而有機會為你變出一段新感情來。

身體

本月為肖虎的犯太歲月，最容易出現情緒問題，故本月要多些提醒自己，事事要正面一點，出現負面情緒時，記着要開解自己或找朋友傾訴，盡量避免讓自己跌入情緒深淵中。

是非

在犯太歲年犯太歲月，最容易因情緒不穩而得罪了人而不自知，故本月宜盡量減少外出應酬，這必能為你避免不少是非，此外亦可以在本月東南桃花位放一杯水，西北爭鬥位放粉紅色物件去旺人緣化是非。

農曆二月

本月為權力地位提升月，又是肖虎的桃花月，人緣方面比上月好得多，即使是犯太歲生肖，但這與事業財運並無直接關係，如能妥善處理情緒問題，升遷機會是與其他人無異的，如打算於今年結婚的你，這個月是一個適合的好時機，單身者如果想早日脫離單身行列，亦可藉此桃花月多些外出碰碰機會，看看能否借這個桃花月，為你帶來一段新感情。

財運

財似霏霏雨，還需努力追。本月肖虎的你在財運上看不見有甚麼突破，除非能爭取到升遷，否則本月對財運不宜太過寄予厚望，惟本月亦非破財月，開支也都是正常的。

事業

上山多費力，有樹可扳枝。本月為肖虎的地位提升月，犯太歲的你，如果想在今年爭取升遷，本月仍然可以努力爭取的，加上本月為肖虎的桃花月，機會不會比別的生肖低。

感情

桃花月，感情人緣佳，對已有固定感情者幫助最大，尤其是因上月犯太歲出現了小爭吵的話，正好藉此桃花月去修補，而單身或想在今年結婚的你，這個月亦能起到正面作用。

身體

犯太歲月已經過去，代之而來的是肖虎的桃花月，情緒方面已大大紓緩，加上本月並無刑沖，突然遇上意外損傷的機會不大，就好好享受這個身心健康的月份好了。

是非

雲開日現，天朗氣清。上月之烏雲已經散盡，代之而來的是人緣運要好的桃花月，且

本月為肖虎的權力地位提升月，不管從商或上班一族，這權力地位提升，必然有正面作用，就藉這人緣要好的桃花月多些外出去爭取別人的認同吧！

農曆三月

本月為肖虎的財運月，這對收入不穩的從商自僱者必然起到正面作用，惟本月仍然是水火交界月，不論是寒、熱、平命人，運程都容易在浮沉中，故即使是財運月，仍宜以只問耕耘，毋問收穫的心態去面對才是上策，因平、熱命人運程已經結束，能否順延下去仍然要留意實際情況，而轉入順運的寒命人，也不是立竿見影地馬上轉好的。

財運

本月是肖虎的財運月，不論寒、熱、平命人也可以努力爭取，即使好運將盡未盡，將至未至，但努力爭取是沒有錯的，惟要好好調

節心態，不要指望努力一定獲得應有的回報。

事業

本月為水火交界月，二〇一六至二〇二一年的水氣將盡，而二〇二二至二〇二七年的火氣將至，故不論春夏秋冬天出生的你，仍未算有絕對優勢，故本月在事業財運上仍然要看實際情況，可攻則攻，不可攻則宜守，切勿盲目冒進。

感情

本月為肖虎的相剋月，木土相剋，感情上容易出現小爭拗，加上是犯太歲年的你，更加要好好處理，勿因一些小爭拗變成大爭吵，因而中了犯太歲的伏。

身體

本月為肖虎的相剋月，除了容易招惹是非外，腸胃消化系統亦容易產生毛病，故本月除了要放鬆心情外，在飲食上亦小心一點方能免腸胃之苦。

是非

小是小非，無需掛懷。本月是肖虎的相剋月，本來是無需太過在意的，惟本年始終是犯太歲生肖，就怕小事化大，故本月宜獨善其身，盡量減少外出應酬，不給是非任何機會。

農曆四月

本月為肖虎的財運月，雖然本月太歲相刑，是非較平常多，但整體財運仍然是有增長的，惟這只是對寒命人而言，因三夏火旺進氣，對秋冬天出生要火的你最為有利，而春夏天出生的平、熱命人只能靠着早幾年的餘氣，故運程要看實際情況，不要太過急進，亦不要太過寄予厚望。

財運

財似霏霏雨，還需努力追。即使在轉運中的寒命人，因為才踏上木火段的第一年，像開始起步一樣，其動力不是很足夠的，故本月雖然是你的財運月，也不要寄予太多厚望，不要期望財運能因此而快速上升。

事業 本月為財運月，意味着事業運容易有增長，尤其是收入不穩定的從商自僱者，事業運必然與財運一同邁進，惟上班一族，本月在事業上看不見有任何進展，反而因月令相刑可能為你帶來些小是非。

感情 本月為肖虎的相刑月，內外都容易引起是非，故感情在本月也要好好維繫，方能免因相刑月而壞了雙方關係而導致因犯太歲年所引來的感情危機。

身體 太歲相刑月，皮膚腸胃要小心為上，且不要給自己太多壓力，因很多時身體毛病是因壓力而起的，加上寒、熱、平命人運程在進退間，這必然加添了很多不穩定性，故本月唯有多些放鬆自己，以免因壓力而引致身體不適。

是非 小是小非，無需掛懷。本月只是一個相刑月，不會因此而引起牽連大波，即使有是非也不會是嚴重的，除了少些外出應酬以避是非外，亦可以在本月正南是非位放粉紅色物件，正西桃花位放一杯水去化是非旺人緣。

農曆五月

本月為思想投資學習月，惟本年是水火互換年，投資方面不難出現逆轉及互換情況，平、熱命人今年以後應該開始要退守，新投資當然不宜，即使是舊有投資亦要看清形勢，可進則進，不可進則守；相反，寒命人如果有新機會想嘗試的話，今年以後可以起步一試，但如果因剛入運信心不足，亦可待至二〇二五年才起步也不遲。

財運 本月為思想學習投資月，投資方面，只有寒命人為佳，平、熱命人在今年以後在投資方面要三思而後行；反而學習方面，從今年開始都是可以實行的，惟不論投資或學習，都不難有些額外開銷，故本月不難是一個開支較多的一個月份。

事業 欲左欲右，心中不定。本月為思想學習投資月，惟不論寒、熱、平命人的運程都不太穩定，投資方面要三思而後行，即使是轉順運中的寒命人，也要審時度勢才進行也未遲，總比起步以後才後悔為佳。

感情 本月是肖虎的相合月，人緣運必然比上月為佳，感情運也轉為穩定，如果上月因月令相刑而引發了一些小爭執，本月正好讓你去修補雙方關係。

身體 本月並無刑沖，身體狀況又回復正常，加上本月為肖虎的相合月，人緣運也是不錯的，這必然能令身心回復到正常狀態，即使因人緣運佳而多了些外出應酬，也不會因此而引致身體不適。

是非 本月為肖虎的相合月，人緣運必然比上月為佳，即使多些外出應酬，反應也是正面的多，負面的少，這算是犯太歲年的一個利好月份，就好好把握這個月份，讓各方的人緣運穩固一些。

農曆六月

本月亦為思想學習投資月，不論投資或學習，或多或少都是有些額外花費的，故本月也不難是開支較多的一個月，惟本月是肖虎的桃花月，人緣運在犯太歲年來說是不錯的一個月，這對投資或學習新知識，在人際關係上都能起到一些正面作用，尤其是想嘗試從商的寒命人，在作前期諮詢時，必能獲得別人樂意支持，就好好利用這個人緣要好的月份吧！

財運 本月為思想學習投資月，不論學習或作新投資，或多或少都有些額外開銷，故本月在財政上要處理得較為謹慎，以免一不小心墮入了債務危機，尤其是想作新投資的你，切勿過分樂觀盲目冒進，因為始終今年你是犯太歲生肖，在作選擇時容易出現失誤。

事業

平、熱命人宜在這幾年逆運年去進修學習一些新知識，尤其是上班一族，無時無刻都要為自己增值，方能免被社會淘汰，加上本月為桃花月，在進修學習時亦容易認識到一些新朋友，從而擴大自已的人際網絡，這可能也有助日後事業發展。

感情

桃花月，如打算在今年結婚的你，本月是一個合適的時機；如有穩定感情而又不打算在今年結婚的話，本月亦正好讓你加深雙方關係，減低分手機會。單身者更可借助這桃花月多些外出，看看能否在犯太歲年的桃花月為你帶出一段感情來。

身體

本月為肖虎的桃花月，不論身心健康都是正常的，即使多些相約朋友同事外出吃飯或偶爾夜蒲，身體也不會因此而出現問題，犯太歲年雖然容易遇見損傷，但本月並非高危月。

是非

桃花月，人緣好，是非欲起也無從。即使在犯太歲年內，桃花月仍然能起到一定作用的，故要好好利用這桃花月多些相約客戶傾談，打好雙方關係。

農曆七月

本月為肖虎的財運月，惟運程極有機會開始出現較大差距，因為本月是肖虎的相沖月，事業方面可能不太穩定，容易出現變化，而春夏天出生的你可能前幾年的優勢會突然下降，故在事業上適宜採取守勢，望能把順運盡量延續；相反，秋冬天出生的寒命人，在這犯太歲年的相沖月，仍然有機會為你帶來新轉變，長遠而言，這變化最終結果是好的機會也相對較大。

財運

本月為肖虎的財運月，惟對財運方面不要太過寄予厚望，一來本年是犯太歲生肖，二來本月是肖虎的相沖月，存在着很多不穩定因素，加上本月走動會較平常多，也容易出現些意想不到的開支。

事業

財來財去本無定。本月雖然是財運月，但因月令相沖的關係，事業運方面可能不太穩定，不論寒、熱命人也適宜採取觀望態度，順其自然地去迎接這個相沖變化月。

感情

本月為肖虎的相沖月，是分是合還是容易懷孕，這個是一個關鍵的月份，即使打算在今年內結婚，也不適宜在這個爭拗多的月份去談，方能免因一些小事而引致牽連大波，進而破壞了雙方關係。

身體

本年犯太歲的你已經容易遇上意外損傷，在這相沖月更要小心提防，而駕駛者本月宜減少駕駛為妙，望能避免舟車之險；本月亦可以在全屋中間放一杯水，望能化掉損傷之象。

是非

閉口藏舌，閒事莫理。本月是肖虎的是非月，即使不是全年是非最多，也算是前列的月份，故本月要盡量減少外出應酬以趨避是非；如從事一些經常接觸陌生人工作的你，亦適宜在本月正東爭鬥位放粉紅色物件，正北桃花位放一杯水去化是非旺人緣。

農曆八月

本月為肖虎的財運加暗中權力提升月，暗中權力提升可能代表要管的事情多了，責任大了，地位不一定有所提升，惟幸本月是財運月，亦可能因此而為你帶些財來，而從商自僱的你，亦可在這財運月加倍努力，看看能否因這財運月讓你的努大得到預期的效果，惟收入穩定的上班族，這財運月並未能為你帶來額外收益，唯有待下兩個地位提升月，看看能否爭取到升遷，從而提升你的收入。

財運

財帛有，細水流。本月為正財月，代表要從努力工作所獲得的收益，並非意外之財，所以不要想着因投機炒賣而有所收益；因投機炒賣並非單純靠着運氣，更重要的是個人因素與膽量，這與工作及生意上的好運或財運是有所不同的。

事業

三思而行，必有所獲。雖然本月並非權力地位提升月，惟責任大了，要管的範疇多了，這不也是受重用的證明嗎？即使不能馬上升職，相信也不會太遠吧！而從商自僱者本月財運好了，生意多了也算是受重視了，這也算是暗中權力地位提升乎。

感情

本月並無刑沖，亦非桃花月，感情運是穩定的，受犯太歲的壞影響不大，惟本月亦非桃花或相合月，感情運並非特別佳，就是一個平常普通月份而已。

身體

相沖月已經過去，一切又回復到往常，舟車之險並不明顯，身體也看不見有特別要注意的地方，即使因財運月而努力一些，應酬多了一些，身體仍然是頂得住的。

是非

雲開霧散，天朗氣清。相沖月已經過去，一切又回復到正常狀態，雖然本月人緣運也是一般，但最少不要刻意提防是非，亦不會因犯太歲的關係而得罪了人而不自知，故本月可以像往常一樣地生活便可以了。

農曆九月

本月為肖虎的地位提升月，又到上班一族要努力的時候了，雖然今年你是犯太歲生肖，不宜太過積極，但如果是機會等了良久，而自己又有意爭取的話，仍然是可以努力的，因這兩個月都是你的相合月，人緣方面都是不錯的，即使積極進取一點，也不會因此而惹出是非來。

財運

本月上班一族固然可以爭取升遷，而從商自僱者亦可以先名後利，上半月努力爭取在行內的認同，下半月財運便會自然而然地增加，總體來說本月下半月的財運比上兩個月為佳，就好好努力爭取吧！

事業

有梯有板，高樓直上不難。這兩個月是肖虎的地位提升月，不論對寒、熱、平命人機會都是均等的，因升遷不是看好運壞運，是看升遷運的，而從商自僱者亦可在這月多些外出與客戶聯繫及多些參加行內活動，把自己在行內的名聲提升，這對日後財運必然有幫助。

感情

本月為肖虎的遙合月，感情運是穩定的，即使今年犯太歲的你，這月感情要維繫也非難事，惟單身者能在此月開展到一段新感情的機會不是很大，故可能仍然要單身下去了。

身體

三秋似寒還暖，最容易出現皮膚及氣管毛病，而肖虎的你，可能要提防皮膚問題，除了要顧及個人衞生外，亦不要給自己太多壓力，因為很多時皮膚問題是因為壓力所致。

是非

平順無風波。本月貴人雖不是特別有力，但人緣運仍然是可以的，即使多些外出應酬，反應也是正面的多、負面的少，故本月無需刻意提防是非。

農曆十月

本月仍然是權力地位提升月，加上又是你的相合月，人緣運比上月為佳，不論從商、自僱或上班一族，都可以在本月努力爭取升遷及行內人的認同，惟本月在財運方面，只有上班一族如果落實升遷的話可能會有所提升，而從商自僱者，本月只是名惠而利不至。

財運 表面風光，地位提升。從商自僱者本月在財運方面未必有突破，故在心態方面要好好調整，得固然好，無突破算是正常好了；而上班一族，除非可以落實升遷，否則，本月財運也不會無故多起來。

事業 求名易得，求利未成。本月是權力地位提升月，在爭取升遷及行內人認同時是有幫助的，尤其是從商自僱者，做生意要看長線，財運也無需急在一時，個人及公司的名聲好了，還怕財運不來嗎？故本月就先求名好了。

感情 本月為肖虎的相合月，感情運較上月更為穩定，犯太歲的危機就只有明年的農曆一月而已，如都能安然度過，就能完全擺脫犯太歲所帶來的壞影響。

身體 本月並無刑沖，突然遇上意外損傷的機會不大，加上又是你的相合月，人緣運也不差，只要不是因爭取升遷時給自己太大壓力，本月身體健康狀況是良好的，即使因應酬多了而多些外出用膳，也不會因此而吃出病來。

是非 無是又無非，光陰日影移。本月既然是你的相合月，人緣運即使沒有桃花月那麼好，但也算是不錯的，更無需顧慮因今年犯太歲所帶來的壞影響，故本月就放心多些外出應酬，打好各方關係好了。

農曆十一月

本月為貴人舒服懶月，經過上幾個月的努力後，本月終於可以放慢腳步，享受一下生活了，加上聖誕新年假期在即，讓你有多一點時間去安排假期去向，外出渡假也好，留港消費也好，也是要及早安排和約定親人朋友的，否則慵慵懶懶，甚麼都不去準備，到你想預備時已經趕不及，可能要讓自己孤獨地度過這個假期了。

財運

本月為貴人舒服懶月，經過上幾個月的努力，本月終於可以把腳步放慢一點，財運就先不去想好了，當然這是對從商自僱者的收入有所影響，而收入穩定的上班一族，不會因一個月的工作量少了而令收入有所減少。

事業

不如閒中尋樂，無需為錢重肩。本月既然是貴人舒服懶月，就放下心去籌備聖誕新年假期好了，一生人那麼長，總不是要朝朝夕夕地去爭取。有時放慢一下腳步，頭腦會更加清醒，說不定能為你的事業悟出一些新路向來。

感情

本月並無刑沖，亦非桃花月，感情運只是一般而已，惟本月亦非爭吵月，不致讓假期相處的時間多了而產生磨擦，單身者能在此月開展到一段感情的機會不大，可能要早些相約朋友或家人共聚假期了。

身體

三冬之時氣候逐漸寒冷，外出時要好好做足準備，方能免沾上風寒而影響到你的假期心情，除此之外，本月健康運是正常的。

是非

平常歲月，是非不多。雖然本月並非桃花或相合月，人緣運並非特別佳，但也不是相沖相刑月，是非不是太多，加上聖誕假期臨近，誰都無暇去惹是生非，故本月無需為是非去費神。

農曆十二月

本月為貴人舒服懶月，但這也是正常的，因為今年農曆年來得較早，聖誕假期過後，轉瞬便到農曆新年，故實質工作的日子不多，想去忙也沒有那麼多時間讓你去忙，反正今年是木火運的第一年，不論寒、熱、平命人都不宜太過着急，因為寒命人不一定在今年起運，因為有時會推遲三年到二〇二五年才開始通順；相反，平、熱命人也不一定到今年馬上進入逆運，反而運氣有時會延至二〇二四年底，但到底實際情況怎樣，這是每個人要自己去實際觀察的。

財運

本月實質工作的日子只有十多天，上班一族還好，收入不會因此而下降，惟從商自僱者，工作的日子少了，收入隨之而下降的機會較大，尤其是以工作量計算的自僱一族，收入必然立竿見影地減少，故本月財運不要太過着急，就留待農曆年後再行努力好了。

事業

無舵舟，循則游。本月為貴人舒服懶月，又是肖虎的桃花月，人緣運在犯太歲年來說是良好的，既然事業運不是太忙，加上又是犯太歲年，不如先放慢一下腳步，籌劃一下農曆年假期去向好了。

感情

雖然今年是犯太歲生肖，感情運不太穩定，但本月是肖虎的桃花月，正好讓你在感情上下點工夫，因為犯太歲年不是本年結束便馬上過去的，二〇二三年農曆一月仍然是犯太歲年的重餘氣，感情運仍然是不穩定的，故必須要在這個桃花月讓雙方關係更為穩固。

身體

本月並無刑沖，加上又是肖虎的桃花月，遇上意外損傷的機會不是很大，既然人緣運本月不錯，那就多些相約朋友外出，也不怕因應酬多了而引致身體不適。

是非

雖然本年是犯太歲生肖，是非都比別的生肖為多，惟本月是你的重桃花月，在這年來說，本月是人緣要好的一個月份，即使年底多一些工作上的應酬，也不怕因此而招惹是非。

肖兔運程

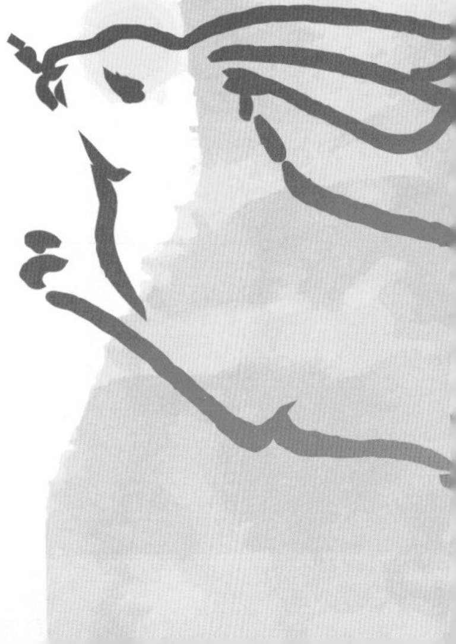

- 一九三九
- 一九五一
- 一九六三
- 一九七五
- 一九八七
- 一九九九
- 二〇一一

寒命人——出生於西曆八月八日後、三月六日前（即立秋後、驚蟄前）。

熱命人——出生於西曆五月六日後、八月八日前（即立夏後、立秋前）。

平命人——出生於西曆三月六日後、五月六日前（即驚蟄後、立夏前）。

肖兔

今年為咸池桃花年，而咸池為霧水桃花，對人緣、人際關係能起着積極的正面作用，因桃花可代表別人對你的觀感滿意度增加，這樣做起事來必然能順暢不少，但已婚或有穩定感情的你，勿因此而變成三角關係，影響到固有感情；單身者本年容易與已經相識者突然發生關係，惟這霧水桃花易聚易散，能否穩定地發展下去，必要過了這霧水桃花年才能肯定下來。

肖兔的你今年為財運年，加上桃花之助，必然能在財運及事業上有所進展，這不論對春夏秋冬天出生的寒、熱、平命人都能起到正面作用，但當然對從商及自僱者最為直接，而上班一族的收入始終穩定，因一個財運年能令收入上升的機會始終不大。

吉星有「太陽」，代表男性貴人，如果上司、老闆、客戶是男性的話，助力更為明顯。

凶星有「咸池」，桃花星，這星其實不能算是凶星，即使桃花易聚易散也好，也能為你的生命增添姿采，只是有穩定感情者不要讓霧水桃花變成三角關係便可以了。

「天空」，計劃易成空。我常常告誡別人不要有那麼多計劃，五年十年前你知道現在是這樣嗎？既如此，又何需去計劃五年十年後的事情，大目標是可以定的，計劃就不一定需要了。

「年煞」，無甚影響，可無需理會。

寒命人 今年為木火運的第一年，加上又是你的桃花年，望能在這年便能踏上上升軌跡之中，如真能這樣，二〇二二至二〇二四年為起步年，二〇二五至二〇二七年便可以見到這段運的收成了。

熱命人 雖然從今年開始正式踏上六年的木火流年，大部分夏天出生的人都要開始退守，只有小部分人運氣能延至二〇二四年底，惟今年是肖兔的桃花年，人緣運是不錯的，這亦有助你把下降的軌跡減慢；但整體來說，今年以後也是要開始退守的。

平命人 本年開始正式踏上六年的木火流年，即使一生平穩的你，這幾年步伐也會稍慢下來，轉換工作之事必然要擱置，最快也要待至二〇二四那一年，投資方面更加是想都不要去想好了。

一九三九年出生的兔——今年仍是活躍年，雖然年紀也不小，但保持一定的活動仍然是需要的，既然體力許可，就多些相約朋友外出吧！

一九五一年出生的兔——今年為貴人舒服懶年，忙了那麼久，有時放慢一下腳步，享受一些慢活的樂趣也是好的，當然怎樣懶也需要保持一定的運動量，這才能避免體力快速下降。

一九六三年出生的兔——今年為權力地位提升年，惟踏入五十九歲，能夠在這時升遷的機會始終不大，如果真的有機會就努力爭取好了，說不定公司會延至六十五歲才退休；而從商自僱者亦可藉此年把自己在行內的名聲提升，這對事業運必然能起到正面作用。

一九七五年出生的兔——今年為財運年，各個肖兔者以你財運最佳，寒命人固然能得益，平、熱命人相信也能因這財運年而得到一些意外收益。

一九八七年出生的兔——今年為思想學習投資年，學習方面不論平、熱、寒命人都是適合的，惟投資方面，則只有秋冬天出生的寒命人是好時機，平、熱命人就不要去想好了。

一九九九年出生的兔——今年為辛苦個人力量得財年，已經踏進社會也好，仍在求學也好，今年都會是一個較為忙碌的年份，故要好好作出心理準備。

二〇一一年出生的兔——今年為貴人舒服懶年；還好，踏進十一歲的你應該沒有重要的試要考吧，否則今年懶下來便怕會影響到學業成績了。

財運

本年為肖兔的財運年，各個生肖之中以你財運最好，因今年虎和兔為財運生肖，而肖虎今年犯太歲，肖兔的正好是桃花年，人緣運比肖虎的好得多，這必然能令你的財運有所增長，秋冬天出生的寒命人固然佳；春夏天出生的平、熱命人相信也能因財運及桃花人緣運之助，令財運今年能看高一線。

事業

今年並非權力地位提升年，惟得桃花及財運之助，事業應該是有進展的，尤其是上班一族，工資不會無故地增加，這可能是因為升遷而引致工資上漲，但怎樣也好，在這個財運年，不論對從商，自僱又或者上班一族的事業也算是正面的。

感情

今年為霧水桃花年，單身者容易與已經相識的人突然走在一起，惟這霧水桃花易聚易散，可能只為你帶來一段短暫情緣，反而已有穩定感情者可藉此霧水桃花年多些外出應酬；因桃花年能增加別人對你的正面觀感，這在人緣交往時必能起到正面作用。

身體

今年並無刑沖，加上是桃花生肖，突然遇上意外損傷的機會不大，加上人緣好的關係，心理壓力也不大，情緒上也是穩定的，故今年算是身心健康的一年，惟在皮膚上仍然是要注意一點的。

是非

今年是桃花生肖的你，人緣運比別的生肖必然較佳，又加上是財運年，故可以主動積極一點，多些相約客戶傾談，相信也是正面的多，負面的少；故要好好利用這人緣桃花要好的一年，盡量把自己的人際網絡擴闊，從而令財運進一步提升，是非小人之類，今年無需刻意提防。

農曆一月

本月為權力地位提升月，惟一年才開始，能在此時升遷的機會始終不大，倒是從商自僱者藉此時多些外出與各方打好關係，讓自己在行內的名聲進一步提升，這對今年這財運年必然是正面的；而上班一族除非去年已經安排了升遷，否則在此時能夠升遷的機會始終不大。

財運 本月為權力地位提升月，但財運未必可能會相應增加，因才剛剛從農曆年假回來，很多公司仍未全面投入運作，即使自己想努力爭取，相信也無處着力，倒不如趁着新春應酬頻密，藉應酬增加自己的曝光率，讓人們有生意時會首先想起你。

事業 表面風光，地位提升。農曆年才剛完結，在一年之始去爭取升遷，無奈是緣木求魚，故本月就先行與各方多些聯絡，打好關係，即使不能馬上升遷，但長遠而言也必然是有益無害的，因為在職場上，人際關係也算是能力的一環，也是提升的重要條件。

感情 本月並無刑沖，亦非桃花月，惟剛剛從農曆年假回來，雙方仍懷着愉快的心情，感情運仍然是穩定的，即使農曆年後應酬可能多了，也不會因此而影響到雙方關係。

身體 農曆年假才剛完結，身心都回復到至高狀態，加上本月並無刑沖，突然遇上意外損傷的機會也不大，即使農曆年後應酬稍多，偶爾夜眠，但健康狀況仍然是正常的。

是非 平常歲月，是非不多。本月雖然並非桃花月，惟今年是桃花生肖的你，予人的觀感都不難是正面的，本月即使外出應酬稍多，也不會因此而惹出是非來。

農曆二月

本月為權力地位提升月，雖然是你每年的犯太歲月，但本月與以往不同，因本月是本年的桃花月，而你今年亦是桃花生肖，故在心情與情緒上正面的日子必然較負面的多，而本月也不例外，會給負面情緒打倒的機會不大，讓你可以全力去爭取行內人的認同；而上班一族如果知道公司準備有內部提升，本月也是可以全力爭取的，即使爭取不了，也沒有反效果的，最多就是等待下一次機會好了。

財運 上班一族如果爭取到升遷，財運當然會隨之而來，否則本月財運是不會有突破的，其實收入穩定的上班一族也不太可能因一個月的順逆而令收入有所增減。

事業 本月仍然是權力地位提升月，故不論從商，自僱或上班一族，都可以先把自己的名聲打好，這對日後升遷又或者生意上必然是有幫助的；人生就像一段長跑，未到終點前也都是要努力的，即使在終點前不是在前列位置，但至少也是努力過，對自己也算是有個交代。

感情 本月是本年的桃花月，整體社會氣氛是和諧的，讓每年二月都是犯太歲月的你，也可以放下心，不會因此月而導致情緒不穩而影響到雙方關係。

身體 雖然本月是你的犯太歲月，但不是犯太歲年，故突然遇上意外損傷的機會不大，主要不能給負面情緒寵幸，本月健康運是良好的。

是非 雖然是犯太歲月，一般是非都不會太多，加上你今年是桃花年，總體人緣運是不錯的，惟本月不想多外出與陌生人接觸，這也是無不可的，因打關係或工作上的努力，也不用急在一時一日，本月就按自己的情緒行事好了。

農曆三月

本月為肖兔的財運月，又到收入不穩的從商自僱者好好爭取的時候了，而收入穩定的上班一族，除非上兩個月爭取到升遷，否則本月財運是不會無故增加的。雖然本月是你的相穿相害月，難免有一點小是非，惟這是非極為輕微，只可能在你努力爭取好成績時帶來一點點阻力，惟只要努力一點，這些小阻力相信能輕易地迎刃而解。

財運 此月為財運月，對收入不穩的從商自僱者最有幫助，尤其是從商的你，一般不如自僱者多勞便必然多得，故這個財運月可能不需要太過努力，便能獲得不錯的成績。

事業 小是小非，無礙前進。本月是你的財運月，收入不穩的你代表事業應該有不錯的增長，經過上兩個月名氣地位提升後，本月相信可以見到初步收成，就好好努力吧！

感情 本月是肖兔的相穿月，一點點小是非在所難免，惟相穿的影響是輕微的，一點點小意見有時反而能增加互相了解，這總比藏在心裏的不滿意見要好。

身體 本月木土交戰，皮膚及腸胃方面要稍為注意，入春之時陰濃濕重，亦容易引發皮膚毛病，故本月除了要注意個人衞生外，亦不要給自己太多的壓力。

是非 本月為肖兔的相穿月，容易引發一些小是非，惟本年你是桃花生肖，桃花的力量遠比相穿為大，故在外出應酬時也無需刻意提防，即使惹上是非，也不會是嚴重的。

農曆四月

本月為肖兔的財運月，又是肖兔的驛馬月，既然這兩個月財運不差，就趁這個驛馬月花一點錢去外遊散心，與另一半也好，與家人也好，共聚一下享受歡樂時光，即使運程開始下降的平、熱命人，經過六年努力後，趁此時享受一下先前努力的成果也是適宜的。

財運 財如春草，不見其生，日有所長。本月既然是財運月，或多或少對財運都能起到正面作用，轉運中的寒命人本月可以好好努力，看看能否在今年的這個夏天就能踏上上升軌跡，即使開始進入下降軌跡的平、熱命人，趁着順運的餘氣仍在，看看能否在這個財運月仍能有些意外收益。

事業 本月為肖兔的驛馬月，雖然不是驛馬流年，但本月走動可能也會較平常多，不論從商、自僱又或者是上班一族，外出公幹的機率都會相應增加；惟本月並非辛苦得財月，故即使走動多了，也不會為你帶來壓力，反而會為你的財運事業帶來增長。

感情 本月並無刑沖，亦非桃花相合月，感情運一般；單身者能在這個普通月份內開展到一段感情的機會不大，惟固有感情者可藉本月之驛馬動象，與愛侶外遊一下，增進雙方感情。

身體 三夏火旺之時，要特別小心皮膚問題；肖兔的你，先天上皮膚比較容易出現敏感，在三夏火旺之時，更要注意，除了在飲食上少吃些濕燥的食物外，亦要多注意個人衞生。

是非 無刑無沖無是非，但亦非人緣要好的桃花相合月；故本月人緣運不是特別好，是非運也不明顯，就是一個平常的普通月份，不用太過為是非費神。

農曆五月

本月為思想學習投資月，在新投資方面，只有秋冬天出生的寒命人可以作新嘗試；春夏天出生的平、熱命人則只適宜守着舊有的路向發展，新投資此時開始要可免則免，反而讀書學習，春夏天出生的你是適宜的，在這幾年木火流年好好裝備，待下一個金水流年說不定會用得上。

財運 本月為思想學習投資月，不論投資或學習都會有些額外花費，故本月不難是一個開支較多的月份，尤其是秋冬天出生的寒命人，如果打算在這個季度開展一些新計劃，在財政運用上更要小心一些，以免起步時花費多了而影響到日後的計劃。

事業 左亦是路，右亦是路，路多反覺難啟步。這是很多初創者容易出現的錯誤，因為在創業時很多人都會有太多構想，樣樣都想去嘗試，都覺得是一條財路；到最後，有限的金錢分散在無限的機會裏，導致資金無以為繼，最後失敗收場，故創業者必要引以為戒。

感情 本月為肖兔的桃花月，單身者如果想盡快脫離單身的話，本月便要好好把握了，多些相約朋友外出也好，參加多些公眾活動也好，就盡量給自己多些接觸陌生人的機會。

身體 仍然是三夏火旺的季節，燥熱煎炸之物仍要少沾為上，以免苦了皮膚；惟本月是肖兔的桃花月，心情與情緒都是正面的，故本月只要在飲食上小心注意一點，健康運是良好的。

是非 桃花月，人緣佳，是非自然遠離。即使因思想學習投資月，與陌生人接觸多了，但也都是正面的多、負面的少，就趁這個桃花月多些相約朋友、客戶外出，打下更好的人際網絡。

農曆六月

本月為肖兔的思想學習投資月，寒命人如果有新路向，轉工也好，與人合伙也好，又或者想獨自去作新嘗試，都是一個合適的月份。至於學習方面，不論春夏秋冬天出生的寒、熱、平命人都是適宜的，尤其是上班一族，不時都要為自己增值，方能免被社會淘汰。

財運 本月為思想學習投資月，情況與上月差不多，都不難是支出比收入為多的一個月，故在財政運用上要保守一點；但本月只是一個正常花錢的月份，不要擔心會日日破財，故本月如果沒有花錢去學習又或者作新投資，財運其實是正常的。

事業 雖有新路亦宜三思而行，不論從商自僱又或者是上班一族，本月都容易出現一顆想變的心；惟這改變，春夏天出生的平、熱命人則可免則免，因為如果過去三年你都未曾作改變的話，已經錯過了最好時機，故本年即使開始覺得不太順利，一切也應以守舊為佳。

感情 本月雖然不是桃花月，惟本月是肖兔的相合月，自身感情運是穩定的，加上本月是本年的桃花月；故單身的你，本月仍然可以多些外出，能開展到一段新感情的機會仍然頗大。

身體 本月是肖兔的相合月，又是本年的桃花月，自身人緣運及社會氣氛都是平和的，加上本月並無刑沖，突然遇上意外損傷的機會也不大，即使多約些朋友、客戶外出應酬，健康狀況仍然是良好的。

是非 本月是本年的桃花月，整體社會氣氛是平和的，加上本月又是你的相合月，自身人緣運也是良好的，故在外出應酬時無需顧忌甚麼，就隨心而動好了。

農曆七月

本月為暗中權力地位提升月，代表要管的事情多了，責任大了，但職位上不一定有改變，猶幸本月帶財，可能在收益上有些微上升；從商自僱者可能要做的事情多了，但生意上並沒有順延上升，可能十分耕耘只能有三、四分收穫，但這總比徒勞無功為佳，故本月即使工作量上升，也不要對收入寄予太大厚望，比平常多一點點也算是不錯了。

財運 勞而功少，我且盡力。本月雖然帶一點點財，惟這是正財月，代表要通過努力才能獲得的回報，並非意外之財；但這總比破財為佳，故本月財運仍然算是可以的。

事業 暗中權力提升，代表在職位上能上升的機會不大，但這也可以代表自己仍然有不錯的利用價值，這不論對從商，自僱又或者是上班一族，都算是正面的；本月就好好努力，打下更好基礎，這必然有助日後的提升。

感情 本月為肖兔的暗合月，感情運是穩定的，尤其是上兩個月才開展的感情，本月望能進一步穩固下來，方能免因下月的相沖而變成不穩定，惟本月並非桃花月，對單身者的幫助是不大的。

身體 本月為肖兔的暗合月，人緣運仍然是穩定的，突然遇上意外損傷的機會也不大，情況跟上月差不多，即使偶爾工作較為忙碌，身體健康仍然是可以的。

是非 本月人緣運雖然沒有上兩個月好，但整體仍然是可以的，本月容易出現貴人暗中相助；故在出席公眾場合時也不用太多顧慮，總會有貴人暗中支持你的。

農曆八月

本月為肖兔的相沖月，代表容易出現變化，惟在事業方面，變化容易出現兩極化，寒命人變好的機會較大，如遇上新機會而自己又想作出改變的話，可以積極考慮；相反，夏天出生的熱命人，在這年以後只有二〇二四年稍為可以作出改變，但大體在二〇二八年前也應該以守靜為佳，轉工或作出新投資，能夠有良好結果的機會不是很大，春天出生的平命人也以守靜為佳。

財運 本月為肖兔的相沖月，財運方面必然以秋冬天出生的寒命人為佳，而春夏天出生的話，反而可能需要多些花費，惟本月相沖可能走動較多，說不定這些額外開支只是用在旅遊上而已。

事業 本月為肖兔的相沖月，雖然今年不是相沖生肖，但因今年是水火互換年，本年起始，秋冬天出生的寒命人運程將會日增月盛，故這時有所轉變的話亦可嘗試；相反，春夏天出生的平、熱命人今年起運程將會日漸下滑，尤其二〇二五至二〇二七年這幾年尤為明顯。

感情 本月為肖兔的相沖月，唯恐感情不大穩定，惟單身者可能反而是一個好機會；因相沖代表變化，而沒有另一半的你這變化只可能為你沖出一段新感情來，故本月雖然不是你的桃花月，也不妨多些外出碰碰機會。

身體 金木相沖，易見損傷。雖然今年並非相沖生肖，但來到相沖月還是要謹舟慎車，提防傾跌；除了駕駛者要小心駕駛外，走路也是要穩當一點，否則走路時跌倒在人前時，則既尷尬又傷痛。

是非 相沖月，不穩定的因素必然增多，故在商業上的應酬，本月要盡量減少，以免無故惹上是非，亦可在本月西面桃花位放一杯水，東南爭鬥位放粉紅色物件去旺人緣化是非。

農曆九月

本月為肖兔的相合月，人緣運與上月不可同日而語，故宜好好利用這個人緣要好的月份多些外出，打好各方關係，這不論對從商或自僱的你都是有利無害的，即使是上班一族或專業人士，在人際關係上或許沒有那麼重要，但關係好總比關係差來得開心；而剛開始在這桃花年才開展的新感情，本月亦是把感情穩固下來的一個好月份。

財運 下半月為暗財月，在這桃花年的這個暗財月，不難獲得應有的收穫，故花在應酬上的金錢，下半月馬上便可以賺回來，綜觀本月算是人緣及財運都不錯的一個月。

事業 上山多費力，有樹可扳枝。雖然本年不是肖兔的地位提升年，但因為是桃花生肖，而本月又是你的相合月，人緣運是良好的，且亦能增加別人對你的觀感，這必然有助你在事業上容易提升。

感情 本月是肖兔的相合月，感情運又轉趨穩定，如果因為上月相沖的關係令到雙方有些不快，本月是一個修補的好月份，除非你本意是想分手的話當然另作別論；又本月並非肖兔的桃花月，單身者能在此月開展到一段新感情的機會不大，最多就是容易出現暗中心儀的對象而已。

身體 本月是肖兔的相合月，健康運是正常的，雖然月令不利腸胃，但肖兔的你先天有着腸胃問題的機會不大，故本月在飲食上可以放心一點，即使應酬多了，腸胃仍然是良好的。

是非 上月之是非已經散盡，代之而來是人緣運要好的相合月，故要藉此月多些相約客戶、朋友，打好各方關係，這必能為你的生活帶來方便的。

農曆十月

本月為肖兔的相合月，情況與上月差不多，人緣運仍然是要好的，這對在上升軌跡的寒命人及在下降軌跡的平、熱命人都是正面的，因寒命人在起運的第一年，最重要的是增加自己的人緣運，讓你想作出新改變時，馬上想起身旁那一個人可以對你作出相助；相反，在下降軌跡中的平、熱命人，望能得上司、朋友、客戶之助，而讓下降軌跡減慢一些。

財運 本月仍然是要打好各方關係的月份，故開支可能會比平常為多的，惟這些金錢是值得去花的，必能讓日後帶來正面回報；故本月財運先不要太過着緊，尤其是在上升軌跡中的寒命人，這段運程可能要到了二〇二五至二〇二七年才是收成期。

事業 勞苦之中求進步，但宜釋躁且平矜。這句說話是對剛進入逆運的平、熱命人講的，如果想將旺運延多幾年，上面的態度是必要的，不同順運時事情來得那麼容易，讓你覺得是正常的，所以今年可能讓你感受到吃力不討好的境況。

感情 本月是肖兔的相合月，感情及人緣運都是穩定的，不管是男女間、朋友間或同事家人，本月都能因相合的關係而令到大家相處融洽，故本月是感情運良好的一個月份。

身體 三冬氣候似寒還暖，記緊外出時帶備些禦寒衣物便可，以免夜涼時感染風寒而病倒了；否則，本月健康運是良好的，即使偶爾應酬夜歸，健康運仍然是不錯的。

是非 人事得和同，上下偏喜多。本月仍然是人緣運要好的一個月，不論在公在私，都可以多些外出，穩固一下自己的人際關係，又或者多與家人朋友共聚，也是一個無需顧及是非的月份。

農曆十一月

本月為肖兔的桃花月，計算下來，由農曆九月開始至今，人緣運也都是不錯的，單身者還可藉此桃花月多些外出，看看能否因這桃花年桃花月為你帶來一段新感情來；又本月為貴人舒服懶月，工作量不大，但收入仍然是可以的，當然這對上班一族而言是正常的，但從商自僱的你在工作並不忙碌之際，收入卻沒有因此而下降，這可能是歸功桃花人緣之力。

財運 本月為貴人舒服懶月，可能心已經飛到去假期了，但這也是正常的；本月在籌備假期時必要吸收相關資訊，讓你覺得早已在假期中，當然本月是一個花費較多的月份，但不要去計較那麼多了，財運待過了這個假期後再去追回好了。

事業 本月雖然是貴人舒服懶月，人不怎麼積極，但事業運仍然可以緩緩而進，雖然沒有突破，但在懶洋洋的日子有此成績，已經算是不錯了，因桃花人緣月很多時做事都能事半功倍；相反，在人緣差是非多的月份自然會是勞而功少，故事業財運有時不一定與努力均等的。

感情 桃花月，感情人緣佳。單身者如果不想再單身地去度過這個假期，本月開始便要積極一些了，朋友介紹也好，多外出晚宴也好，給自己製造一些多接觸陌生人的機會。

身體 本月為肖兔的桃花月，也是相刑月，皮膚方面要多加注意，在冬季乾燥之時記着要勤點補濕，方能免皮膚出現敏感。除此之外，本月健康運仍然是不錯的。

是非 貴人小人同時而至。本月是你的桃花月，也是相刑月，惟桃花的力量比相刑的力量大得多，故本月也是人緣要好的一個月份，即使有小人在你背後說三道四，也難以對你構成傷害。

農曆十二月

本月為貴人加財運月，上半月工作量不大，下半月工作量稍為增多，但整體下來也不算是辛苦的一個月；而財運方面，下半月突然轉佳，且帶來一點點偏財，惟偏財與賭博無關，做生意者可能收到一些應收而未收的賬，自僱者可能生意自動送上門，讓你在農曆假期前突然多了一筆可用之錢；而上班一族可能公司業績理想，農曆年前會發一些花紅，讓你可以過一個愉快的農曆年假期。

財運 月令帶財，不求自來。本月工作量並沒有因假期的關係而增多，惟財運卻比上兩個月為佳，這也算是意料不到的；但不管如何，財運好便是了，讓你在安排假期時，少了金錢上的顧慮。

事業 無舵舟，循則游。一來臨近一年之終，二來工作上也沒有甚麼要顧慮的，本月就讓他優游地過吧！有甚麼新計劃，就待農曆年假期回來後再行商討或者實行好了。

感情 如果上月本年的最後一個月仍未能脫離單身的話，相信要一個人度過農曆年假期了，如果不想這樣的話，便要早些相約家人、朋友相聚；而有另一半的你，本月感情運是正常的，這讓你能過一個愉快的假期。

身體　本月並無刑沖，在健康方面看不到有甚麼地方要特別小心的，即使年底應酬多些，偶爾夜眠，也不會因此而惹出病來，當然充足的睡眠仍然是需要的；否則，甚麼樣的好身體也會承受不來。

是非　平常歲月，是非不多。本月人緣運不是特別好，但也看不見要特別提防是非小人，故日子隨心而過就好了，想去應酬就去，不想去的話，放工後就做些私人事情好了。

肖龍運程

・一九四〇
・一九五二
・一九六四
・一九七六
・一九八八
・二〇〇〇
・二〇一二

寒命人——出生於西曆八月八日後、三月六日前（即立秋後、驚蟄前）。

熱命人——出生於西曆五月六日後、八月八日前（即立夏後、立秋前）。

平命人——出生於西曆三月六日後、五月六日前（即驚蟄後、立夏前）。

肖龍

本年為太歲遙合生肖，易有遠方貴人扶助，如果從事常接觸外地人生意或常往外地的你特別有幫助，否則這個遙合對你幫助不大；惟今年亦無刑沖，是非小人也並不明顯，故即使貴人助力不大，亦無需過分擔心小人是非。

又今年肖龍為辛苦個人力量得財年，對從事件工計算，收入不穩的你最有幫助，收入必然能因工作量上升而有所增加；其次是從商一族，因工作量大了，接觸客戶的機會多了，做得成生意的機率自然增加；惟收入穩定的上班族可能徒添辛勞，而薪金不一定可以上升。

今年吉星全無，故外來助力不多，這正好應了今年的辛苦個人力量得財年，事事要親力親為，不能假手於人了。

凶星有「天哭」，心情不佳、易哭，尤其是平常眼淺的你，看一套苦情片也哭濕了一包紙巾，但有時這樣反而能夠紓緩一下內心的不安情緒。

其他凶星有「喪門」、「地喪」、「豹尾」、「月煞」，無甚影響，無需顧慮。

寒命人 今年進入木火運的第一年，運程開始逐漸轉順，惟每個人的入運狀況都有所不同的，有些人踏入今年會馬上轉順；有些則可能要待至二〇二五年才逐漸轉順；惟二〇二五年才開始轉順者，其運可延至二〇三〇年底；故六年木火，六年金水，六年順，六年逆，它只會是來遲來早，而不會無故縮短的。

熱命人 今年開始踏入木火循環的第一年，運程會開始轉慢，惟也要看實際情況，因有些人的運程能延至二〇二四年底止，但只要看看到底是二〇一六年開始轉順，還是二〇一九年才開始好轉，你便知道這好運在今年止，還是二〇二四年才走完運呢！

平命人 一生平穩的你，也有少許順逆，經過六年金水順運以後，今年下來要放慢腳步，沿着舊有的路向去走好了；尤其是二〇二五至二〇二七這幾年大火年，對你的運程應該完全沒有幫助，故不論從商，自僱又或者上班一族，今年開始採取觀望態度，事事以不變應萬變好了。

一九四〇年出生的龍——今年為貴人舒服懶年，整個人慵慵懶懶似的，動都不想動，惟雖然年紀已不小，保持一定的活動力仍然是需要的，如果身體許可的話，就每天外出走走，動一動筋骨好了。

一九五二年出生的龍——今年是權力地位提升年，惟踏入七旬的你，除非是從商自僱者仍然在職場中，否則這年紀能升遷的機會始終不大，或者是家裏添了小成員讓你輩份提升，又或者多了受外人尊重而已。

一九六四年出生的龍——今年為財運年，各個肖龍之中以你財運最佳，快踏上六旬的你，是時候在退休前努力爭取好了；這財運年最能直接受惠的是從商一族，其次是自僱的你，收入穩定的上班一族唯有多買些彩票，看看能否為你帶來一點意外之財。

一九七六年出生的龍——今年為思想學習投資年；當然，新投資只有秋冬天出生的寒命人較為適合，春夏天出生的你只能沿着舊有的路向發展，新投資方面就可免則免了。

一九八八年出生的龍——今年為辛苦個人力量得財年，這對收入不穩以工作量計算工資的你，幫助最為直接，收入必能因工作量上升而有所增加，其次是從商的你，工作忙碌了，做得成生意的機率自然增加；對於收入穩定的上班一族，今年可能只是徒添辛勞而已。

二〇〇〇年出生的龍——今年為貴人舒服懶年，除非是剛完成學業，想外遊多看看世界，體驗一下生活；否則，今年要放下慵懶的心，以免浪費大好青春。

二〇一二年出生的龍——今年為權力地位提升年，亦可代表課外活動得獎運，故活躍的你，今年可以多些參與課外活動，多些參加校內比賽，即使不能獲獎，但也算是一個不錯的體驗。

財運　肖龍今年為辛苦個人力量得財年，可能工作量比平常大，惟收入亦容易隨之而增加，尤其是自僱一族，不論寒、熱、平命人，收入都有增加的機會，就好好努力吧！但從商又或者上班一族，可能添勞而不添薪，從商者還好，最少多一點機會，但上班一族就不要寄予厚望好了。

事業　大舟行淺水，費力可行前。既然今年是辛苦個人力量得財年，工作比平常忙碌這是正常的，惟工作量大了，並不一定代表事業有進展的，故今年在心情上要有所準備，就用我且盡力，毋問收穫的心態去面對，得固然好，勞而無功也算是正常好了。

感情　今年為遙合生肖，在桃花方面不太樂觀，最多就是出現暗戀對象而已，尤其是外出旅遊公幹時，可能出現心儀對象，惟今年能因此而開展到新感情的機會不大，反而有另一半的你，今年感情運是穩定的。

身體　本年並無刑沖，亦無損傷星，又不是腸胃特別要小心的年份，所以健康運今年是不錯的，去年的腸胃問題，相信也能一掃而空，只要正常飲食、睡眠充足，今年健康運是良好的。

是非　雖然今年並非桃花年，人緣運並非特別佳，但也非相沖相刑年，是非小人也不是特別多，如果是從事經常接觸外地人，又或者經常要往外地工作的你，今年貴人及人緣運會比其他人佳；否則，今年人緣貴人，是非小人也並不明顯的。

農曆一月

本月為暗中權力地位提升月，惟一年之始，能在這時升遷的機會不大，但從商自僱的你，可以趁新春假期，多些去拜訪朋友客戶，打好各方關係，給別人良好的印象，這也算是地位提升的一種；惟本月是本年的犯太歲月，在外出應酬時要謹言慎行，尤其是碰到今年沖犯太歲生肖的朋友向你吐苦水時，記着做一個良好的聆聽者便是了。

財運 本月就是一個平常的月份，財運不會多也不會少，惟農曆年過後可能要支付農曆假期時的開支，故在金錢運用上還是要小心的；加上農曆正月一般應酬會較多，而這又是另一筆開支。

事業 雖然是權力地位提升月，上班一族可能在假期回來後再受公司重用，又或者公司在年底時削減了人手，令你要身兼數職，責任越來越大而已，望這些付出在今年內可以得到應有的成果。

感情 本月是本年的犯太歲月，如果對方是今年沖犯太歲的生肖才容易出現問題，否則本年的這個犯太歲月是與你無關係的；故本月感情運是普通及平穩的。

身體 本月為本年的犯太歲月，交通事故唯恐會較為頻繁，即使不是犯太歲的你，在駕駛時也要格外留神；因路上一定會碰上今年沖犯太歲的生肖，怕一不留神便給意外牽連上。

是非　肖龍的你本月人緣運是可以的，即使新春期間多了外出應酬，但反應也是正面的多負面的少，惟本月是本年的犯太歲月，唯恐社會氣氛不太平和，故本月最好能夠獨善其身，避免捲入別人的是非當中。

農曆二月

本月為肖龍的財運及暗中權力提升月，可能要管的事情多了，責任大了，職位可能無變，惟本月因附帶財，故工資有可能上升一點，讓你辛苦得來有一點點回報；而從商自僱者在追求名氣地位時，亦能在事業上有一點收益。雖然本月是肖龍的相穿相害月，難免會有一點點小是非，惟本月是本年的桃花月，整體社會氣氛比較和諧，這亦有助肖龍的你減免是非。

財運　財如春草，不見其生，日有所長。雖然本月只有一點點的小財，但比平常多了還是值得恩惠的，在自己相穿是非較多的月份，亦能逆境前進，本月就努力一點望能獲得更佳成績好了。

事業　本月為本年的桃花月，整體社會氣氛良好，讓肖龍的你也能受惠；在爭取別人認同時也無須太多顧忌去趨避是非，故本月的事業運是可以慢步而進的。

感情　本月為肖龍的相穿月，自身是非會較多，故在感情上亦要小心為上，以免令小是非演變成大風波；因肖龍的你今年感情運只是一般而已，故遇上刑沖破害的月份還是要留意的。

身體　本月為肖龍的相穿月，有一點木土交戰，在皮膚及腸胃方面要小心一點，除了在飲食上要多加注意外，亦要注意個人衞生，因仲春時陰濃濕重，最容易引發皮膚上的毛病。

是非 小是小非促圓滿。本月雖然是肖龍的相穿月，容易招惹是非，但這對本月整體的影響不大，反而有時說出自己的內心話，雖然會引起有些人的不認同，但這也是有助別人加深對你的理解，故說不定還是正面的。

農曆三月

本月為肖龍的犯太歲月，又是權力地位提升月，惟受犯太歲月的影響，本月肖龍的人緣運比平常差，亦較容易招惹是非，故即使是升遷月，也不宜全力爭取；反而，本月宜盡量少些應酬，低調一點，這必能減免是非，雖然本年不是犯太歲生肖，但人緣運也非特別好，既然這樣，本月就盡量獨善其身好了。

財運 本月是權力地位提升月，在爭取別人認同時，外出的應酬會必然比平常多，惟本月是你的犯太歲月，應盡量少些應酬，這在財運上來看反而是良好的，故本月花費開支，也不會因此而大增。

事業 既然是自己的犯太歲月，在事業運方面就採取觀望態度好了，本年又不是權力地位提升年，能升遷的成數本來就不大，更不要在這犯太歲月去積極爭取，以免爭取不了反而惹上滿盆是非，故本月在事業運上宜放慢一點腳步好了。

感情 本月為肖龍的犯太歲月，在感情上要比上月更為小心，可以的話，本月就減少些見面時間，這總好過見面時常鬧不快好得多；單身的你，復活節假期準備和親人朋友度過好了，因本月能脫離單身的機會不是很大。

身體 雖然本年不是犯太歲年，但來到農曆三月在飲食上仍然要小心些，因肖龍的你先天容易有着腸胃毛病，每逢農曆三、六、九、十二月都是要小心一些為上，而這個農曆三月也不會有例外的。

是非　閉口藏舌，閒事莫理。本月既然是自己的犯太歲月，莫說是閒事莫理，即使是自己的事，也要先行放下，待這個自己的犯太歲月過後再行處理好了，反正要解決的事情也不要急在一時。

農曆四月

本月為權力地位提升月，又是肖龍的桃花月，人緣運來一個大轉變，故本月如果想爭取升遷又或想取得別人認同，可以全力以赴；即使本月多些外出應酬又或者多出席一些行內的活動，反應應該都是正面的多、負面的少，即使最後爭取不了，但在打開人際網絡方面，效果仍然是不錯的。

財運　本月為桃花人緣月，又是權力地位提升月，即使無需爭取升遷，但也適宜多些相約客戶、朋友，甚至家人多些外出聚會，穩固一下各方關係，故本月在開支方面比平常多也是正常的；財運方面，有時也無需急在一時，花出去的金錢總是會回來的。

事業　本月為權力地位提升月，上班一族雖然本年的升遷機會不大，但試一試也是無妨的；而從商、自僱者藉此桃花月也好，升遷月也好，都可以多些相約客戶聯繫或出席多些行內的活動，讓多些人認識，這也算是地位提升的一種。

感情　本月為肖龍的桃花月，正好讓你修補上兩個月可能因犯太歲月而帶來的壞影響；而單身者亦可藉此桃花月多些外出，接觸多些陌生人，看看能否因一個桃花月而能夠讓你脫離單身行列。

身體 雲開霧散，天朗氣清。上月的浮雲已經散盡，本月即使多些外出，偶爾夜歸夜眠，健康狀況仍然是良好的，故本月在生活上無需特別顧慮。

是非 桃花月，即使上月惹上些是非，來到此月必然能迎刃而解。本月即使多些外出應酬，接觸多些陌生人，給人的印象也是良好的多。負面的少；是非方面，當然無需要特別小心提防。

農曆五月

本月為貴人舒服得財月，工作量不大，但收入卻沒有因此而減少，這對上班一族是正常的，不會因一個月的工作量多寡而收入有所增減；惟以件工計算的自僱一族，收入應跟隨工作量減少而有所下降才對；從商一族也應如此，惟本月可能接到一點籌碼較大的工作又或者收回些舊賬，讓你能在優閒的日子裏仍能保持穩定收入。

財運 本月為貴人舒服懶月，收入不下降已經是幸運了，不要妄想會有意外之財了；反正這個月沒有假期，開支也不大，財運如平常一樣便足以可以應付，也算是一個豐裕的月份。

事業 人閒心不閒，有事來相關。雖然工作並不忙碌，但私人事件仍然是需要抽時間去完成的，很多之前拖下來的事情，就用這個月去立下心處理吧！否則，到了忙碌的月份恐怕又要再閣在一旁了。

感情 本月夫妻位相沖，恐防雙方容易鬧意見，加上本月工作量不大，見面的時間自然多了，惟本年肖龍的你感情變化的機會不大，雙方抒發一下己見，雖然有時不盡相同，但這也能夠加深相互了解。

身體 本月並無刑沖，突然遇上意外損傷的機會不大，加上並不忙碌，亦沒有過多的工作壓力，故身心都應該是良好而健康的，即使有小碰撞，也是手指背部的一些小問題而已。

是非 平地過江江無浪，渡水行舟舟安然。本月雖然人緣運並非特別好，但小人是非也不是特別多，加上是貴人舒服懶月，工作壓力也不大，就放慢一下腳步過一些慢活的日子好了，無需刻意提防是非。

農曆六月

上半月工作量不大，下半月卻突然間忙起來，經過一段慵懶的日子，差點兒適應不過來；惟平常忙慣的你，沒多久又回到工作的軌跡上了，且工作量增多。收入不穩的從商自僱者自然能從中得到好處，即使收入穩定的上班一族，工作量大了，至少讓自己知道仍有不錯的利用價值，這也算是對自己的一點肯定。

財運 上半月工作量不大，財運當然沒有突破，惟下半月工作量突然大增，收入不穩的自僱一族當然能直接受惠，收入必然能因工作量上升而同樣增加；其次是從商的你，工作忙碌了，接觸的客人頻密了，自然能增加做成生意的機會。

事業 上半月工作量仍然不大，私人時間仍多，要好好地利用時間以完成一些久久未完的私人事情；因下半月工作忙起來後，恐怕又身不由己了，惟本月事業運是不錯的，故忙碌起來是有價值的，且本月為本年的重桃花月，整體社會氣氛亦平和良好，讓你能全心投入工作，不用管外間的是非風雨。

感情 本月為本年的桃花月，感情運又轉趨穩定，趁着上半月工作量不大，就多些相約另一半外出，修補一下雙方關係；單身者亦可趁這個本年的桃花月多些外出，看看能否成為別人的桃花。

身體 每到農曆六月，肖龍的你在飲食、腸胃上都是要小心的，但因今年並無刑沖，又無疾病星，健康運是正常的，故本年的這個六月，無需要特別提防。

是非 本月為本年的桃花月，整體社會氣氛是良好的，雖然肖龍的你今年並非桃花生肖，但也能受惠本年的這個桃花月而無需刻意提防是非。

農曆七月

本月為辛苦個人力量得財月，承接上月之勢，上半月工作仍然是忙碌的，故從商自僱者仍可以加倍努力，爭取最佳收益；惟本月為本年的沖太歲月，唯恐整體社會氣氛不太平穩，故在工作之餘，切記少些外出應酬，以免給是非牽連而影響到努力的成績；又本月為交通意外高危月，駕駛者切記要小心駕駛。

財運 勞勞碌碌，稍且成績。上半月工作量仍大，這對從事件工計算工資的自僱一族，收益來得最為直接，因收入必會因工作量上升而相應增加，其次是從商的你；而收入穩定的上班族則只有忙碌二字而已。

事業 我且盡其力，厚薄隨其緣。上班一族上半月工作量依然大，但工資卻不會因此而上升，但有時忙碌也是好的，把時間填滿，生活容易過得充實些；況且，說不定得到公司嘉獎，讓你這忙碌獲得了些意外收益。

感情 本月是本年的相沖月，但與肖龍的你並無直接影響，除非另一半剛好是本年沖犯太歲的生肖便要加倍小心，如果真的是這樣，唯有對他/她加倍體諒，望能在這個太歲相沖月過後，一切又能回復往常。

身體 本月為本年的交通意外高危月，雖然與肖龍的你並無直接關係，但駕駛者仍然是要相對較平常謹慎一點，多些留意其他人的駕駛路線；因為車在路上難免會碰上今年沖犯太歲的生肖，怕一不留神，便給意外牽連上。

是非 本月是本年是非較多的月份，惟肖龍的你本月是遙合生肖，自身人緣運是不錯的，即使多些接觸陌生人，多一點聚會，也不怕給是非牽連上；惟今年沖犯太歲的生肖向你吐苦水時，記着好好地做一個聆聽者便是了，這方能避免是非牽上你身。

農曆八月

本月為權力地位提升月，又是肖龍的相合月、桃花月，故自身人緣運是良好的，加上本月社會氣氛轉趨平和，在爭取升遷及別人認同時增加了不少助力，也減少了不少阻力。上班一族如果知道公司準備作內部提升的話，不妨努力爭取，即使本年升遷的機會不是很大，但努力過後即使不成功也算是對自己有一個交代。

財運 本月是權力地位提升月，不論從商，自僱又或者上班一族，出席公開活動的機會較平常多，慈善活動也好，相約客戶外出也好，開支都有機會比平常多，故本月不難是開支較多的一個月份。

事業

本月為權力地位提升月，故事業運應該是有進展的，加上本月又是桃花生肖，在爭取別人認同時都容易令人感覺良好，這對事業提升必能起到正面作用。從商自僱者必能因此而多做了生意；上班一族即使不能如願，但最少也能給人留下一個好印象，這必有助日後爭取升遷。

感情

本月為肖龍的相合月，感情運是穩定的，加上又是桃花月，單身者有機會在此月開展一段新感情；如果不想再單身下去，本月便要好好努力了；雖然本月是霧水桃花月，易聚易散，但這也能為你的生活增添些姿采。

身體

交通意外高危月已經過去，代之而來的是平穩無浪的月份，且本月為肖龍的桃花及相合月，自身人緣運良好，心情自然輕鬆愉快，故本月身心算是健康的一個月份。

是非

本月是肖龍的桃花月，也是相合月，除了人緣運不錯之外，亦容易得到貴人扶助；故本月宜積極些相約客戶、朋友外出，多出席些公眾活動，給自己的印象爭取更多分數。

農曆九月

本月為肖龍的相沖月，容易出現變化，惟一個月的相沖，其變化不會太大，可能是外出旅遊，又或者事業上出現些微變化而已。惟在事業上，平、熱命人今年以後宜採取守勢，可以不變的話，就留在舊有熟悉的地方好了，因為踏進逆運而又要面對新環境，恐怕會更難適應；不過，秋冬天出生的寒命人，運程從今年開始會日增月盛，故遇上新機會而自己又很想嘗試的話，是可以積極考慮的。

財運

本月為思想投資得財月。不論投資或學習，或多或少都會有些花費，故本月不難是一個開支較多的月份，加上本月又是肖龍的相沖月，亦會容易出現意想不到的開銷，故本月在財政上要好好處理為上。

事業 本月為思想學習投資月。學習方面，不論春夏秋冬天出生的平、熱、寒命人都是適宜的，尤其是上班一族，不時都要為自己增值，方能免被社會淘汰；但投資方面，只有秋冬天出生的寒命人可以一想，平、熱命人記着以守舊為先。

感情 本月為肖龍的相沖月，感情運恐怕不太穩定，尤其是因今年霧水桃花月才開展的新感情，更是經不起衝擊，唯有盡自己努力看看能否過渡此月，得與失就由天定好了。

身體 本月為肖龍的相沖月，在飲食上又要開始小心了，雖然今年並無刑沖，整體健康運是正常的，但既然本月土土相沖，不利腸胃，在口腹之慾上忍一忍，總比胡亂飲食引致腸胃不適為佳。

是非 本月是自己的相沖月，人緣運當然不及上月，故本月要盡量減少外出應酬，方能免把上月的成果破壞；如果覺得沉悶，就相約三數好朋友外出，吐一吐苦水好了。

農曆十月

本月為肖龍的桃花月，人緣運剛好與上月相反。承接着又是思想學習投資月，如秋冬天出生的你，今年想作出新改變或新發展的話，本月可說是本年最好的月份，因本月必能得桃花之助而令人緣運好起來，求教別人時也容易得到對方樂意幫忙；春夏天出生的平、熱命人，也能因貴人及人緣之助而不致令下降軌跡加快，且在學習新知識時也能因心情愉快而事半功倍。

財運 雖然本月人緣運明顯比上月好得多，但終究仍然是思想學習投資月，額外花費仍然有機會比平常多；故本月在財運上不難是支出比收入要多的一個月，那唯有在其他生活方面的開支省一省好了。

事業 牛刀小試機會多。秋冬天出生的你，如果想在入運的第一年作新嘗試的話，本月是可以開始的，但因本年是順運的第一年，其動力不是很大，故不要寄望馬上便見到成果，反而要準備多一點金錢，看遠一點；否則，可能待至二〇二五年運程進一步上升時再作新嘗試，這樣勝算必然會再高一點。

感情 本月是肖龍的桃花月，如因上月相沖而鬧一點不快，本月便是給你修補的一個好時機；單身的你要好好把握本年的最後一個桃花月，否則今年又要獨自地度過聖誕新年假期了。

身體 腸胃問題已經遠離，代之而來是人緣要好的一個月，加上肖龍的你本年腸胃問題並不嚴重，農曆九月過後一切又回復正常；即使本月因投資或桃花人緣好的關係而多些外出應酬，健康運仍然是良好的。

是非 雲開日現，波靜風平。上月之烏雲已經散盡，代之而來是人緣要好的桃花月，不論是否想作新改變，都可以藉此月多些相約客戶或朋友外出，在公在私都是一個好時機。

農曆十一月

本月為肖龍的財運月，這對收入不穩的從商自僱者必然能起到正面作用，且上半月為偏財月，可能有些意想不到的生意自己送上門，又或者舊客戶極力推薦，讓你在聖誕假期時能夠過得豐裕一點；而收入穩定的上班族可嘗試多買一些彩票，看看能否獲得些意外收穫，又說不定公司業績理想，讓你在假期時獲得一些獎賞。

財運 財如春水，泛泛不斷。本月全個月都是財運月，上半月容易獲得意想不到的收穫，下半月則是憑努力工作後而獲得的財源。不論正財也好，偏財也好，總之本月都能因此而獲得不錯的收穫。

事業 雖有好象，惜爭電光石火，一瞥即逝。很多時機會都是不等人的，機會來時，你不去把握；機會走時，想追也追不到。許多人一生都在猶豫中，即使走了六十年大運，到最後還是留在原地直至退休；雖不是說會一事無成，但當中錯過了很多人生的支節，好與不好，只有當事人自己能去感受。

感情 本月是肖龍的相合月，感情運是穩定的，尤其是因今年桃花月才開展的新感情；本月正好給你機會加深相互了解，假期時外遊也好，留港度過也好，見面時間多了，自然可以加快感情的步伐。

身體 本月是肖龍的相合月，人緣運仍然是良好的，雖然假期在即，但工作的壓力卻不大，讓你可以健康地完成手頭上的工作，放假去也。

是非 本月是肖龍的相合月，仍然是人緣要好的月份，加上聖誕新年假期就在眼前，每人都忙於清理手頭工作，去迎接一個長假期，都無暇去惹是生非，故本月無需為是非分神。

農曆十二月

本月為辛苦得財月，整個月下來財運都是不錯的，惟下半月工作量突然大增，差點兒讓你有些措手不及；惟聖誕假期才剛完結，轉瞬又到農曆年假期，心情自然興奮，連腎上腺素都相應上升起來，加上本月財運不差，讓你越忙越是起勁。而收入穩定的上班族，也可能因今年公司業績上升而分發到一些年終花紅，讓你能過一個豐裕的農曆年假期。

財運 勞而有功，我且盡力。本月是肖龍的財運月，整年下來，這兩個月算是財運的好月份，雖然工作量突然上升，但平常能幹的你，不需要多少時間便能應付自如。

事業 本月先易後難，故籌劃假期最好是在上半月工作量無那麼大時較好，以免下半月工作忙時又要籌劃假期，可能掛萬漏一；如果不想出錯的話，那私人事件就藉上個月去完成好了，這能讓你在下半月全心投入工作，快快完成後放假去也。

感情 本月是本年的桃花月，整體社會氣氛是良好的，雖然肖龍的你不能直接受惠，但最少也不怕在農曆年前出現爭執，影響到假期時的融和氣氛；單身者可以在假期前多些外出，看看能否在農曆年前成為別人的桃花，而不用再孤單地度過假期。

身體 雖然每年十二月你都要小心飲食，注意腸胃，惟本年並非腸胃高危疾病年，本月也無刑沖，下半月即使工作忙碌，也不會因此而惹出病來。

是非 本月為本年的桃花月，整體社會氣氛是融和的，即使年底多些應酬，也不怕因此而惹出是非來，加上假期在即，每個人都忙於完成手頭工作去籌劃自己的新年假期，都無心情去惹是生非。

肖蛇運程

- 一九四一
- 一九五三
- 一九六五
- 一九七七
- 一九八九
- 二〇〇一
- 二〇一三

寒命人——出生於西曆八月八日後、三月六日前（即立秋後、驚蟄前）。

熱命人——出生於西曆五月六日後、八月八日前（即立夏後、立秋前）。

平命人——出生於西曆三月六日後、五月六日前（即驚蟄後、立夏前）。

肖蛇的你去年是遙合生肖，雖然不是有實力的貴人扶助，但最少人緣運方面是正常的，不過今年太歲相刑，是非必然多，但都是一些糾纏膠着又不能馬上解決的小是非，雖然不一定是大問題，但終日給鎖事纏繞着，即使對事業、財運不構成大影響，但總會為生活帶來不便；又這個相刑關乎着自己、長輩以及晚輩的，故今年要為自己操勞外，也要為家人操心，唯有事事自己小心一點，及多以問候及探望家人；又今年是非較多的月份有農曆一、四、七及十月這幾個月，上述四個月份要減少外出應酬，多與家人共聚。

今年為思想學習投資年，在太歲相刑的年份，即使在轉運中的寒命人，如果想作新發展，都要三思而後行，反而去進修學習，在這是非較多的年份，卻能讓自己減免是非，故在學習方面，除了走入了下降軌跡的平、熱命人適宜外，秋冬天出生的寒命人也是可以的，在學習過程中多接觸些陌生人，說不定能給你悟出一些新路向來。

吉星有「太陰」，女貴人之助；如果上司、老闆、工作夥伴、下屬是女性的話，說不定在今年能給你減免是非，甚至成為生活上、工作上的助力，今年就多接近女性好了。

凶星有「孤辰」，心情常自覺孤獨，不開朗；加上今年又是是非年，又不宜太過積極主動去相約客戶、朋友傾談，那唯有在覺得非常沉悶時多些相約家人外出，總好過孤獨地鑽牛角尖。

「亡神」，代表失物，此星雖然是一顆小星，影響力不大，但遺失一些私人物件如鑰匙、手提電話、錢包等，總會讓你帶來一些不便，故今年錢包就盡量放少一點物件好了。

其他凶星有「三刑」、「勾神」、「貫索」、「六害」等，無甚影響，無需理會。

寒命人 今年本為否極泰來的開始，惟本年太歲相刑，是非小人必然比平常多，除非真的有好機會碰上來，才考慮作出轉變或新投資；否則，今年又再觀望多一年，反正此運至二〇二八年前才止，而二〇二五至二〇二七年才是高峰期，故即使觀望多一年也不算是浪費，這總比起步了再遇到突發事情為佳。

熱命人 今年為木火年之始，喜金水忌木火的你今年開始要準備退守了，加上本年又是太歲相刑年，容易招惹是非，故看見眼前不太順利，記着一定要爭取守勢，即使未遇逆境，也只能守着舊有發展，新改變可免則免。

平命人 本年開始走上六年木火流年，一生平穩的你今年也要開始退守了，雖然逆運可能對你影響不大，但也總不宜進攻，加上今年又是太歲相刑生肖，是非必然比別的生肖為多，故今年一動不如一靜。

一九四一年出生的蛇——今年為貴人舒服懶年，人一動也不想動似的，雖然年過八旬，但也是不可以太過慵懶，如身體仍然可以，記着每天也要外出走走，活動一下筋骨，這樣方能減慢身體退化。

一九五三年出生的蛇——今年為權力地位提升年，快踏進七旬的你，除非是從商或自僱人士仍未退休，在事業上仍然可以進擊；上班退休一族，可能只是家裏添了小成員而令輩份提升，又或者受晚輩尊重而已。

一九六五年出生的蛇——今年為財運年，快到退休年齡的上班一族，是時候加一把勁，努力爭取更多資源，讓退休時過得更為豐裕；從商自僱者沒有退休界線，今年更可以全力爭取，惟今年始終是太歲相刑年，相信阻力不小，宜抱着「我且盡其力，厚薄隨其緣」的心態去面對會好些。

一九七七年出生的蛇——今年為思想學習投資年，各個肖蛇者為你最想作出轉變，雖然秋冬天出生的寒命人今年運程開始轉順，但因太歲相刑之影響，也要三思而後行；而春夏天出生的平、熱命人更是想都不要想，如許可的話，就留在原地不動好了。

一九八九年出生的蛇——今年為辛苦個人力量得財年，這對自僱一族最有幫助，收入必然能因工作量上升而有所增加，即使太歲相刑難免有小人是非阻礙前行，但整體仍然是有進步的；其次是從商者，收入穩定的上班一族，相信今年只是徒添努力而不見成果，因為收入穩定的你不會因一時的工作量多寡而令收入有所改變。

二〇〇一年出生的蛇——今年為慵懶的年，踏進二十一歲的你無論仍在求學也好，已經踏進社會也好，都要收拾一下慵懶的心，以免把時間耽誤，即使學習一些自己喜愛的興趣也是好的，也算是一種能力的體驗，總比把身子養懶為佳。

二〇一三年出生的蛇——今年是權力地位提升年，踏進九歲的你，可能自理能力好了，又或要嘗試好好運用金錢，又或者是參加課外活動而得了獎，這些都算是地位提升。

財運 今年是思想學習投資年，學習進修也好，作出新投資也好，都是有些額外花費的，故今年在財政運用上要小心處理；學習還好，因學費是固定的，但投資則不同，無論在開始時如何小心計算，實行起來總是有些意想不到的開銷，故今年在財政上要特別小心謹慎，方能免出現應付不了的問題。

事業 今年為思想學習投資年，其實不論寒、熱、平命人今年都不是一個好時機，因為今年始終是太歲相刑年，是非小人必然比過去幾年為多，即使轉運中的寒命人，在今年起步要按步而行，切勿急進，以免起步即出現意想不到的變故而打亂了日後的計劃。

感情

今年為太歲相刑年，感情運當然沒有過去幾年穩定，故今年要花多些時間在感情方面；如果對方是桃花生肖又或者並無刑沖還好，如果對方剛好又是今年沖犯或刑太歲的生肖，那是非麻煩怕是避不了，唯有雙方各自體諒，望過了今年後又能一切如常。

身體

太歲相刑，皮膚與腸胃特別要小心注意，尤其是農曆三、六及九月，而農曆十二月要慎防傾跌，小心足、股、面及牙齒之傷，所以今年除了在飲食上要多加注意外，亦不要給自己太多壓力，事事看淡一點，盡量把持一顆輕鬆的心，因情緒是身體的最大敵人。

是非

閉口藏舌，閒事莫理。今年是太歲相刑年，刑比犯太歲、沖太歲生肖的是非還多，雖然不一定是嚴重是非，但有時會纏繞着你，想解決又解決不來；既然自身已經容易遇上解決不了的事情，別人的事，更加不要參與了，否則亂上加亂，加上是非一籮籮，這必難以保持輕鬆的心情，繼而影響到身體引發毛病；此外亦可以在今年正北桃花位放一杯水，正東爭鬥位放粉紅色物件去旺人緣化是非。

農曆一月

本月為肖蛇的相刑月，農曆年假期後馬上便要小心應付是非，加上新春期間，難免比平常多去接觸朋友或客戶，這自然會增加惹上是非的機率，即使自己已經很小心，但有時一些無心之失是防不勝防的；如果可以的話，這個月最好能夠減免些無謂應酬，讓惹上是非的機會減少，加上本月相刑亦不利皮膚和腸胃，故在飲食及個人衛生上亦要小心注意。

財運 農曆年才剛完結，有些公司還未正式投入運作，故本月財運能上升的機會不大，雖然上班一族收入是穩定的，但因農曆年假期之消費又或者本月之應酬，金錢上的開支多了是正常的，唯有在下月省吃儉用，讓財政回復正常。

事業 身閒心未閒，瑣碎事相纏。本月工作量不大，從商自僱者一般在農曆年過後都是比較清閒的；相反，上班一族可能要花多些時間去清理掉假期積壓下來的工作，可能會忙一點，但怎樣也好，因本月是你的相刑月，是非可能比平常多，讓你不得不抽多些時間去平息是非。

感情 本月為肖蛇的相刑月，感情運亦恐不太穩定，希望不是一同渡過春節假期而產生爭拗，如果真的是這樣，唯有待下月本年的桃花月再行修補好了。

身體 本月為肖蛇的相刑月，皮膚及腸胃都要多加留意，除了在飲食上要小心外，亦要避免給自己太多壓力，有時疾病是因為壓力而導致的，加上你本年又是太歲相刑生肖，更容易在此月引發不適。

是非 雖無大礙，頗多小疵。本年本月肖蛇的你都是相刑生肖，是非必然比其他生肖為多，除了要減少外出應酬，以及在行為上小心一點外，亦可在本月西北爭鬥位放粉紅色物件，東南桃花位放一杯水去化是非，旺人緣。

農曆二月

本月為貴人加權力地位提升月，加上本月又是本年的桃花月，整體社會氣氛良好，而肖蛇的你在人緣運上又回復正常，故本月可以隨心而行。上班一族如果想爭取升遷的話，是可以全力而行的，升遷運與個人好運壞運是無直接關係的，故不論寒、熱、平命人的機會都是均等的，而從商自僱者亦不妨在此月多些外出與客戶聯絡，打好各方關係，其效果比起上月必然能事半功倍。

財運 本月為權力地位提升月，雖然與財運沒有直接關係，上班一族如果能爭取到升遷的話，相信財運不會離你太遠，而從商自僱者可能因應酬多了而令開支大增，惟這些花出去的金錢，相信日後必能為你帶來回報。

事業 求名易得，求利未成。本月應該求名為先，不論從事何種行業，名聲都是重要的，名聲好了，生意自然自動地會來找你；上班一族，在行內名聲好了，亦能增加自己升遷的籌碼。

感情 本月無刑無沖，感情運又回復正常。雖然不是桃花或相合月，人緣運並非特別好，惟本月是本年的桃花月，整體社會氣氛良好，而這亦有助雙方感情的，如果對方剛好又是今年的桃花生肖，相信本月感情運是良好的。

身體 上月的浮雲已經散盡，雖然本月無特別事有利身體，但只要作息定時、小心飲食，本月健康運是正常的；惟仲春二月，陰濃濕重，最容易引發皮膚上的毛病，而肖蛇的你，這個月在個人衞生上仍然是要注意的。

是非 平常歲月，是非不多。本月雖然並非人緣特別好的月份，但最少也不用分神去處理是非，即使多了外出應酬，也不怕因此而多了是非。

農曆三月

本月為肖蛇的桃花月，要好好利用此桃花月，打好各方關係，讓今年太歲相刑的你，能將其壞影響減至最低；又本月為貴人舒服得財月，工作量不大，正好讓你可以抽多一些時間去拜訪一下同行，取得多點資訊，尤其是想在這段木火年作出改變的寒命人，想作出新投資也好，轉工也好，都要知道目前外面的形勢；否則，決定後才覺得不合時機，那時後悔已經太遲了。

財運 本月為貴人舒服懶月，工作量不大，收入也自然不會提升，惟收入穩定的上班族，這對你來說亦是一個好消息，因工作壓力減輕了，工資都不會因此而下降，加上本月又是你的桃花月，人緣運也是良好的，而這也算是另一種得着。

事業 貴人指引路可通。如果想在這段木火流年作出新改變的話，秋冬天出生的你要藉本月桃花之助，多些外出與客戶、朋友商談，這必然能帶給你一些最新資訊，讓你在決策時能作出正確決定；相反，轉入逆運的平、熱命人，在下降軌跡中打好各方關係，這亦有助減慢其下降速度。

感情 桃花月，感情人緣佳。已有穩定感情者，要藉此月多些相約另一半外出，讓感情更加穩固；單身者如果想盡早脫離單身行列，更要藉此月多些外出，讓自己多接觸陌生人，給自己製造多些機會。

身體 本月並無刑沖，加上又是肖蛇的桃花月，身心都回復至正常狀態；加上本月工作量不大，更能讓你輕鬆愉快地度過這個桃花月，無需怕因外出多了而引致皮膚及腸胃不適。

是非 桃花月，人緣運必然比上兩個月為佳。不論春夏秋冬天出生的寒、熱、平命人都宜多些外出，與各方打好關係，這對在公在私都能把自己的人緣運提升，在往後遇上刑沖的月份也不怕把穩固的人緣運沖散。

農曆四月

本月為肖蛇的犯太歲月，又是本年的太歲相刑月，除了社會氣氛不太平和之外，肖蛇的你自身的人緣運也是較差的，所以本月一定要小心提防；可以的話，本月應盡量減少外出應酬，以免被是非纏上，尤其在上半月工作量仍然不大，不用太多額外應酬，讓是非不致埋身；惟下半月工作量大增，增加了惹上是非的機會，加上自己又是犯太歲月，容易因無心之失而得罪人而不自知，那只能在本月正西桃花位放一杯水及一個音樂盒，去增強自己的人緣運。

財運 本月既然是你的犯太歲月，而本年又是太歲相刑生肖，本月唯恐最容易招惹是非，故本月先不要對財運寄予厚望；惟本月亦不宜太多外出應酬，花錢的機會也相對減少，故本月在財運上是平穩的。

事業 我且盡其力，厚薄隨其緣。雖然下半月工作量突然增加，惟從商或自僱的你也不適宜太過積極，因本月始終自身容易出現情緒問題，怕在事業上太過積極因而得罪了人而不自知，這對日後事業必會產生反效果。

感情 本月為肖蛇的犯太歲月，今年太歲相刑的你在感情上已經容易出現風波，如不想在這個月讓小風波變成大吵鬧，那最好的方法是減少一下見面，讓這月能無聲無息地度過。

身體

本月肖蛇的你容易出現皮膚及腸胃毛病，來到這個犯太歲月，這毛病最容易引發，故本月除了要減少外出應酬外，亦要提醒自己事事要正面一點，輕鬆一點。

是非

閉口藏舌，閒事莫理。來到本年自己的犯太歲月，本年已經容易招惹是非的你，本月更加要加倍提防，除了要減少外出應酬外，亦不要忘記放旺人緣的風水佈局去減免是非。

農曆五月

本月為辛苦個人力量得財月，工作量應比前幾個月為大，這對以件工計算工資的自僱者最為有利，收入必然因工作量上升而有所增加；其次是從商的你，因工作量大了，接觸客戶的時間多了，自然能增加做成生意的機會，收入自然能相應上升；而收入穩定的上班一族，雖然本月徒添了辛勞，收入不會因此而增加，惟本月是肖蛇的桃花月及本年的相合月，無論自身人緣運及社會氣氛也都是良好的，這讓忙碌的你能夠在輕鬆的氣氛下去上班，這也算是無形的得着。

財運

耕耘復耕耘，辛苦何其多。除了收入穩定的上班一族沒有得着外，本月財運能上升的機會必然增多，行運中的寒命人也好，開始進入逆運的平、熱命人也好，都有機會因工作量上升而令收入有所增加。

事業

康莊可步，安用徘徊。本月為肖蛇的桃花月，又是本年的相合月，自身人緣加上社會氣氛良好，讓你工作起來，無需分神去處理是非與複雜的人際關係，事業自然能進展良好。

感情

犯太歲月已經過去，隨之而來的是肖蛇的桃花月，雖然本月為霧水桃花，易聚易散，但對有固定感情的你，這桃花月足以令你倆的感情更進一步；而上月如果出現誤會，本月也容易釐清，是一個修補感情的好月份。

身體

三夏火旺之時，對生於夏秋天的你容易出現燥熱之象，雖然天氣漸熱，但帶氧運動是少不了的，因這必有助身體平衡，不致毒素藏於體內而排不走，而導致身體失調。

是非

犯太歲月已經過去，代之而來的是肖蛇的桃花月，太歲相刑的你，要好好利用這個人緣要好的一個月，多些相約各方聯絡，把關係打得更為牢固。

農曆六月

本月為辛苦個人力量得財月，人緣雖然沒有上月的好，但仍然是可以的。本月為遙合月，有利於從事經常接觸外地人或經常要往外地工作的你，這助力不比上月差。本月上半月的工作量依然高，對收入不穩的從商自僱者仍然是好機會；下半月為思想學習投資月，這投資機會可能有朋友做生意叫你夾些錢做股東，如果有意的話，是可以牛刀小試的，即使進入逆運中的平、熱命人，只要是小股東，這是不會影響太多的，最重要的是決策性股東是否行運。

財運

辛辛雖嘗苦，勞勞終得甜。這兩個月雖然較為辛苦，但收入不穩定的你看見收入能隨之而上升，即使辛苦，但內心也是滿足的；收入穩定的上班族，雖然這兩個月收入不會因此而上升，但也因人緣運較佳的關係，工作也算是順利的。

事業

忙得有名堂。這兩個月工作雖然忙碌，但上月為肖蛇的桃花月，本月是本年的桃花月，自身的人緣運及社會氣氛也都是融和的，讓你忙起來，一點也不覺得辛苦，工作效率還得到別人認同。

感情 本月為遙合月，可能出現一些異地暗戀對象，惟本月又是本年的桃花月，單身者機會良多，即使今年犯太歲的你，本月亦要多些外出，接觸多些陌生人，說不定因本年的這個桃花月，讓你能脫離單身行列。

身體 工作量雖然不輕，但健康狀況仍然是良好的，當然三夏火旺之時，燥熱之物仍然是要少沾的，否則引致喉嚨不適或皮膚生暗瘡便追悔莫及了。

是非 本月是本年的桃花月，整體社會氣氛是融和的，而肖蛇的你本月是遙合生肖，即使人緣運不是特別好，但也足以抵擋是非，工作忙碌之餘，讓你不用費神去處理是非。

農曆七月

本月為巳寅申三刑月，肖蛇的你不論在文件契約上，抑或在金錢上都要清清楚楚，小心處理，否則容易因此而惹上麻煩而又不能馬上解決，影響了本月的心情與工作效率。本月為肖蛇的思想學習投資月，投資方面，當然只有秋冬天出生的寒命人可以嘗試；春夏天出生的你當然以守舊為佳。

財運 本月為思想投資得財月，不論投資也好，學習也好，都是有些額外花費的，故本月不難是開支較多的一個月份；惟本月在錢銀數目上要小心處理，事事要清清楚楚，不能因循苟且，方能免給你帶來麻煩。

事業 牛刀小試機會多。本月雖然是思想學習投資月，秋冬天出生的你如果不着急的話，等到下月開始，時機會比本月為佳，因本月為本年的相沖月，社會氣氛唯恐不太平和，容易出現意想不到的變故；但學習方面，本月或下月開始也都是可以的。

感情 本月為肖蛇的刑合月。感情時好時壞，但因今年的你始終是太歲相刑生肖，故本月感情運是負面居多，唯有減少見面或盡量忍耐，方能免因小是非而破壞了雙方關係。

身體 本月為巳寅申三刑月，有時刑比沖更麻煩，因容易給小毛病纏繞着但又可能找不到因由，唯一可做的便是，飲食方面盡量清淡一點，及爭取充足的睡眠，讓自身的抵抗力提升。

是非 欲安未得安，是非幾多般。本月為肖蛇的三刑月，是今年最容易惹上是非的月份，如許可的話，本月盡量少些外出應酬，放工後多與家人共聚，望能避開本月之是非。

農曆八月

本月雖然也是思想學習投資月，但人緣運都比上月為佳，是非小人也不明顯，讓你在尋找新路向時，增加了不少助力；即使相約客戶、朋友外出傾談，樂於給意見的也佔大多數；學習進修方面，因人緣運佳，必能增加學習情緒，這樣必然更容易增加學習氣氛，令你更容易「入腦」。雖然本月也是花錢較多的一個月份，但下半月財運比上半月為佳，故整個月下來，財運仍然是可以的。

財運 賺錢不難也不易，財來財去似水流。本月為先破財、後來財的月份，不論投資學習也好，外遊散心也好，上半月花出去的錢，下半月能賺回來的機會亦大，且下半月為正財月，為穩固的財源，入門後是守得住的。

事業 辛勤學習，進步良多。不論投資又或者進修，都能帶給你一些新知識，入運中的寒命人固然要尋找新路向；逆運中的平、熱命人也要裝備一下自己，讓下一個順運來時，有更好的才能去迎接。

感情 本月並非肖蛇的桃花月，單身者能在此月開展一段新感情的機會不大，惟本月是你的相合月，有助增進雙方關係，如果上月相刑而發生齟齬，本月正好藉此相合月修補雙方關係，相信必能事半功倍。

身體 本月為肖蛇的相合月，人緣運是良好的，也不怕是非突然來襲，故心情方面必然較為輕鬆，這必然能助你增加抵抗疾病的能力，加上本月並無刑沖，突然遇上意外損傷的機會也不大，算是健康運良好的一個月。

是非 上月之烏雲已經散掉，代之而來是人緣運較佳的相合月。雖然貴人之助力不大，但這相合月足以令你抵抗是非，即使多些外出與客戶聯繫，也不必怕小人在背後說三道四。

農曆九月

本月為肖蛇的財運月，雖然是一點點的小財源，但對剛起步的從商者也算是一份鼓勵；又本月是肖蛇的桃花月，人緣運比上月更佳，這不論對從商、自僱又或者收入穩定的上班一族都是正面的，因別人對你的觀感好了，辦起事來都方便了不少，即使財運沒有大進賬，但能在輕鬆的氣氛下工作也是一種享受；單身者更要把握今年的這個桃花月，因本月過後又要等到明年三月了。

財運 財似霏霏雨，還需風雨催。本月雖然是財運月，但容易先來財、後破財，上半月財運較為通順，惟下半月開支可能比平常多，容易把上半月所賺取的全花掉，但這也沒甚麼不好，賺得來、花得去，這也是正常的。

事業 本月為肖蛇的桃花月，人緣運是良好的，尤其是對今年剛起步又或者轉了新環境的你幫助更大，讓你更容易得到別人認同；即使本月只有一點財運，事業是慢步進展，最少也算是在前進中。

感情 桃花月，感情人緣佳，尤其是仍然是單身的你，想盡早脫離單身的話，本月便要加一把勁了；如錯過了本月，相信今年又要孤單地度過餘下的假期了。

身體 三秋氣候乾燥，平常皮膚容易敏感的你，本月宜要保護皮膚，避免讓水分過度流走。在飲食亦宜多吃些清潤的食物，這必能有助身體平衡；加上本月又是你的桃花月，人緣運佳，心情亦輕鬆愉快，不難是一個健康的好月份。

是非 桃花月，人緣佳，是非欲起也無從。即使別人想在背後中傷你，但反而中傷你的人變成是非人，即使多些外出應酬，反應也是正面的多，就好好利用這個桃花人緣月好了。

農曆十月

本月為肖蛇的相沖月，今年太歲相刑是非比平常多的你，本月是本年的最後一個是非月，本月過後便可逐漸遠離太歲相刑的壞影響；故本月可以的話，最好盡量減少外出應酬，以避是非；又本月仍然是思想學習投資月，惟因本月相沖，阻力必然比上月為多，即使是秋冬天出生的你，如果想作出新改變，亦要小心一點、謹慎一點。

財運 本月是你的相沖月，又是思想學習投資月，外遊也好、投資學習也好，都容易出現一些比平常多的開支，故本月在財政上要好好處理，方能免卻失衡而影響到穩健的財政。

事業 欲左欲右，心中不定。本月仍然是思想學習投資月，但因本月是沖太歲的關係，會讓事情比較容易出現不穩，或有意想不到的變故，讓你很大機會不能按計劃行事，故本月不要急着求變，以免改變後走錯路而要回頭，浪費了時間。

感情 本月為肖蛇的相沖月，本年感情已經容易出現不穩的你，本月當然要更加注意，要不時給對方問候，平心靜氣，莫因一些小事而大吵不已；待本月過後，本年太歲相刑的影響便會逐漸遠離。

身體 每年農曆十月，你都要謹舟慎車，提防傾跌，在今年這個太歲相刑年當然要加倍小心；除了駕駛者要格外留神外，平常走路也要穩固一點，方能免傾跌受傷。

是非 狂潮洶湧毋行舟，更防水中有石頭。本年是太歲相刑的你，來到這個肖蛇的相沖月，除了要格外留神，盡量減少外出應酬外，我已不知道要說甚麼了。總之，本月就事事謹慎一點好了。

農曆十一月

是非較多的相沖月剛過去，代之而來的是權力地位提升月，上班一族如果想爭取升遷的話，農曆年前都是一個好機會；如果這兩個月能落實，明年便可以更上一層樓了；從商自僱者亦可藉此機會把自己在行內的名聲提升，這對生意及財運必然能帶來正面結果。雖然本月人緣運並非特別佳，但小人是非也不是特別明顯，只要按規矩行事，這個月是可以慢步前進的。

財運 本月為權力地位提升月，財運方面應該沒有那麼快便有突破的，即使上班一族爭取到升遷，也不會在本月馬上實行；從商自僱者也應以先名後利的心態去與客戶聯繫；財運，不必急在一時。

事業 本月為權力地位提升月，雖然本年人緣運一般，想獲得事業進展或別人認同時必然要加倍努力，幸好假期在即，讓你辛苦過後可以放一個長假去回復身心健康，消除疲勞。

感情 雖然本月不是桃花相合月，感情運沒有特別好，但也可以趁聖誕新年假期相聚時，加深互相了解，這對日後感情運必然帶來正面影響；已婚者能多點了解對方所需；未婚者加深雙方認識也是進一步前所必需的。

身體 相沖月已經過去，本月雖然健康運平常，但最少不用提防傾跌損傷，只要忙碌過後，爭取充足休息時間，外出時帶點禦寒衣服讓自己不要着涼，本月健康運仍然是可以的。

是非 無喜無憂，也無風雨也無晴。人緣運一般，是非小人也不明顯，就是一個平常普通的月份，加上假期臨近，每個人都在籌備假期去向，都無暇惹事生非。

農曆十二月

本月為權力地位提升月，又是肖蛇的遙合月，易有遠方貴人助你一把，加上本月又是本年的桃花月，整體社會氣氛平和，讓你在爭取升遷及別人認同時，增加了不少助力；上班一族即使爭取不到升遷，但本月工作情緒仍然是高漲的，從商自僱者有望在農曆年前完成更多決策，然後過年去也。

財運 下半月有暗財，上班一族可能公司業績理想，年底時老闆給你一封大利是；從商自僱者可能收到一些應收而未收的賬，為你增添了些金錢，讓你這個農曆年過得更為豐裕。

事業 權力地位提升加上有遠方貴人扶助，社會氣氛亦較為平和，故本月事業運是不錯的，不難獲得應有進展。寒命人固然佳，平、熱命人也能受助於這個水旺的月份，讓下降軌跡減慢一點。

感情 本月是肖蛇的遙合月，容易出現一些身處遠方又或者假期去遠方時出現了心儀對象，惟本月並非肖蛇的桃花月，本年人緣運亦平平，能爭取別人好感的機會不大；反而已有穩定感情者，必能因本年的這個桃花月而令雙方相處愉快。

身體 本月是肖蛇的遙合月，遇上傾跌意外的機會不大，加上本月又是本年的桃花月，整體社會氣氛亦較為平和，故不論內裏或外在環境都沒有甚麼要特別小心注意；即使年底多了一些應酬，深冬夜歸，健康運仍然是良好的。

是非 本月為本年的桃花月，整體社會氣氛較為平和，加上本月你也是遙合生肖，雖然這對桃花沒有甚麼幫助，但對提防是非小人是有一定作用的，讓你在年底即使多些出席行內的活動，也不會因此而招惹是非，影響了你的假期心情。

肖馬運程

- 一九三〇
- 一九四二
- 一九五四
- 一九六六
- 一九七八
- 一九九〇
- 二〇〇二
- 二〇一四

寒命人——出生於西曆八月八日後、三月六日前（即立秋後、驚蟄前）。

熱命人——出生於西曆五月六日後、八月八日前（即立夏後、立秋前）。

平命人——出生於西曆三月六日後、五月六日前（即驚蟄後、立夏前）。

肖馬

今年為太歲相合年，沖代表不穩定、變化多；合當然代表穩定、變化少，也代表人緣運比去年佳；雖然今年並非桃花生肖，別人對你的觀感不是特別好，但也能因太歲相合的關係不致讓人厭惡，且容易得貴人、長輩、上司之助，讓你在事業運上得到幫助。轉入順運中的寒命人固然能夠更快踏上上升軌跡，下降中的平、熱命人，也能因貴人、長輩、上司之助而減慢下降軌跡，甚至可能把下降軌跡推遲。

肖馬今年為思想學習投資年。學習方面，不論是寒、熱、平命人都是適宜的，尤其是上班一族，不時都要為自己增值，以免被社會淘汰；但從商又或者想作新嘗試，則只有秋冬天出生的寒命人可以，因從今年起，開始踏上六年順運，開始的三年運勢可能會較慢，但起步算是一個好時機。但春夏天出生的平、熱命人，今年開始運勢可能會逐漸慢下來，即使知道自己已經入了大運，但最好也是守着舊有發展，新項目也是不宜展開的；但如果仍然未入大運，遇上木火流年，恐怕運程會明顯下降，即使當下順利，也要及早防備，以免運程逆轉時給你殺個措手不及。

吉星有「三台」、「將星」，有利權力地位提升，上班一族固然對爭取升遷有幫助；從商自僱者亦能藉此兩顆星，讓自己在行內提升名聲。

「金匱」，有利儲蓄財富，所以今年肖馬的你，不論是寒、熱、平命人都是有利聚財的，當中又以春夏天出生的平、熱命人為佳，因之前行運時如漁翁撒網，行完運很多時會把之前所投出去的逐漸收回來。

凶星有「飛符」、「官符」、「年符」，突如其來的官非是非、人事不和，故今年在文件契約方面要小心處理；又或者這個官非是非，是因亂過馬路，亂拋垃圾又或抄牌忘了交罰款而告票上了法庭，再又多罰數倍錢，不一定是犯刑事官非的。

「五鬼」，小人星，此星其實不要太在意，因小人之物一般是能力不及你高，成就比你差，因而覺得不舒服而在你背後搞些小動作，只要做好自己，這些小人可以無需理會。

寒命人 今年起始，踏入六年木火流年，你的運程開始日增月盛，快則今年入夏漸入佳境，慢則二〇二五年開始，然後其運可延至二〇二八年或二〇三〇年底，而一般運程都是六年，只是有快有慢而已。

熱命人 今年開始踏入木火流年，你的運程應該開始慢下來，最多也只能延至二〇二四年底，但到底是今年運止，還是二〇二四年止則要看實際情況才去判斷；但無論如何，今年也要以守舊為佳，新項目可免則免。

平命人 今年開始會踏入六年木火流年，即使一生平穩的你，今年以後也要開始以守舊為佳，因始終平穩的你也是喜金水忌木火的，這幾年木火流年即使運程不是急速下降，但也容易難有寸進。

一九三〇年出生的馬——今年為貴人舒服懶年，雖然年紀也不小了，但保持一定活動力是需要的，所以即使體力一般，但記着仍然要保持一定的活動以免加快衰退情況。

一九四二年出生的馬——今年為權力地位提升年，惟年屆八旬的你，在這時候能升遷的機會不是很大，最多是家裏添了小成員讓你輩份提升，又或者更受人尊重而已。

一九五四年出生的馬——今年為財運年，各個肖馬者以你財運最佳，惟年過六旬的你，除非是從商或自僱者；否則，能在這年紀財運有增長的機會不大。

一九六六年出生的馬——今年為思想學習投資年，年近六旬的你，在這年紀起步真是要三思而後行；如果是春夏天出生的你更要想都不用去想，即使轉入六年順運的寒命人，起步前還是要再三思量的。

一九七八年出生的馬——今年為辛苦個人力量得財年，這對收入不穩的自僱者的助力最為直接，收入必然能因工作量上升而有所增加；其次是從商的你；收入穩定的上班一族，今年可能只是徒添忙碌而已。

一九九〇年出生的馬——今年為貴人舒服懶年，踏入三十多歲的你，在這時放慢腳步，停一停、想一想也是合適的時機，說不定放慢腳步後反而對自己日後路向更為清楚，讓你能更清楚自己所需而揀定一條適合自己之路。

二〇〇二年出生的馬——今年為權力地位提升年，踏入二十歲的你，正在求學也好，開始踏足社會也好，可能都會踏入一個新階段，讓你更加清楚自己所需，更能給自己做決定，而這也算是提升的一種。

二〇一四年出生的馬——今年為財運年，踏入八歲的你，可能父母多給你一些零用錢，讓你學習一下理財而已。

財運

今年為思想學習投資年，故不難是一個開支比平常多的年份，上班一族及春夏天出生的你，當然以學習為先；秋冬天出生的你如果想作出新轉變，或尋找新路都是合適的，惟這些都是有些額外花費的。

事業

今年為思想學習投資年，心中想法可能會比平常多，惟今年是水火交換年，無論春夏秋冬天出生的寒、熱、平命人都適宜三思。平、熱命人固然以守為上策，即使踏入順運中的寒命人也是要三思的；因今年才踏入木火運的第一年，其動力不是很大，故想作新嘗試時，不要想着一步到位，馬上便能看見成果，適宜看遠一點，有時會到二〇二五年後才有收成；如心理質素或手頭資金不夠的話，怕越不過二〇二四年帶水的年份。

感情　本年是肖馬的相合年，感情運是穩定的。如已經有穩定感情的你，亦容易因此相合年進一步走在一起，同居或結婚也是未可料的；惟本年並非桃花年，單身者如果想早日脫離單身的話，便要把握本年農曆二月和八月這兩個桃花月了。

身體　本年並無刑沖，突然遇上意外損傷的機會不大，加上是相合年，做事易得貴人之助；即使剛轉入逆運中的平、熱命人，相信也不會有甚麼大壓力，就是穩守一點便可以了；故本年身心都可以算是健康的，只要在刑沖的月份稍為注意便可了。

是非　雖然今年不是桃花生肖，不是人見人愛、別人容易對你產生親切感的年份，但今年是相合年，人緣運是不差的，亦容易出現貴人之助。雖然今年有四顆是非星，相信都只是日常生活中的小是小非而已，對整體人緣運是不會構成嚴重的負面影響。

農曆一月

本月為肖馬的權力地位提升月，但一年之始，能在此時升遷的機會始終不大，除非去年底已經落實；否則，這個升遷月可能是新春應酬多了，讓更多人認識而已，可說是名惠而利不至的月份；從商自僱者亦可能因新春應酬多了，而要預一些額外開支，故本月要有心理準備，求名易得，求利未成。

財運　除非上班一族去年已經落實了升遷，否則，農曆年假才剛回來，金錢上能有突破的機會不大。本月不要破太多財已經是萬幸了，尤其是從商自僱者，很多時在新春期間，都要與舊客戶多些聯絡，鞏固一下各方關係，故本月不難是開支較多的一個月。

事業　雖然是權力地位提升月，但不難是名惠而利不至的月份，因新春應酬多了，而本月你又是相合生肖，人緣運是良好的；惟一年之始，很多公司仍未百分之百投入運作，故本月在財運上能提升的機會始終不大，惟關係打好了，日後錢財自然會隨之而來。

感情　本月是肖馬的相合月，感情運是穩定的。農曆年假才剛過去，雙方仍然懷着愉快的心情，本月即使因應酬多了而冷落了對方，也是容易得到諒解的。

身體　本月為肖馬的相合月，遇上意外損傷的機會不大，工作壓力也不明顯，即使因新春外出應酬多了，只要不是暴飲暴食，本月健康狀況是良好的。

是非　本月是肖馬的相合月，人緣運雖然沒有桃花月那麼好，但仍然是不錯的，外出應酬也容易在良好的氣氛下度過，讓你無須害怕會招惹是非而不自知。

農曆二月

本月為權力地位提升月，情況與上月差不多，惟踏入農曆二月，應該所有公司都已經正常運作了；故本月不論從商自僱，又或者上班一族都可以盡最大努力去爭取最佳成績，尤其是上班一族，看看能否在這個財政年度內爭取到升遷，讓你的事業能踏上另一個台階。相反，如果怕升遷後壓力加大，工資又不是大幅上升，那就要低調一點，因為本月是你的桃花月，容易讓人有親近的感覺。

財運 本月依然是權力地位提升月，這對從商自僱者提升財富是沒有直接幫助的，因即使本月名聲好了，受別人認同了，生意也未必能馬上提升，還可能因為出席行內的活動多了，與客戶的互動多了，開支反而會有所上升。

事業 本月為權力地位提升月，上班一族即使不想升遷，又或者根本不是時候，但仍能因這個地位提升月而得到別人認同，加上本月又是肖馬的桃花月、本年的桃花月，不論自身的人緣運又或者是整體社會氣氛都是良好的，這讓你在爭取別人認同時都方便了不少。

感情 本月為肖馬的桃花月，對已有穩固感情的你固然有幫助，而對單身者的助力更大；因本月是你的雙重桃花月，不論對已經相識又或者才剛認識者都有發展機會，故單身的你要好好藉此桃花月多些外出，給自己製造多些機會。

身體 本月為肖馬的桃花月，加上社會氣氛良好，在人緣交往及工作壓力方面都是正面的；唯一要留意的是，仲春陰濃濕重，最容易引發皮膚毛病，如平常有着這毛病的你，本月要小心注意了。

是非 桃花月，人緣運必然比別的生肖為佳，加上本月又是本年的桃花月，整體社會氣氛也是良好的，即使本月應酬多了，與陌生人接觸多了，反應也都是以正面的多。

農曆三月

本月為貴人舒服得財月，經過上兩個月努力爭取別人認同後，本月終於可以慢下腳步，檢討一下努力後的成果。本月工作量不是很大，正好讓你能好好享受一下復活節假期而不用投入工作之中，且在這時放慢腳步去放一個短假是最好時機；因今年是水火互換年，其月份是從本月開始，故寒命人本月之後起碼有二分之一人慢慢踏上上升軌跡，而踏入下降軌跡的平、熱命人，也是適當時候審視眼前情況，可進則進，不可進則守，切勿存僥幸之心而盲目冒進。

財運

本月是貴人加思想學習投資月，工作量不大，正好有時間讓你在假期外出，看看不同的世界，亦可以讓你冷靜下來檢討之前六年的情況，然後再安排以後六年的去向，故本月可以算是一個花錢較多的月份。

事業

上半月放慢一下腳步，下半月讓你思考未來，故這個思想學習月讓你可以投入思想未來的方向。平、熱命人如何部署守勢；寒命人是否想進攻，又或者作新嘗試，本月都是一個最佳的考量月份。

感情

桃花月已經過去，單身者的狀況已經不能改變，惟本月並無刑沖，對發展感情雖然並無幫助，但也沒有出現負面情況；如果在上月開展到新感情，本月進展將會是緩慢的。

身體

本月並無刑沖，加上工作量又不大，健康狀況仍然是正常的。惟下半月為思考月，在思考未來時可能導致失眠，那可以在睡前看一些消閒讀物，又或者喝一點葡萄酒，這也是有助入眠的。

是非

平常歲月，是非不生。本月人緣運雖然不及上月佳，但也不是一個要提防是非的月份，加上本月可能在家靜思的時間多了，亦不會出席太多應酬，這也是能減免是非的。

農曆四月

先懶後勤，數該如此。上半月工作量依然不大，但下半月卻突然忙碌起來，讓你差點兒措手不及，唯有馬上調節心態，進入忙碌狀態，這對收入不穩的自僱者算是好消息，因收入能因工作量上升而相應增加；其次是從商的你，忙碌也可以代表生意上升，收入自然增多；收入穩定的上班一族，經過一個半月的悠閒，也是時候全心投入工作了。

財運 下半月工作量突然增加，可以追回上半月之所失。整個月下來，收入不難比上月為多，雖然看不見有突破，但下半月收益仍然是不錯的，而且勢頭可能延至下個月，讓你在這個夏季賺取不錯的收入。

事業 上半月為貴人舒服懶月，工作量不大，讓你仍有時間與各方聯絡，打好關係；下半月工作轉趨忙碌時，可能要歸功於這數個月來打下的人緣運，總的來說，下半月事業運是不難有不錯的增長的。

感情 本月並無刑沖，感情運比較平穩，惟本月是本年的相刑月，外間是非較多，如剛好另一半是本年沖犯刑太歲的生肖，這是非可能會牽上你身；否則，本月感情運是可以的。

身體 本月為本年的相刑月，最容易引致皮膚毛病；其次是腸胃方面，這雖然與肖馬的你並無直接關係，但在飲食及個人衞生方面，本月仍然是要小心注意的。

是非 本月為本年的相刑月，外間恐防有較多風雨，惟肖馬的你本月並無刑沖，並非小人是非月，但人緣運也不是要好，故本月宜獨善其身，減少外出應酬，避免給外間的是非惹上你身。

農曆五月

本月為辛苦個人力量得財月，工作量進一步上升，可能會是全年最忙的月份，加上本月為肖馬的犯太歲月，容易引發悲觀負面情緒，而這忙碌的工作量正好可以讓你把負面情緒消除，因忙碌的工作量讓你沒有閒暇去胡思亂想；忙碌過後，整個月便已經過去了，從商自僱的你，還能因此而獲得不錯的收益。

財運 辛辛雖嘗苦，勞勞終得甜。本月為辛苦個人力量得財月，除了上班一族加「辛」而不加薪外，從商自僱者必能從加重的工作量中而得到額外收益，尤其以件工計算收入的你，收益必能像立竿見影地增加。

事業 既然是辛苦個人力量得財月，要做好心理準備，去迎接忙碌的工作，尤其是上班一族，要有心理準備會加「辛」而不會加薪。至於從商自僱者，收入必然跟隨工作量上升而有所增加，忙起來連腎上腺素都相應提升，自然能越忙越起勁。

感情 本月為肖馬的犯太歲月，心情不定容易引致感情不定，惟本月是本年的相合月，社會氣氛是良好的，不會加深大家誤會，只要稍為控制一下情緒，一個月轉瞬便過了。

身體 三夏火旺之時，人容易變得急燥，加上本月又是你的犯太歲月，情緒亦容易出現不穩，特別容易引發免疫系統毛病，故本月除了要多吃些清潤的食物外，還要盡量把心情放鬆。

是非 本月為肖馬的犯太歲月，恐防自身容易招惹是非，故本月宜盡量減少外出應酬，以免因情緒問題得罪了人而不自知，反正本月工作忙碌，也抽不出甚麼時間去外出應酬。

農曆六月

本月為辛苦個人力量得財加思想學習投資月，上半月工作量依然較平常多，下半月可以稍為慢下來，而下半月為暗投資月，秋冬天出生的寒命人如果想作出轉變的話，是可以考慮的。當然，如果不是很着急的話，等待至農曆七、八月這兩個投資月再開始，在時機上是比較適合的。

財運 上半月工作依然忙碌，從商自僱的你依然可以努力去盡量爭取好成績，而上班一族在上半月忙碌過後，又會多一點私人時間去處理私人事務了。財運方面，收入不穩的你本月仍然是有進展的。

事業 我且盡其力，厚薄隨其緣。上班一族本月工作依然辛勞，但收入不會因一時的工作量上升而有所增加，故在事業運上要調整一下心態，想着只問耕耘，不問收穫去面對會開心一些；又本月下半月與下兩個月都是思想學習投資月，上班一族是時候進修一些新課程，以提升自己在事業運上的競爭能力。

感情 本月是肖馬的相合月，又是本年的重桃花月，對感情運是正面的。有穩定感情的你固然可藉此月把雙方的感情穩定下來；單身者亦可藉此年的重桃花月多些外出碰碰運氣，看看能否成為本年桃花生肖的另一半。

身體 本月為相合月，不論在情緒、身體方面都看不見有特別需要小心的地方。上半月即使比平常忙碌，但健康狀況仍然是良好的；下半月雖然是思想學習月，但也不會因思考過度而引致失眠。

是非 本月為本年的桃花月，整體社會氣氛是融和的，加上本月又是你的相合月，自身人緣運也是良好的，故本月忙於工作也好，多些外出諮詢也好，也不用分神去提防是非。

農曆七月

本月為思想學習投資月，已經在從商的你，本月進展良好，業績應該是不錯的，如打算作新開始或新轉變的寒命人，本月是可以考慮或開始實行的；至於春夏天出生的平、熱命人，在事業上作出轉變當然不是良機，但如想在本月進修又或者藉本月驛馬月，放一個長假去外遊，體驗一下這個世界，也都是適合的。

財運 本月為肖馬的驛馬月，又是本年的沖太歲月，外遊變動的機會相對較大，故即使不作新投資又或者不去進修，本月都是一個容易有額外消費的月份，而這花費有可能為你帶來生活的另一種體驗；故不要只抱着吃喝玩樂的心態去外遊，細細體味各地各人不同的生活，説不定能為你日後的人生帶來啟發。

事業 學而做兮做而學，還從教訓得經絡。春夏天出生的平、熱命人，今年開始要進入新體驗，經過六年順運之後，開始要踏上逆運的第一年；但這也是人生的一種體驗，因順利慣了，有時少不免會太過自滿，經歷一下逆境，有時反而能提升你的生存能力。

感情 本月為肖馬的驛馬月，又是本年的相沖月，故本月與愛侶外出共渡暑假的機會是高的；而本月並無刑沖，雖然感情運並非特別好，但也不用提防爭吵不和，即使外遊到異地，雙方鬧意見的機會並不大。

身體 本月是本年的相沖月，交通意外唯恐會較為頻繁，故駕駛者要特別小心，這金木交戰月雖然與肖馬的你並無直接關係，但車在路上總會碰上本年沖犯太歲的生肖，怕一不留神便被意外牽連上。

是非 本月為本年的相沖月，外間恐防較多是非，雖然這與肖馬的你並無直接關係，但是還是要減少外出應酬為佳，以免別人的是非牽連到自己身上。

農曆八月

本月為思想學習投資月，又是肖馬的桃花月，不論學習進修也好，去作新投資轉變也好，人緣運都是良好的，向別人諮詢時都容易得到別人的幫助；進修學習時，氣氛也是和諧的，這必能提升你的學習情緒。而單身者亦可藉此桃花月多些外出，看看能否在本月開展到一段新感情，故本月對從商、自僱又或者是上班一族也都是一個不錯的月份。

財運 本月為思想學習投資月，如果已經是從商者，本月下半月財運是不錯的，但如果在本月才開始嘗試又或者去學習進修，額外開支是少不了的，故本月不難是一個花費較多的月份。

事業 友生友，徑生徑。本月如果想開始作出新轉變的話，接觸陌生人的機會自然較平常多，幸好本月是你的桃花月，遇到樂意幫忙的陌生人必然較拒絕的人為多，這不論對學習或作新投資也都是正面的，故本月在事業或在生活上都是向前邁進的。

感情 本月為肖馬的桃花月，已有穩定感情者本月相處是融洽的。而單身者更可利用本年的肖馬重桃花月，多些外出，看看能否在此月開展到一段新感情；即使未碰上心儀對象也不用可惜，因明年又到你的重桃花年了，再多等一兩個季度，又可以大大提升你開展一段新感情的機會了。

身體 相沖月已經過去，本年的這個月是平穩的，加上本月又是你的重桃花月，即使不從男女關係去想，人緣運也是良好的，連帶心情都輕鬆起來，讓抵抗病菌的能力也能大大增強。

是非 是非月已經過去，社會氣氛又回復融和，加上本月又是你的桃花月，即使因投資或學習進修而與陌生人接觸多了，別人對你的印象也是良好的多，那就好好享受這個人緣運要好的月份好了。

農曆九月

本月為肖馬的財運月，又是相合月，不論財運與人緣運都是良好的。雖然本月為浮財，即是財來財去；上半月入財，下半月可能因開銷增多而花掉，但這也是好的。本來錢財就是搵來花的，花錢不重要，最重要的是有不斷的財源；又本月是相合月，整體人緣運是良好的，這對生活、事業及感情運都是正面的。

財運 財帛有，細水流。本月上半月財運較佳，雖然是正財月，即使要憑努力過後才能獲得辛苦錢，但這也總比破財或徒勞無功為佳，最少能見到一分耕耘有一分收穫，所以也算是財運有進展的月份。

事業 無舵舟，循則游。思想學習投資月已經過去，不管已起步作新嘗試又或者仍然是留在原地不動，本月都適宜順其自然，跟着眼前的步伐慢慢前進，看看命運牽引你到哪一條路去走，故本月就見步行步就是了。

感情 本月年月與肖馬成三合局，人緣感情運是穩固的，惟本月並非桃花月，單身者在這三合月並無得着；反而因本年桃花月才開展的新感情，度過這月後必然能加深相互了解，讓你們的認識跨進一步。

身體 本月為肖馬的三合月，突然遇上意外損傷的機會不大，加上人緣運是良好的，心情也輕鬆愉快，故本月仍然是一個身心健康的月份，即使有時外出用膳或夜蒲一下，健康運仍然是正常的。

是非 本月雖然不是桃花月，與陌生人的關係不會跨進一步，惟本月是你的三合月，對固有認識的人相處是融洽的，不論是家人、朋友、同事、客戶，都可以藉此人緣運良好的月份而多加往來。

農曆十月

財運 本月為偏財月，上半月容易有意想不到的財運，從商自僱者可能生意自動送上門，讓你不用太過努力便能完成生意；而收入穩定的上班一族亦可嘗試多買一點彩票，看看能否因此而獲得意外之財。惟本月財運雖然不錯，但不算是豐盛的，可能只是比平常好一些而已，故不要抱着厚望，想着一定會來一筆大財。

財運 本月帶財，不求自來。上半月為偏財月，容易有意想不到的財，讓你在籌備聖誕新年假期時可以豪花一點；本月雖然不是大財月，但相信應付假期的開支應該不是問題。

事業 上半月為偏財月，下半月為暗中權力提升月，代表上班一族要做的事情多了，責任大了，工資卻不會因此而上升；惟配合這個偏財月，可能容易有些意外收益，老闆津貼旅遊也好，額外給些賞錢也好，讓你在這個暗中權力提升月實際上也能獲益。

感情 本月為肖馬的暗合月，感情運仍然是穩固的，讓你倆商量怎樣渡過假期時，氣氛也是良好的；惟下月是你的相沖月，故在假期時雙方記着要互相忍讓，才能開心愉快地渡過。

身體 本月是肖馬的暗合月，又是本年的相合月，不論自身又或者整體社會氣氛也是良好的。雖然人緣運不及上兩個月的好，但最少也不用提防是非而導致精神緊張，甚至影響睡眠，故本月在健康運方面仍然是不錯的。

是非 不論肖馬的你或整體社會氣氛都是融和的，故在外出交際時不需要太多顧慮；不論是出席公眾場合或行內的聚會，反應都是良好的多，故在本月仍然不用太過用心去提防是非。

農曆十一月

本月為權力地位提升月，又到上班一族應努力的時候了。如果知道公司準備作內部提升，而你又有意的話，本月可以主動一點；惟本月是你的相沖月，最容易招惹是非，尤其是在競爭過程中，是非唯恐少不了。如果不想這樣的話，下個月仍然是權力地位提升月，可以留待下月才積極爭取也是可以的，因下月的人緣運必然比這個月好得多。

財運 本月為權力地位提升月，上班一族除非能落實升遷；否則，本月財運是不會突然增加的。而從商自僱者本月可能也是名大利少的月份，名氣可能與財運不成正比；惟這也是正常的；因為有時是先名後利，有時是先利後名，誰也猜不準。

事業 權力地位提升月，上班一族固然可以爭取升遷，而從商自僱者也可以藉此月提升自己在行內的名聲；惟本月不宜太過積極，因本月是你的相沖月，最容易招惹是非，怕爭取不到別人認同，反而惹來一身是非，還是等待下月再積極好了。

感情

本月是肖馬的相沖月，勿因自己情緒不穩而突然變得急躁，影響雙方關係；即使假期不外出，留在香港而見面多了，這必然增加爭吵的機會，故本月要時刻提醒自己保持冷靜。

身體

本月為肖馬的相沖月，惟本年你並非沖犯太歲生肖，亦無損傷星，故本月相沖而突然遇上意外損傷的機會不大。這損傷可能只是走路跌倒，或切水果時有一點點的皮肉損傷而已；如果真的不放心的話，就去捐血、洗牙，應掉損傷好了。

是非

每年十一月都是你的相沖月，是非方面都是要小心的；惟本年肖馬的你是相合生肖，整體上各樣事情都是較平穩的，故這個相沖月也不會引起牽連大波，加上假期臨近，各人都無時間去惹是生非，這也能減免你因相沖月而帶來的壞影響。

農曆十二月

本月為權力地位提升月，加上人緣運又回復正常，上班一族又可以盡全力爭取升遷了。雖然肖馬的你今年不是升遷年，機會可能不及其他生肖，惟有機會而自己又想爭取的話，爭取一下也是無妨的，即使不能如願，最少也努力爭取過，對自己有起碼的交代。而從商自僱者，在年底時即使多出席一些行內活動，曝光率多了，也不怕因此而招惹是非。

財運

本月為權力地位提升月，上班一族除非能落實升遷，否則本月財運能突然增加的機會不大；惟下半月有暗財，不知會否因公司業績理想而發一些賞錢；而從商自僱者可能收到一些舊賬，讓你平添了一些意外之財。

事業

名多利少，不必強求。本月是權力地位提升月，惟財運不顯，故不要太過寄予厚望。

惟從商自僱者有時名聲比即時財運更為重要，因做生意是計長遠的，名聲好了，怕日後生意不來嗎？故本月就先不要着緊財運，先提升自己在行內的名聲。

感情 本月並無刑沖，上月之相沖月過去了，本月感情運又回復正常。雖然不是要好的相合或桃花月，但最少不會無故爭吵，讓你倆能好好商討一下農曆新年假期的去向。

身體 相沖月已經過去，一切又回復正常。年底時即使多些應酬，又或者要爭取別人認同而多些出席公眾活動，也不會因此而壞了身體，影響到你的農曆新年假期，當然應酬過後要爭取休息時間，這也是需要的。

是非 平常歲月，是非不生。加上假期過後前面又到農曆年假，各人不是忙於應酬，便是忙於完成手頭上的工作；為籌備假期，都騰不出時間來惹是生非，故本月無需刻意提防是非。

肖羊運程

- 一九三一
- 一九四三
- 一九五五
- 一九六七
- 一九七九
- 一九九一
- 二〇〇三
- 二〇一五

寒命人——出生於西曆八月八日後、三月六日前（即立秋後、驚蟄前）。

熱命人——出生於西曆五月六日後、八月八日前（即立夏後、立秋前）。

平命人——出生於西曆三月六日後、五月六日前（即驚蟄後、立夏前）。

肖羊的你去年沖太歲，容易出現感情變化、事業變化、住屋變化。感情方面為一喜擋三災，無喜爭吵防之年；如果已經結婚或懷孕添丁，來到本年，感情運必然能更進一步；如果去年因沖太歲而分了手，又或者仍然是單身的你，可以藉本年這重桃花年盡快脫離單身行列。今年為天喜桃花的你，桃花運是十二生肖中排第二位；而本年桃花是正桃花，代表容易碰上能發展下去的感情，並非霧水情緣；即使已婚者，亦能將此桃花化作人緣，這樣對事業也能起到正面作用。

今年肖羊的你是辛苦個人力量得財年，這對收入不穩的自僱者最有幫助，尤其是從事以件數計算工作者，收入必然能跟隨上升的工作量而相應增加；其次是從商的你，工作量大了，接觸客戶的時間多了，自然能增加做成生意的比率，收入因此而上升的機會亦很大；只有上班一族，不會因工作多寡而令收入有所改變，可能只是徒添辛勞而已。惟本年是桃花生肖，人緣佳，容易得到別人幫助，在這樣融洽的環境下工作，也算是另一種得着。

吉星有「月德」，逢凶化吉，此星乃因報復心不重，那自然少招惹仇怨，間接便能逢凶化吉。

「天喜」，桃花星，開心星，撇除男女關係而言，此星代表別人容易對你產生好感，這樣不只對工作及與人際交往上都容易得到正面助力，心情也自然會較平常為佳。

「扳鞍」，有利地位提升，雖然今年並非升遷年，但有天喜桃花星之助，人緣容易比別的生肖為佳，這樣自然能增加升遷的機會。

凶星有「死符」，小疾病；但今年並無刑沖，又加上是桃花生肖，健康狀況是良好的，這樣小小的病星，可能只是偶爾一些肚瀉或沾染感冒這一些小疾病而已。

「小耗」，小破財；如果去年置業，今年用一筆錢裝修已算是破財，又或者去年沖太歲為你沖來一段新感情，而今年結婚擺酒這財也是破得值得的。否則，本年可以主動買一些平常很想買而又不捨得花錢去買的東西，這樣既能應掉了破財，又能買到心頭好。

「黃旛」，此星無甚力量，可以無需理會。

寒命人 今年為木火運的第一年，往後六年你的運程將會日增月盛，憑着今年桃花星之助，說不定入了夏季便可以踏上上升軌跡，如果知道自己已經在大運中，今年更可以作新嘗試。

熱命人 今年為木火運的第一年，運程有機會開始減慢或下降，惟今年是桃花生肖，說不定因此而能減慢下降軌跡，甚至能延後下降的時間；但總的來說，今年仍然不宜嘗試新項目又或者在事業上作出大改變，一切仍然以守舊為佳。

平命人 一生平穩的你，來到木火流年始終是對你沒有幫助的，即使運程不是急速下墜，但也適宜採取守勢；惟本年你是桃花生肖，尤其是上班一族，仍然容易得到貴人、長輩、上司之助，讓你的事業運能穩定下來。

一九三一年出生的羊——今年為貴人舒服懶年，雖然年過九旬，但保持一定活動仍然是需要的；如身體仍然可以的話，就多點外出走動一下好了。

一九四三年出生的羊——今年為權力地位提升年，但年近八旬的你，在事業上能再提升的機會始終不大，可能只是家裏添了小成員讓你輩份提升，又或者是更受人尊重而已。

一九五五年出生的羊——今年是財運年，各個肖羊者以你財運較佳；如果是從商、自僱又或者仍然在職場的你，今年可以努力一點，看看能否獲得更佳成績，加上桃花人緣之助，相信今年不難達成目標。

一九六七年出生的羊——今年為思想學習投資年，踏入五十五歲的你如果想作新嘗試的話，真的要好好計算手頭資金及三思而後行；當然這個機會只屬於秋冬天出生的寒命人，而春夏天出生的你今年始終應以守為佳。

一九七九年出生的羊——今年為辛苦個人力量得財年，各個肖羊者可能以你的工作量最大，故要好好做足心理準備，去迎接忙碌的一年，這對收入不穩的自僱及從商者可算是好消息，因為收入也會因此而上升。

一九九一年出生的羊——今年為貴人舒服懶年，剛踏入三十歲的你，在此時放慢一下腳步，作一個中期檢討，這也是合適時機，加上今年為水火互換的第一年，寒、熱、平命人在攻守方面也是要小心衡量的。

二〇〇三年出生的羊——今年為權力地位提升年，踏進大學也好，外出工作也好，都是一個新體驗，且從今以後，很多事情也都要靠自己去決定，這也算是人生中的一種提升。

二〇一五年出生的羊——今年為財運年，踏進七歲的你可能父母開始給你一點零用錢，讓你學習一下財政運用，而這當然也算是你的財運了。

財運

今年為辛苦個人力量得財年，財運上能有進展的機會始終較大，尤其是從事按工作量計算收入的你，必然能因工作量上升而令收入有所增加；其次是從商的你，而收入穩定的上班一族，唯有寄望今年公司業務進展良好，年底能發一些花紅，讓你能有點意外收穫而不是只添辛苦而已。

事業

今年為辛苦個人力量得財年，工作運是

忙碌的，這對收入不穩的從商自僱者幫助最大，因收入必然能因此而上升；即使踏入了下降軌跡的平、熱命人，相信也能因工作量增多而減慢下降軌跡，甚至在財運上仍然可以有所增長；惟收入穩定的上班一族在事業上能有突破的機會不大，尤其是進入下降軌跡的平、熱命人，今年可能只是徒添辛勞而已。

感情

如果去年因沖太歲而結了婚或懷孕添丁的話，今年感情必能因桃花星之助而邁進一步；如因去年沖太歲而分了手又或者仍然是單身的你，如果想盡快脫離單身行列的話，今年便要好好把握機會了，尤其在農曆一月、七月及十一月這三個桃花月，宜多些外出，接觸多些陌生人，給自己製造多些機會碰上心儀對象，而開展到一段新感情。

身體

經過去年沖太歲後，今年踏入桃花年，健康就得以回復正常。人緣運明顯比去年佳，連帶心情都格外輕鬆愉快；惟去年之餘氣會延至今年春季，故春季在飲食上還是要小心一些為佳；踏入夏季後，去年困擾着你的腸胃問題便會慢慢消散。

是非

今年與去年真的不可同日而語，去年沖太歲的你，充滿着很多不穩定因素，而今年你為桃花生肖，人緣運剛剛相反，還比很多生肖為佳，且所有不穩定因素都應該已經浮現或過去了，代之而來的是人緣要好的桃花年，本年所有小人是非都應該會漸漸退避。

農曆一月

本月為財運月，惟一年之始，財運能有突破的機會始終不大，除非去年已經落實了加薪；否則，本月財運不會無故增多，從商自僱者亦然。因新春過後，很多公司仍未完全投入工作，故在財運上不要太過寄予厚望，還可能在新春時期應酬多了，令花費會比平常多。

財運 財似霏霏雨，風雨又相催。本月是肖羊的桃花月，人緣運與財運應該是不錯的，惟本月是本年的犯太歲月，整體社會氣氛較為沉着，加上農曆年假才剛完結，可能自己的假期心情仍在，仍未能全力投入工作，那就不要太過着緊財運好了。

事業 一年才剛剛開始，事業運也不必急在一時，加上本年是水火互換年，平、熱命人順運的餘氣仍在；寒命人的順運則仍在等待，誰也不適宜作出重大改變，故今年這個春季，一切都應該按部就班，隨着往常的舊路而行好了。

感情 本月是肖羊的桃花月，感情運是良好的，加上農曆年假才剛完結，心情仍然是輕鬆愉快的，除非對方是本年沖犯太歲的生肖，本月才會在感情上出現變故；而單身者更可以藉本年的桃花年、桃花月多些外出應酬，這不論對人緣或脫離單身都能起着正面作用。

身體 本月為肖羊的桃花月，心情是輕鬆愉快的，惟上個月是你的沖太歲月，腸胃問題容易對你構成困擾，唯有寄望上月之餘氣不要延至本月，惟本月在飲食上也都是仍要小心的。

是非 去年十二月的沖太歲年、沖太歲月的壞影響漸漸遠離，但上半月仍然要小心些為上；來到本月下半月得力於桃花人緣運的力量漸漸增強，故本月下半月人緣運是良好的。

農曆二月

本月為肖羊的財運月，又是肖羊的相合月，人緣運雖然不及上月好，但整體仍然算是不差的，加上本月又是本年的桃花月，整體社會氣氛亦趨和諧，這對於你努力去爭取財運時，必然獲得更大幫助。這個財運月對從商的你幫助最大，必然能因財運月而給你帶來更多生意；其次是自僱者，相信也能因財運月而獲得比平時更豐厚的收益；只有上班一族，始終收入較為穩定，很少能因一個財運月而令收入有所增長。

財運 本月為肖羊的財運月，又到從商及自僱的你要努力的時候了，望能用這個月去收復上月財運較慢的月份，讓你趕及在復活節假期前獲得不錯的收益，豐富一下你的假期。

事業 順水行舟又遇順風相送。本月是你的相合月，又是本年的桃花月，不論外在環境或是自身的人緣運都是良好的，這無論對從商、自僱又或是上班一族都能帶來正面影響；上班一族在財運上雖然沒有得益，但在事業運上的進展還是良好的。

感情 本月是肖羊的相合月，感情運仍然是穩定的；惟本月並非桃花月，對單身的你幫助不大，因在這月能開展到一段新感情的機會不大，最多就是會出現一些心儀對象而已，本月就把這些好感藏於心中，待下個桃花月來臨時才展開行動好了。

身體 本月是肖羊的相合月，人緣運是良好的，故在情緒上不用特別小心；惟本月是木土交戰月，腸胃容易出現不適，故在努力爭取財運時，勿忘了要放鬆自己，心情保持輕鬆狀態。

是非 雖然人緣運不及上月好，但本月社會氣氛卻好得多，故本月更利外出應酬，打好關係；即使多外出與陌生人聯繫又或者在財運上積極進取一些，也不怕因此而惹上是非來。

農曆三月

本月為權力地位提升月，經過上個月的努力後，上班一族應該比較容易有不錯的表現，加上人緣運良好，這都能增加你的升遷機會。雖然今年你並非容易升遷的生肖，但在這個升遷月爭取一下也都是無妨的；因本月並無刑沖，也不會因爭取不來反而招來滿盤是非。

財運 本月是權力地位提升月，上班一族除非能爭取到升遷，財運才能有望增加。而從商自僱者也應求名為先，先名後利好了；故從商自僱者不論因假期而開支多了，又或多了出席行內活動而有額外花費，本月不難是一個開支較多的月份。

事業 外表風光內裏愁，幾許不足在心頭。此月開始慢慢水火互換，平、熱命人退，寒命人進，但無論何種命人都無絕對優勢，可能是一個較為膠着的月份；故本月即使是權力地位提升月，可能也只是一些虛名而已，距離實際收益可能還遠呢！

感情 平常到農曆三月，你都容易出現感情不穩，惟今年肖羊的你是桃花生肖，本月又無刑沖；故本年這個農曆三月感情運是平穩的，即使可能因復活節假期而令相聚的時間多了，也不會因此而鬧不快。

身體 每年農曆三月，你都是要小心腸胃，注意飲食的，但本年這個三月你大可以放心，即使假期外遊又或者外出用餐多了，也不怕因此而引致腸胃不適。

是非 無喜無憂，平常歲月。本月人緣運並非特別佳，是非小人也不是特別多，是一個人緣運平常的月份；惟也不用太過提防是非，即使在復活節假期多了外出，也不會因此而招惹是非。

農曆四月

本月為貴人加權力地位提升月，上班一族仍然可以努力爭取升遷，從商自僱者還可以在此月多些出席行內活動又或者多些相約客戶傾談，讓別人對你留下印象；這長遠而言，對生意及財運必然有幫助的，雖然本月社會氣氛一般，但肖羊的你自身人緣運仍然是不錯的。

財運 名高而利不致。除了上班一族留意升遷，財運才有可能在此月增多；否則，本月財運是普通平常的，但也沒有破財之象，最多就是勞而功少而已，也不致收益全無。

事業 本月仍然是權力地位提升月，從商自僱者仍然可以多些外出與各方聯繫，增加自己的曝光率，因本月自身人緣運仍然是可以的，且本月容易出現遠方貴人；如果從事經常接觸外國人或經常要往外地公幹的你，這貴人會更加有力。

感情 本月是本年的相刑月，但這與肖羊的你並無直接關係，除非另一半剛好是本年沖犯太歲的生肖，感情運才會出現風波；如果真是如此，唯有向對方多作忍讓及多些關心，待這月過後，一切又可以回復正常。

身體 本月是本年的相刑月，容易出現皮膚及腸胃疾病；雖然這與肖羊的你並無直接關係，但外出用膳時總會碰上今年沖犯太歲的生肖，恐怕這樣給牽連上，故本月在飲食上仍然是要小心為上。

是非 外間氣氛雖然一般，惟肖羊的你自身人緣運還是良好的，加上本年又是桃花生肖，整體人緣運比其他生肖為佳，即使在爭取別人認同時多些外出應酬，也不怕因此而招惹是非來。

農曆五月

本月為貴人舒服懶月。經過先前的努力，本月終於可以放慢一下腳步，享受一下生活了。一年之中不論是否假期，有時必須要把腳步放慢，放鬆一下，放鬆後才可以有力去迎接日後的挑戰；因為如果時刻都站在前面，很容易便會忘記了原來的目標，那就好好利用這個舒服懶月，去思考一下自己的人生好了。

財運 既然能忙裏偷閒，金錢就先不要去想好了，一生人那麼長，每年每月都想着金錢，那不是很痛苦嗎？其實金錢以外，可能你會有很多目標曾經追求過，不過只是慢慢忘掉了，喜歡搵錢的你也好，知足的你也好，都可藉這個復活的月份去細味一下人生好了。

事業 有事易招尤，無事一身輕。既然是貴人舒服懶月，事業就放慢一下腳步好了，藉此舒服懶月，多些去相約一些舊朋友、舊同學甚至舊同事聚一聚，看看那個人仍在追求當初的目標，即使自己做不到，但看見旁人做到也可以是對自己的一種激勵。

感情 本月為肖羊的相合月，又是本年的相合月，整體社會是相對穩定的，感情運也是如此；如果上月因為相刑月而雙方產生了誤會，本月是一個增加相互了解的好月份。

身體 本月並無刑沖，而肖羊的你也是相合月，突然遇上意外損傷的機會不大，加上又是貴人舒服懶月，工作壓力也不大；即使多些外出應酬，也可以從容度日。健康方面也是良好的。

是非 不管肖羊或是太歲與月令都是相合的。除了社會轉歸平和，肖羊的你人緣運也是良好的，自身是非不多；外間也非風雨飄揚，故本月無需為是非去費神。

農曆六月

先懶後勤，本該如此。上半月工作量依然不大，但下半月突然間卻忙碌起來，差點兒讓你措手不及，加上本月又是你的犯太歲月，每年此月你都容易出現情緒不穩，還幸本年的你是桃花生肖，而本月又是本年的桃花月，人緣運比其他年的這個月好得多；即使有時感覺沉悶，相約同事或朋友外出，別人也是樂意的，而這也是紓緩情緒的好方法。

財運 本月整體下來財運比上月為佳，因本月下半月工作量較大，跟上月比都忙了許多，收入自然也會相應提升；惟上半月因工作較為清閒，如果出現負面情緒，就多些相約朋友、同事外出，而這些花費是值得的。

事業 下半月雖然較為忙碌，惟本月是你的犯太歲月，忙是有益的，最少沒空閒時間讓你去胡思亂想，只要全心去投入工作；這樣，工作進展自然也能較上月好得多。

感情 本月為肖羊的犯太歲月，每年到此月你都容易出現感情不定，尤其是去年為沖太歲年；但來到本年因得桃花之助，而本月又是本年的桃花月，不論對方是何種生肖，本月感情會出現風波的機會不大，故本月感情運還是良好的。

身體 本月為肖羊的犯太歲月，每年到此月你都要小心腸胃及情緒問題；惟本年你是桃花生肖，人緣運是良好的，故出現負面情緒的機會不大，加上本年並非腸胃流行疾病年，腸胃方面出現問題的機會不大，故本月在飲食上大可以放心。

是非 雖然本月是你的犯太歲月，但也無需刻意提防是非，且本月是本年的桃花月，整體社會氣氛是融和的，故本月下半月可以全心投入工作，不用去分神提防是非。

農曆七月

本月為辛苦個人力量得財月，收入不穩的從商自僱者仍可以努力去爭取好成績，尤其是工作較忙碌的上半月，更要集中精神，望能得到更好收益；上班一族也只是上半月工作量較大，而下半月一切又回復往常一樣。惟本月是本年的交通意外高危月，駕駛者本月駕駛時亦要加倍留神，雖然肖羊的你今年並無刑沖，惟車在路上總會碰上今年沖犯太歲的生肖，怕一不留神便給意外牽連上。

財運 收入不穩定的你，上半月收入仍然在增加中，而收入穩定的上班一族，便要咬實牙根去完成上半月較多的工作量，到了下半月又可以多些私人時間去享受一下生活。雖然財運不會因此而增加，但本月是你的桃花月，人緣運是良好的，讓你面對忙碌的工作量時也可以用輕鬆的心情度過。

事業 勞而有功，用力前行。從商自僱者的事業運進展依然良好，加上本月又是你的桃花月，人緣運明顯比上月好得多，讓你在忙碌中也可以享受一下融和的氣氛；下半月又是本年的驛馬月，你亦可藉此放一個短假去外遊，讓上半月的急迫得到紓緩。

感情 本月是你的桃花月，又到單身者要努力的時候了。如果想盡快脫離單身的話，本月便要多些外出應酬，接觸多些陌生人，朋友介紹也好，六人晚宴也好，就給自己製造多些機會好了。

身體 本月是你的桃花月，個人的健康與心情都是良好的，惟本月是本年的相沖月，意外恐怕會比平常多，尤其是駕駛者，本月外出駕駛時也要格外留神。

是非 外間是非雖然較多，但對肖羊的你反而是一個好機會，正所謂人退我進，在別人是非多時而自己進取一點，這必然容易得到良好效果。

農曆八月

本月為辛苦個人力量得財月，收入不穩的從商自僱者仍然可以努力；雖然本月人緣運不及上月的好，惟是非也不是特別多，且本月社會氣氛明顯比上月融和得多，讓你也不用提防外間的是非風雨。上月的相沖月又已經過去，駕駛者也沒有甚麼需要特別注意，故本月就是一個平常而忙碌的月份而已。

財運 上半月工作量依然大，下半月又回復正常，其實這幾個月下來都是差不多半個月忙碌，半個月休閒；故整個月下來，工作量並沒有大幅增加，當然相對財運也只是些微增加，但這也算是好結果，因在今年水火互換年，誰都沒有絕對優勢，財運還可以有增加，這也算是不錯了。

事業 貨如輪轉不可慢，一言一行要板眼。本月從商者依然是忙碌的，為怕忙中出錯，事事要謹慎一點，跟足一點；自僱者也是，勿忙應承了人家的，最後忘記了，怕讓人失望而影響個人名聲；最放心的是上班一族，只要辦妥上司指派下來的工作便可，會遺忘的機會不大。

感情 桃花月已經過去，單身者如果仍未能脫離單身的話，本年餘下的月份便要好好努力了；本月感情運是平穩的，無刑無沖也不是桃花相合月，不用提防爭拗，但關係也不是如膠如漆。

身體 相沖月已經過去，駕駛者又可以如常地駕駛了，本月肖羊的你並無刑沖，又不是腸胃疾病高危月，故本月在健康運方面是正常的；惟仲秋之時氣溫仍高，皮膚方面仍是要小心的，本月仍然盡量要吃得清淡一點，尤其是夏秋間出生的你。

是非 平地過江江無浪，渡水行舟舟安然。本月就是一個平凡歲月，人緣運不是特別好，是非也不是特別多；專注事業也好，多些外出應酬也好，隨心就是了。

農曆九月

本月為思想學習投資月，又到寒命人要考慮的時候了。從今年開始踏入六年木火流年，寒命人如果在今年作出新嘗試，將會有較長時間把新發展穩定下來，尤其是如果知道自己已經在大運中更要好好把握；即使未入大運，有時單憑六年的流年順運，也可以做出一番成績來。本月唯一要留意的是肖羊的相刑月，是非恐防會較為多，踏出去的遇到的阻力可能會稍大。

財運 本月是思想學習投資月，不難是一個花錢較多的月份。不論學習進修，又或作出新改變，或多或少都有些意想不到的開銷，尤其是起步作新投資，不論怎樣精打細算，但踏出去以後總有些開銷是你先前無法預計的。

事業 上班一族，本月是一個學習進修的好時機。不論寒、熱、平命人，不時都要為自己增值，方能免被社會淘汰；上班一族固然如此，從商自僱者亦然，如果不想被後浪打倒，就保持努力好了。

感情 本月是肖羊的相刑月，感情方面容易出現小風波，惟今年你是桃花生肖，這些小風波反而有助雙方加深了解；有時一帆風順的感情，很多時倒在途中已經走不下去，反而小吵小鬧的那一對，卻能長久地走下去。

身體 本月是你的相刑月，每年來到此月你都是要小心腸胃的，當然今年也不例外，加上秋季氣候逐漸乾燥，皮膚也不能忘記保水；所以本月要在飲食上下些工夫，多吃些清潤護膚的食物，這樣既能護膚，亦能紓緩腸胃毛病。

是非 小是小非，閒事莫理。既然本月是你的相刑月，就減少外出應酬好了；即使今年你是桃花生肖，人緣運比往常好，但相刑月始終容易惹上不能解決的是非，讓你本月困擾煩惱。

農曆十月

本月為思想學習投資月。學習進修方面，不論寒、熱、平命人都是適宜的，尤其是上班一族，不時都要增值自己，保持一定的競爭能力，方能免落後於人。投資方面，則只有轉運中的寒命人是適宜的；而春夏天出生的平命人，即使覺得目前勢頭不錯，也只能沿着舊有路向發展或擴展，新計劃、新項目是絕對不適宜的。

財運 本月為思想投資學習月。不論投資或學習也會有些比平常多的花費，故本月不難是一個花錢較多的月份；惟本月下半月為財運月，花出去的錢不難在下半月賺回來，尤其是沒有打算作出新改變的從商自僱者，下半月可以好好把握一下財運。

事業 欲左欲右，心中不定。剛轉運的寒命人如果仍在猶豫的話，也不必急在一時，因今年才是轉運的第一年，往後數年也是轉變的好機會；除了二〇二四年，其他年份都是可以的。

感情 相刑月已經過去，感情運又回復正常。雖然本月並非桃花月，對單身者幫助不大，但對固有感情則是正面的，即使上月因相刑而多了矛盾，這個月也是容易修補的。

身體 本月為肖羊的遙合月，易有遠方貴人扶助，這對事業運是有幫助的，加上本月又是本年的相合月，整體社會氣氛亦是融和；故不論內外，本月都是壓力不大的，這對健康運必然能起到正面作用。

是非 雲開霧散，天朗氣清。上月之烏雲已經散盡，代之而來的是人緣運要好的遙合月，加上社會氣氛融和，是非不多，故本月無需刻意去提防是非。

農曆十一月

本月為肖羊的財運月，又是桃花月，故不論財運、人緣運都是良好的。單身者仍有機會在假期前把握機會，讓自己不用再孤單地度過假期，加上本月財運亦佳，這必能給你的假期增添姿采；即使未能擺脫單身，假期與家人、朋友共聚也都是愉快的，如果已有穩定感情，又或在今年桃花年才開展的新感情，本月更是好機會讓你的感情更加穩定。

財運 月令帶財，不求自來。本月為財運月，收入不穩的從商自僱者必然能因生意增長而令收入有所上升；即使收入穩定的上班一族，說不定也能因公司業績良好而分發到一些賞錢，讓你的假期能過得更加豐裕。

事業 桃花月，人緣佳，做起事來都順暢了不少；加上是財運月，讓你在聖誕新年假期前可以努力爭取到最佳成績，且本月必能因桃花人緣運之助，令事業進展順利。

感情 桃花月，人緣佳，對已有穩固感情者，本月必能相處愉快，即使在假期時見面的時間多了，也不會因此而鬧不快；單身者更可以把握今年最後一個的桃花月，多些外出接觸陌生人，看看能否在這個桃花月能發展到一段新感情來。

身體 本月為肖羊的桃花月，人緣運比上月更佳，心情仍然是輕鬆愉快的，且本月並無刑沖，突然遇上意外損傷的機會不大；即使假期時外出用膳的時間多了，偶爾夜歸夜眠，健康運仍然是可以的。

是非 桃花月，人緣運比上月更佳，加上假期臨近，各人都忙着埋首工作，把手頭工作快些清理掉，然後放一個愉快的假期，都無暇去惹是生非；故肖羊的你不論在外在內，也無需顧慮是非，這必能讓你在這個假期更加歡愉。

農曆十二月

本月為辛苦個人力量得財月，工作量比上兩個月為多，而這也是正常的，因聖誕新年假期過後，要忙於清理假期中積壓下來的工作。雖然本月是你的相沖月，平常都會是非較多；惟本年肖羊的你是桃花生肖，人緣運比平常年為佳，加上本月是本年的桃花月，整體社會氣氛良好，這亦有助減免是非。

財運 財年可得，可有進展。本月是辛苦個人力量得財月，工作量大了，收入也容易隨之而上升。即使是上班一族，本月也可能因財運月而有所得益，而本月可借鑑上個月；如果上個月財運有所增長，本月此勢不難延續下去。

事業 本月是辛苦個人力量得財月，一切順其自然，事業運便會推着你去前進，尤其是秋冬天出生的寒命人可以進取一點；即使在下降軌跡的平、熱命人，相信也能因本年的這個桃花月之助，而令事業運仍然有進展。

感情 本月雖然是肖羊的相沖月，感情方面可能容易出現小風波，惟本月是本年的桃花月，而融和的氣氛對本月相沖的你也是有幫助的；單身者本月仍然可以靠本年的桃花月多些外出，看看能否成為別人的桃花。

身體 本月為你的相沖月，在飲食上又要多加注意了。雖然本年你並非腸胃疾病高危生肖，但是來到這個月仍然是要小心一些為佳，以免因身體不適而影響到你愉快的假期。

是非 小是小非，無需掛懷。即使因本月相沖而容易招惹是非，惟本月是本年的桃花月，整體社會氣氛是良好的，而這亦有助你減免是非，讓你可以全心投入去完成工作，然後放假去也。

肖猴運程

- 一九三二
- 一九四四
- 一九五六
- 一九六八
- 一九八〇
- 一九九二
- 二〇〇四
- 二〇一六

寒命人——出生於西曆八月八日後、三月六日前（即立秋後、驚蟄前）。

熱命人——出生於西曆五月六日後、八月八日前（即立夏後、立秋前）。

平命人——出生於西曆三月六日後、五月六日前（即驚蟄後、立夏前）。

肖猴的你去年是桃花年，來到今年是相沖年。如果去年因桃花年而結了婚，則本年有懷孕添丁的機會；如果因去年桃花年才開展的新感情，則本年相沖也可能為你沖出新改變，讓感情運更進一步；惟已有穩定感情而又未想結婚者，本年便要好好小心維繫感情了，因沖太歲年，感情比較容易出現變化，結婚、分手，懷孕添丁也算是變化的一種；單身者如去年仍未能因桃花年而開展到新感情，本年仍然有機會因相沖年為你帶出一段新感情來。

今年沖太歲的你除了感情容易出現變化之外，事業與住屋也容易出現變化。住屋變化方面，選一個好的方位便可；但事業變化就要好好衡量了，因平、熱命人今年開始運程會慢下來，可以不變的話，留在原地會較佳。相反，秋冬天出生的寒命人，如果早幾年已經覺得在原公司不太如意，今年以後，都是可以作出改變的。

今年肖猴為貴人舒服懶年，不論踏進三十或四十二歲的你，在本年放慢一下腳步也是適宜的。為免因沖太歲而令你作出錯誤決策，今年宜放多些時間去細想一下日後去向，因來日方長，而今年的這個重要決定，說不定會為你的生活帶來改變。

吉星有「八座」，有助地位提升，雖然今年不是地位提升年，但因沖太歲的關係而令事業容易出現轉變，希望「八座」能助你的事業變得更好。

「天馬」，即驛馬，今年為驛馬相沖年，容易出現遷移外出之動象，搬遷也好，外遊也好，轉工也好，今年都容易出現變化。

「天解」、「解神」、「地解」，逢凶化吉，能化凶星之力，亦可紓緩今年沖太歲而容易出現意外損傷的機會，望能大事化小，小事化無。

凶星有「大耗」，大破財，這是每年犯太歲生肖所跟隨的，故沖太歲年特別容易因搬遷而有此額外花費。

「血刃」，手腳易受損傷，加上沖太歲的關係，增加了損傷的機會，故本年可以去捐血、洗牙以應損傷。

「浮沉」，浮浮沉沉，減慢了事業進度，惟本年是水火互換年，各人的運程都不太穩定，故這浮沉算是影響不大。

「歲破」，即沖太歲，影響已經解述。

「闌干」，無甚影響，無需理會。

寒命人 本年起始有六年木火流年，對秋冬天出生的你帶來正面影響，加上今年沖太歲，事業亦容易出現變化，惟也不必急在一時，待夏天以後再看看情況，要否在這時開始轉變。

熱命人 今年為沖太歲年，事業方面容易出現轉變，惟今年之後六年也是木火流年，運程會逐漸減慢甚至下降；故今年以後實在不太適宜轉變，因為變好的機會實在不大。

平命人 一生平穩的你比較起來也是金水有利，木火為忌，而往後六年木火流年，你的運程也會稍慢下來；故今年即使沖太歲，事業容易出現轉變，但可以的話，也是以不變為佳。

一九三二年出生的猴——今年為權力地位提升年，惟踏進九旬的你，這個地位提升可能只是家中添了小成員，又或者更受晚輩尊重而已，因這年紀能在事業上有所提升的機會始終不大。

一九四四年出生的猴——今年為財運年。各個肖猴者以你財運較佳，惟年近八旬的你，仍在商場上的機會始終不大，可能是因為舊有投資的收益增多，又或者晚輩給的一些零用錢罷了。

一九五六年出生的猴—今年為思想學習投資年。學習方面，任何年紀都是適合的。但投資方面，除非是仍在職場的你，才可以去起步嘗試，但這嘗試也只能對秋冬天出生的寒命人而言；春夏天出生的你，往後數年只宜放慢腳步，沿着舊路前行。

一九六八年出生的猴—今年為辛苦個人力量得財年，對從事以件工計算工資的自僱者最為有利，因收入必然能因工作量上升而有所增長；其次是從商者，而上班一族不可能因一時的工作量上升而令收入有所增加。

一九八〇年出生的猴—今年為貴人舒服懶年。忙了半生的你，也是時候放慢腳步，停一停，想一想，到底想在原有崗位一直做下去，還是在這沖太歲年作出轉變，但大前提是要知道自己性格為先，有些人適合轉變，有些人則會從事一個行業或一間公司直到老，尤其是鼻型較大者，一般不太適應轉變的生活。

一九九二年出生的猴—今年是權力地位提升年。踏入三十歲的你，可說是人生的第一個大轉變，除了要看寒、熱、平命人運程以外，亦可以一探自己的眉毛，如果發現眉毛平順貼肉而生，則今年始起四年可以好好把握；但如果眉毛太粗、亂、散、豎等，這幾年則要以穩守為佳。

二〇〇四年出生的猴—今年為財運年。男性還是桃花年，踏入十八歲的你如果開始踏足社會，可以一嘗自己搵錢的滋味；仍在求學者亦可做一些兼職，以汲取社會經驗。

二〇一六年出生的猴—今年為思想學習年。踏進六歲的你，求知慾強，容易每事問，而這也是正常的。

財運

今年為沖太歲生肖，一切不穩定的因素都可以存在。感情變化、事業變化、住屋變化，既然已經容易出現混亂，今年財運就先不去想好了，加上今年又是水火互換年，每個人的運程吉凶也是難料的；故最好是放慢一下腳步，看清形勢，是攻是守，可能明年再作定奪好了。

事業

本年為貴人舒服懶年，不應該主動去轉變，惟今年是沖太歲生肖，各方面都容易較為混亂，在事業上亦然。惟今年是水火互換年，平、熱命人今年以後，運程會開始慢下來，如果可以不變的話，就留在原地好了。秋冬天出生的寒命人，往後六年運勢漸強，本來也不用急在一時；但如果今年因沖太歲的關係而無可選擇地要作出轉變，那就欣然接受好了。

感情

本年為沖太歲年，感情容易出現變化，為一喜擋三災，無喜感情壞之年。如打算今年結婚懷孕，又或者仍然是單身者，則感情上無須特別小心；惟已有穩定感情而又無打算在今年結婚的話，感情上唯恐不太穩定；如果不想分手的話，便要好好維繫了。

身體

金木相沖，易見損傷。今年肖猴的你特別容易遇上意外損傷，除了駕駛者要格外留神外，走路切菜也是要小心為上，除了農曆一月、七月宜捐血、洗牙以應損傷外；農曆四月、十月也是要留神一點的。

是非

沖太歲年，是非一定比平常多，即使不與去年人緣要好的桃花年相比，也會比平常年的是非多很多，而是非特別多的是農曆一月、四月、七月、十月，可以的話，就盡量少些外出應酬好了，亦可以在本年正北桃花位放一杯水，正東爭鬥位放粉紅色物件去旺人緣化是非。

農曆一月

本月為思想學習投資月。正所謂一年之計在於春，本來一年之事由一月開始籌劃是對的，惟今年沖太歲的你已經不太穩定，而本月又是你的沖太歲月，唯恐容易出現變故。如果你又主動去變，難免出現大混亂，故本月宜一切以守舊為佳；反而進修學習，在這混亂的年月是適合的，故不論是寒、熱、平命人在這時再作進修，時機上是適合的。

財運 本月為思想學習投資月。一年才開始，打算在這個月去開始作新投資的機會始終不大；但學習則不一樣，舊的一年過去，在新的一年開始去學習一些新知識這也是正常的，這個月的額外開支，說不定就這樣用掉了。

事業 此際還是橋樑，橋樑費煞思量。即使本月有意思作新投資嘗試，惟農曆年才剛過去，市面一般會較為平靜，加上很多公司仍然未全面投入運作，讓你也無處着力，倒不如借助新春時期，多與各方聯絡，吸收多些實時資訊，再行去決定好了。

感情 本月為肖猴的相沖月，感情容易出現不穩，加上本年你又是沖太歲生肖，感情容易出現變化；未婚者本年要好好維護固有感情，相信要由本月開始了。

身體 一過農曆年你便踏上相沖月，駕駛者在本月要格外留神；又或可以的話，盡量少些駕駛；即使平常沒有駕駛的你，本月也要謹舟慎車，提防傾跌，如果許可的話，最好先去捐血、洗牙、驗身等去應掉血光之災。

是非 閉口藏舌，閒事莫理。新春時節如無可避免要多些外出應酬，又或者想作新嘗試的你，難免要多些外出諮詢別人意見；除了在言詞及行為上要小心一點外，亦可在本月東南桃花位放一杯水，西北爭鬥位放粉紅色物件，去旺人緣化是非。

農曆二月

本月為思想投資得財月，惟今年水火互換。投資方面，如果不着急的話，最好待至夏秋季後才開始進行。在春季做一個籌備是可以的，但這當然以秋冬天出生的寒命人而言，因春夏天出生的平、熱命人，從今年開始之六年都適宜採取守勢，投資當然不適宜，轉工也要三思而後行；當中只有二〇二四年是可以的，那年不轉的話，就最好待至二〇二八年秋後了。

財運 本月依然是思想學習投資月。不論學習或投資，都是有些額外花費的，即使呆在原地不動，本月也可能要籌劃一下復活節旅行，或多或少都有些意想不到的錢是要用的。

事業 雖然本月是思想學習投資月，惟在事業方面，其實是適宜採取守勢的，即使轉入順運中的寒命人，也不會一踏入這年便馬上順利起來，好像跑步一樣，剛起步發力時也不會跑得很快，一般都是跑順以後才發力加速；運程之進展也是如此，故今年就不用太着急好了。

感情 本月是肖猴的暗合月，感情運仍然是穩定的，故今年沖太歲感情易生變化的你，本月感情運未受影響，加上本月是本年的桃花月，這亦有助你倆的感情穩定些。

身體 相沖月已經過去，轉入本月身體狀況正常，也不用擔驚受怕會遇上意外損傷；即使思想學習投資月而多了外出向朋友諮詢，在外用膳的次數多了，也不會因此而惹出病來。

是非 上月之烏雲已經散掉，代之而來是一個人緣穩定的相合月，加上本月又是本年的桃花月，整體社會氣氛較為融和，讓你本月即使多了外出與客戶傾談，也無需太過顧忌是非。

農曆三月

本月為肖猴的財運月，對收入不穩的從商自僱者最有幫助，尤其是從商者，必然能因財運月而令收入有所上升；即使踏入逆運中的平、熱命人，相信也能因月令之助而有所得益，其次是自僱者，顯然本月不是辛苦個人力量得財月，收入可能不會大幅上升，但也能因財運月而得到一些好處；只有收入穩定的上班一族，這個月則難以獲益。

財運 本月為肖猴的財運月，從商自僱者可以努力一點，望能把財運推高，因本月金水之餘氣猶在；故對春夏天出生的你可能幫助較大，因剛轉運中的寒命人，在之前數年的運程較慢，來到此時可能動力不是很大。

事業 財帛有，細水流。上半月財運較佳，可以努力一點去爭取，下半月轉歸平淡，工作量也不大，讓你復活節假期後也不用面對沉重的工作，故本月總體事業運是不錯的。

感情 本月為暗合月，感情運仍然是穩固的，且本月為利男性桃花，如果仍然是單身的你，看看能否在這個復活節假期認識到心儀對象，讓你本年的感情相沖早些實現，給你沖出一段新感情來。

身體 本月為暗合月，突然遇上意外損傷的機會不是很大，加上工作也不忙碌，又在復活節假期中，讓你身心都得到調整，回復到安好狀態。

是非 本月仍然是暗合月，不論肖猴的人緣運，還是社會氣氛都是良好的，這讓你努力爭取本月之財運時，也不致遇到太多阻力而減慢了進展。

農曆四月

本月依然是肖猴的財運月，惟本月可能不及上月輕鬆，因本月是你的刑合月，又是本年的相沖月，無論肖猴的你又或整體社會氣氛都不太融和。不論在人際交往，自身的身體和感情，本月都要小心一點，這必然會減慢你在爭取財運時的成果；本月就不要對財運太過寄予厚望，得固然好，無甚麼增長的話也不用太過着急。

財運　財似霏霏雨，還需努力追。本月不難是一個事倍功半的月份，因本月流年，月份與肖猴的你形成了巳寅申三刑，容易遇上麻煩事又不能解決，這當然會把財運拖慢，故本月在文件契約上要小心謹慎，方能免因此而惹是非。

事業　本月雖然是財運月，但就不宜努力爭取，因本月是你的三刑月，是最容易招惹是非的一個月份，比犯太歲、沖太歲月還要加倍留神；所以本月在事業運上就先行放慢腳步，讓本月過後再行努力好了。

感情　本月為肖猴的相刑月，自身感情已經容易出現問題，加上又是本年的相刑月，整體社會氣氛亦不太和諧，是感情最容易出現變故的月份；唯一可做的就是減少見面，這樣亦可以防止見面多了而意見不合。

身體　本月為肖猴的相刑月，皮膚、腸胃要特別小心，加上本月是非必多，工作上亦容易遇到麻煩事，讓你身心都容易出現問題，唯有把腳步放慢，盡量在可控的範圍上讓自己盡量放鬆，讓身體不至於被這問題纏擾。

是非　任守金人口，紛煩無意來。本月不論是肖猴的你又或是整體社會氣氛都不太和諧，唯一可做的就是盡量不去外出應酬，以免關係打不成反而惹來滿盤是非。

農曆五月

相刑月已經過去，是非已經逐漸遠離，雖然本月並非桃花或相合月，自身人緣運一般而已，但對比上個月已經算是一個好月份，最少可以讓你全心投入工作而不怕招來是非。本月是權力地位提升月，又到了上班一族努力爭取的時候，且升遷運有時與個人好運壞運並無直接關係，故不論是寒、熱、平命人都是可以去努力追求的。

財運

本月為名大於利，權大於利的一個月份。除非上班一族本月馬上落實升遷，否則本月不是一個財運月；惟亦無破財之象，故本月開支與收入與平常一樣，沒有多也不會少。

事業

上山多費力，有樹可扳枝。雖然本年是沖太歲生肖，但運程不是一面倒向下的。事業運方面，寒命人逐漸轉佳；平、熱命人逐漸轉慢，但因才剛進入夏季，平、熱命人有機會好運餘氣猶在，而寒命人上升的動力又可能不足，故不論何種命人本月都仍可以努力爭取一下，即使是名大利少也可，但這對維持事業上升也是有幫助的。

感情

相刑月雖然過去，但本月也不會是感情要好的一個月份，既不是桃花相合月，對維持固有感情沒有幫助；單身者能在本月開展到一段感情的機會也不大。

身體

相刑月已經過去，身體又回復往常，惟本月不是身體特別好的月份，皮膚及喉嚨、氣管易生毛病，故本月燥熱之物要少沾為佳。

是非

平常月份，是非不多。雖然不是人緣要好的月份，但也不用刻意去提防是非，加上本月是本年的相合月，整體社會氣氛亦轉為融和，這至少能讓你在融和的環境做事，心情也會好一點。

農曆六月

本月為肖猴的桃花月，也是本年的桃花月，不論肖猴的人緣運又或者整體社會氣氛也都是良好的，且本月仍然是權力地位提升月，這不論對上班一族爭取升遷，又或是從商自僱的你在爭取別人認同時，也無須刻意小心去提防是非；上班一族即使爭取不到升遷，但人緣運仍然能保持良好，從商自僱者即使多出席些公眾活動，也不怕因今年是相沖生肖而是非特別多。

財運　本月為權力地位提升月，除了上班一族如果落實升遷可能有意外收穫外；本月會是名惠而利不至的月份，惟這對從商自僱者也算是良好的，因在行內的名聲好了，生意還愁不自動上門嗎？

事業　外表風光內裏愁，幾許不足在心頭。因今年是水火互換年，不論寒、熱、平命人在事業運上都沒有絕對優勢；惟本月卻以求名為先，看看平、熱命人能否把好運延久一點，而寒命人能否因此而加快上升進度。

感情　今年沖太歲的你，如果打算結婚懷孕，這是一個合適的月份，但有穩定感情而又未打算在本年內結婚者，本月要好好維繫，因下個月為沖犯太歲的月份，感情最容易出現變故；相反，單身者本月可以多些外出，看看能否因這個年月桃花，為你帶出一段新感情來。

身體　三夏火旺之時，氣管及皮膚方面仍然是要小心的；惟本月是你的桃花月，人緣運佳，連心情都好起來，只要作息定時，本月健康運仍然是可以的。

是非　桃花月，除了自身的人緣運好之外，本月又是本年的桃花月；即使本月在爭取別人認同時而多了外出接觸陌生人，給人的觀感也是正面的多、負面的少，就好好利用本年的這個桃花月好了。

農曆七月

本月為肖猴的犯太歲月，而今年沖太歲的你，感情來到此月會最不穩定。感情已發現出了問題的你，本月如果不想惡化的話，便要好好維繫；相反，如果打算在本年結婚或懷孕者，本月反而是一個良機。總的來說，本月是感情最容易出現變化的月份，是分是合，又或者給你沖來一段新感情，本月一一都會明朗化。

財運 本月為肖猴的犯太歲月。今年為沖驛馬年，本月又是本年的相沖月，動象較為明顯，外遊也好，公幹也好，又或者不常呆在家而常常外出也好，都可能因這些動象而多了些額外開支。

事業 本年是沖太歲生肖，而本月又是你的犯太歲月，加上本月又是本年的相沖月，所有不穩定因素都纏繞着你；故本月在事業運上一切要順其自然，切勿主動行事，看看命運到底會把你帶領到何處。

感情 單身者，在感情上變無可變，只能變來不能變走。已婚者可能這感情變化為你等來一個新成員；未婚者容易出現兩極，容易因沖太歲年月而在無準備下突然結婚，亦可能大吵一場引致分手，故本月在感情上要好好維護，勿因自己情緒而傷了感情。

身體 本年是沖太歲生肖的你，原本已經容易引發損傷，而本月更是犯太歲月，駕駛者本月可以的話，就少點駕駛好了，又或者藉此損傷月去捐血、洗牙流一點血，去應掉損傷，望這樣能大事化小，小事化無。

是非

閉口藏舌，閒事莫理。沖太歲年，容易不穩，犯太歲月容易因負面情緒開罪了人而不自知，唯一可做的就是盡量減少外出應酬，以趨避是非，亦可在本月正北桃花位放一杯水，正東爭鬥位放粉紅色物件去旺人緣，化是非。

農曆八月

本月為肖猴的桃花月，雖然感情的危機在餘下的月份仍然要小心；惟最嚴重的月份已經過去，如果因上月相沖而鬧不快，本月是一個給你去修補的好月份。單身者還可藉此桃花月多些外出，找找機會，看看能否因今年沖太歲而為你沖出一段感情來；又本月為貴人舒服懶月，工作量不大，正好多了時間與另一半相聚，如果時間許可，亦可以放一個暑假去外遊散心，這亦可以減低沖太歲年所帶來的衝擊。

財運

既然是貴人舒服懶月，財運就先不去想好了，反正今年沖太歲的你，一切都容易來得不太穩定，最適宜的是順着眼前路向，看看命運會把你帶到哪方，財運就過了此月再行努力好了。

事業

既然是貴人舒服懶月，事業運就先放慢腳步好了，因今年是水火互換年，不論寒、熱、平命人都要審時度勢，再去決定攻守；倒不如藉此桃花月多些外出與客戶聯繫，打好各方關係，這對於是攻是守也能帶來正面影響。

感情

本月為肖猴的桃花月，上月不穩定的因素已經逐漸消除，感情是分是合應該已經有了明確結果，就不用去多想了；反而這個月對單身者幫助較大，如果想盡快脱離單身的話，便要好好利用這個桃花月多些外出，給自己製造多些機會。

身體

相沖月已經過去，身體又回復到平常狀

態，惟本年始終是容易碰上意外損傷的生肖，駕駛態度仍然是要注意的，駕駛時盡量從容一點，方能免一時心急而犯了錯誤。

是非 上月之烏雲已經散盡，代之而來的是霧水桃花月，而這霧水桃花對人緣之交往的幫助是大的，外出應酬時容易給人留下良好印象，就藉此桃花月多些相約客戶傾談好了。

農曆九月

本月為辛苦個人力量得財月，又要努力全心投入工作了，上班一族雖然不會因此而有額外收益，惟在這沖太歲年仍然能忙碌地工作，這最少代表在原來職位仍然有不錯的價值，算是保住了飯碗；尤其是春夏天出生，運程開始轉慢的你，一切以守舊為佳，能留在原來的工作單位，這是利多於弊的。

財運 從商自僱者本月又可以努力投入工作，爭取最佳收益了，這辛苦得財月最直接得益者必然是自僱者；因工作量與收入必然能成正比地增加，而從商的你，也能因工作忙了，接觸客戶的時間多了，自然能增加做成生意的機率。

事業 勞而有功，我且盡力。本月既然是辛苦得財月，就要好好準備面對較忙碌的工作，無論是收入穩定的上班一族，又或是從商自僱的你，本月工作步伐也是在前進的。

感情 無刑無沖無桃花，也不是相合月，感情運無喜無憂，惟本月因遙合之關係，容易出現來自遠方的心儀對象，又或者外出時遇上印象較深之人；惟本月並非桃花月，故可能只是給你留下良好的印象而已。

身體 本月並無刑沖，脫離相沖月又遠了一些，遇上意外損傷的機會逐漸減退；本月即使多些外出應酬，偶爾夜歸夜眠，健康運仍然是可以的，只要記着外出時喝酒不能駕車便可以了。

是非

本月為遙合月，人緣運雖然沒有桃花月那麼好，但也無須去提防是非，所以本月多外出應酬也好，埋首完成手頭工作也好，都無須分神去處理是非。

農曆十月

本月為肖猴的相穿月，雖然不及農曆一月及七月那麼不穩定，但本月仍然是要小心留意的。除了身體方面，小人是非也恐防會較多，故本月忙完工作以後最好便盡快歸家，望能把是非擋在門外。應酬方面，可以延遲的最好就延到下一、兩個月，效果必然會比本月佳；本月工作量仍然較大，但唯恐是事倍功半的一個月，故本月宜抱着只問耕耘，毋問收穫的心態便沒有那麼容易失望。

財運

本月依然是辛苦個人力量得財月，收入不穩的從商自僱者可能仍然有額外收益；惟本月是你的相穿月，平常之年份可能只是有少許是非，惟今年是沖太歲生肖的你唯恐這是非會擴大而影響到你的工作運，故本月在財運上不要太過着緊。

事業

我且盡其力，厚薄隨其緣。本年本月仍然是辛苦個人力量得財月，事業仍然在進展中；惟本月是你的相穿月，在公在私都容易會是非較多，而這必然影響到你的工作效率，故本月要在心態上好好調整，不要太過着急。

感情

月令與肖猴的你相穿，連帶感情都容易出現小風波，既然農曆一月、七月都度過了，本月互相忍讓一下便可安然度過，又或者本月少一點相聚，這也能減免意見不和。

身體 申亥相穿，女性的猴特別要小心腎、膀胱、泌尿系統等毛病。本月生冷冰凍之物要少沾為上，又本年沖太歲又遇上這個相穿月；情緒方面亦要注意，否則容易因情緒不能鬆馳，影響到睡眠質素。

是非 木雕老虎當門立，不傷人時也驚人。本年沖太歲的你來到這個相穿月，也是要提防一下是非的，雖然本月不及農曆一月、七月，但也是要減少外出應酬為佳，以免外出多了而是非滿盤，影響到自己的心情便不好了。

農曆十一月

本月為思想學習投資月，秋冬天出生的你如果在本年想作出新嘗試的話，本月將會是第一個機會，尤其是做零售又或者從事飲食，將可以把握聖誕新年及農曆年前的旺季，從而增加你的成功率；如果打算看清形勢，再作打算，本月亦可以多些外出與朋友、客戶諮詢，待到其他年份或二〇二五年時再決定是否進攻也好。

財運 本月為思想學習投資月，惟年已近終，在這時進修好像不是好時機，眼前假期亦會影響你的專注力，倒不如藉此學習月，花多些時間去籌備聖誕新年假期好了，而這研究亦可增進你對目的地的了解，增加你的旅遊樂趣。

事業 欲左欲右，心中不定。本月的思想學習投資月，與春夏天出生的你關係不大，因學習或投資於你都不是一個好時機，惟秋冬天出生的寒命人如果想在這時作出轉變，時機是適合的；但如果是習慣穩定的你，要踏出第一步也是需要有相當勇氣的。

感情 本月為肖猴的相合月，感情又轉趨穩定，讓你商討假期去向時，不致於鬧意見而影響到你的假期心情；而單身者本月能脫離單身的機會不大，如不想孤單地度過假期，便要早些相約朋友或家人了。

身體　本月為肖猴的相合月，健康運又回復正常，因今年沖太歲而引致容易損傷的機會是不大的；即使因假日放縱一下胃口又或者偶爾夜眠，健康狀況仍然是可以的。

是非　本月為肖猴的相合月，人緣運又回復正常，且假期在即，每人都忙於完成手頭工作，放假去也，都無閒心去惹是生非；故本月人緣運良好，無需刻意提防是非。

農曆十二月

本月為思想學習投資月，又是肖猴的桃花月，本來這是有助開展新項目的，惟農曆假期在即，時機上是否適合，就要自己去計算了。但總的來說，本月必然能因桃花月之助而令人緣運良好，連帶事業運都能得益；單身者還可藉此桃花月而多些外出，看看能否在農曆年前給你碰上心儀對象，讓你不用再單身地度過假期。

財運　本月為思想學習投資月，即使不去學習，也不投資，也必然因農曆年假期而多了一些額外支出，加上本月並非財運月，財運能突然增加的機會不大，故在開支上便要量入為出了。

事業　一年來到此月，已經快到了終結時，即使有心作新嘗試，也應該待明年新開始時再去籌劃好了；本月倒不如好好籌劃農曆年假期，讓假期時可以盡量放鬆，留待明年再行用功好了。

感情　本月是肖猴的桃花月，單身者能否因沖太歲年而為你沖出一段感情來，本月是最後一個好機會了；而已有固定感情者，本月亦能因桃花之助而加深相互了解，讓感情能再進一步。

身體 本月為肖猴的桃花月，人緣運比上月更佳，加上本月工作量不大，並無為你加添壓力，加上假期在即，連腎上腺素都上升了，這必然能增加抵抗疾病的能力，讓你過一個健康愉快的農曆年假期。惟西曆二月四日後立春開始，又到了你的相沖月，去年沖太歲的餘氣會再浮現；故二月四日立春後仍在假期中的話，在舟車之上仍然是要小心的。

是非 桃花月，人緣佳，是非自然遠離。加上假期接假期，實際工作的日子大大減少；在忙碌的工作量下，哪能分神去惹是生非，故本月人緣運仍然是良好的。

肖雞運程

寒命人——出生於西曆八月八日後、三月六日前（即立秋後、驚蟄前）。

熱命人——出生於西曆五月六日後、八月八日前（即立夏後、立秋前）。

平命人——出生於西曆三月六日後、五月六日前（即驚蟄後、立夏前）。

- 一九三三
- 一九四五
- 一九五七
- 一九六九
- 一九八一
- 一九九三
- 二〇〇五
- 二〇一七

肖雞

去年太歲相合的你，人緣運仍然是可以的，但來到本年人緣運轉歸平穩，因本年並非相合或桃花月，人緣運也不算是特別好，但也並非沖犯太歲生肖，算是一個平常的年份。

今年肖雞為貴人舒服懶年，在這六年水火互換的時候，把腳步放慢是一個最佳時機，平、熱命人要開始部署退守；寒命人則相反，要開始部署一下前面六年順運應怎樣度過，平穩地留在原地又或者想作新嘗試，考驗一下自己的能力，這都是要好好細想的，所以在今年放慢一點腳步是適當的選擇。

今年吉星有「龍德」、「紫微」，為有力之貴人星，這星在這時候出現是一個良好的時機，平、熱命人望能因貴人之助而減慢下降軌跡；寒命人則望能因貴人帶引而令你闖出一條新路來。

凶星有「的煞」、「破碎」、「暴敗」、「天厄」等，無甚影響，無需理會。

寒命人 今年為木火運的第一年，往後六年木火運你的運程將會逐步提升，即使未入大運，有時也能因一段好的流年運而把你提升一步；如果已經入了大運，在這段期間更要積極進取，望能在這期間，獲得最好成績。

熱命人 你的順運終於來到終結了，但這也是要看實際情況，因為有些人的運程是會延後的，在二〇一六至二〇二一年期間，如果你發現二〇一六年、二〇一七年、二〇一八年只是平平而已，你的好運可能要延至二〇二四年底；否則，本年夏天便要開始退守了。

平命人 一生平穩的你，比較下來也是金水年較佳而木火年較慢，由今年開始之六年木火年，相信你的步伐會慢下來，甚至停滯不前，又或者慢步向下；總之，本年開始一切都是以不變應萬變方為上策。

一九三三年出生的雞—今年為權力地位提升年，惟年事已高，這提升可能只是家裏添了小成員而令你輩份提升，又或者年近九旬的你更受人關顧而已。

一九四五年出生的雞—今年為財運年，除非是從商自僱者，人仍在職場裏面；否則，到了這年紀財運仍能提升的機會始終不大，而這財運亦可能是因舊有投資的收益上升，又或者晚輩多給些零用錢罷了。

一九五七年出生的雞—今年是思想學習投資年，踏入退休年齡的你，如果在這時候才作新嘗試相信會有些冒險；但如果已經在商場上，這個投資年仍然是可以考慮的，尤其是秋冬天出生的寒命人，說不定仍能開創新機。

一九六九年出生的雞—今年是辛苦個人力量得財年，這對自僱者幫助最大，因收入必然能因工作量上升而有所增加，其次是從商者；而收入穩定的上班一族，本年可能徒添忙碌罷了。

一九八一年出生的雞—今年是貴人舒服懶年，一生差不多過了一半，來一個中期檢討也都是時候了，餘下的工作時間，短則二十年，長則三、四十年，到底是沿着現在的路向一直走到底，又或者另尋新路，嘗試一下自己的能力也都是要細想的。

一九九三年出生的雞—今年是權力地位提升年，快踏入三十歲的你，今年給你迎來一個努力爭取的好機會，看看能否在三十歲前為事業打下穩固的基礎，上班一族固然可以努力爭取升遷；從商自僱者亦可以努力把自己在行內的名聲提升，讓日後的路能夠走得更長更廣。

二〇〇五年出生的雞—今年為財運年，踏進十七歲的你開始踏進社會一嘗自力更生的滋味也好，正在求學在公餘時間做一些兼職賺錢也好，在這個財運年都是有利的。

二〇一七年出生的雞——今年為思想學習年，踏入五歲的你，每一樣事物都是新奇的，都在不經意地吸收，故這個學習運不一定是指在學業方面，亦指在日常生活方面的。

財運 今年為貴人舒服懶年，除了一九八一年出生的雞行辛苦運可能會積極一點外，其他肖雞者可能給一顆慵懶的心絆着，故本年在財運上就不用太緊張積極了。

事業 今年是貴人舒服懶年，故在事業上也不用太過積極，而這也是適當的，因今年是水火互換年，平、熱命人順運將退未退；寒命人進入順運的第一年也是將進而未進，誰都沒有百分之百的優勢，也都是要按眼前情況才去決定攻守，故今年放慢一點腳步也都是合適的。

感情 本年並無刑沖，亦非桃花相合生肖，故感情算是平穩的一年，讓你倆可以平平淡淡地體驗細水長流的日子；其實這才是感情的常態，激情只會一瞬即逝，留下來的是日增月盛的感情，又或者發現互相不合而日漸遠離或貌合神離；今年不是桃花年，單身者只能捉緊農曆五月及十一月這兩個桃花月，看看能否為你及早脫離單身行列。

身體 今年並無刑沖，突然遇上意外損傷的機會不大，加上是貴人舒服懶年，工作量不大，對健康運有正面幫助，又加上並無疾病損傷星，無外來的壞影響，故在整體健康運是可以的，無甚麼要特別注意。

是非 無刑無沖無是非，但也不是桃花或相合年，人緣運不及上兩年好，但也不是是非特別多的年份，只要言行謹慎，不去招惹是非，本年人緣運還是平穩的，也不用太過去防備是非。

農曆一月

本月為思想學習投資月，今年為貴人舒服懶年，應該放慢一下腳步，細想一下日後去向，故投資方面就慢一點去想好了；惟學習進修在此時此刻是適合的，往後日子是守是攻，現在去學習進修也必然有幫助。即使去進修一些與職業無關的學科，說不定日後有用得着的機會，退一步而言，學習一些自己喜歡的事情，在過程中也是開心的。

財運 本月為思想學習投資月，即使不去學習投資，農曆一月也不難是一個花錢較多的月份；故本月開支方面要謹慎一點，以免在一年之始便把財政搞壞，影響到往後的部署。

事業 本月為思想學習投資月，如果想在今年作新嘗試的你，本月可以多些相約朋友、客戶外出諮詢他們的意見，反正農曆一月傳統上也不是一個特別忙碌的月份，就花多點時間去了解社會行程；尤其是今年開始進入順運的寒命人，在踏出第一步時吸收多一點資訊也是應該的。

感情 本月是本年的犯太歲月，但與肖雞的你並無直接關係，除非另一半是本年沖犯太歲的生肖，才會出現一點小風波；否則，本月在感情運方面是平穩的。

身體 本月為本年的犯太歲月，是一個交通意外的高危月，這雖然與肖雞的你並無直接關係，惟駕駛者仍然是要小心為上，因路上一定會碰上今年沖犯太歲的生肖，怕一不小心便給意外牽連上。

是非　本月肖雞的你是非不多，縱然本月是本年的犯太歲月，外間氣氛可能不太融和，惟肖雞的你本月給是非牽連上的機會不大，只要在外出多諮詢客戶、朋友時，不要以是非賣人情，是非是不會無故牽上你身的。

農曆二月

本月為思想學習投資月，又是肖雞的沖太歲月。如果春夏天出生的平、熱命人，可以選擇的話，事事以不變為佳，新投資更不用去想，而舊有投資則要看實際情況去決定，可進則進，不可進則守，因此後數年能有進展的機會始終不大；反而秋冬天出生的寒命人，如無可避免地要去轉變的話，說不定是命運給你帶來新機，惟總的來說，在這一年之始，可以的話以不變為佳。

財運　本月是思想學習投資月，而不論學習或投資，都是有些額外開支的；又本月為肖雞的相沖月，有外出之動象，雖然本月並非假期，但想外出旅遊，抒發一下不穩定的情緒仍然是可以的，故本月開支可能會比平常為多。

事業　欲進未能進。雖然是思想學習投資月，惟投資方面可能不是一個太好的時機，因平、熱命人好運將盡，寒命人好運又未正式開始，在這晦暗不明的時候，還是以守為上策。

感情　本月為肖雞的相沖月，感情唯恐不太穩定，惟肖雞的你今年並無刑沖，鬧一點點小意見，是不會嚴重影響到雙方關係的，又或者本月減少一下見面時間，這亦可以防備是非不和。

身體　本月為肖雞的相沖月，金木交戰，刀傷車禍。雖然今年不是損傷年，但仍然是要小心一點為上，尤其是駕駛者更要小心提防，以免因一時着急而引致車禍那就麻煩了，總之，本月要提醒自己冷靜一點，切勿心急行事。

是非 本月是肖雞的相沖月，是非必然較其他生肖為多，即使仍然是思想學習投資月，惟想作出新嘗試的你本月也不宜太多外出應酬，方能免因接觸陌生人多了而惹來滿盤是非。

農曆三月

本月為肖雞的財運月，也是相合月，除了人緣明顯比上月為佳外，亦可以努力去爭取財運，這對從商者最有幫助，財運必然代表生意順利，讓你得到不錯的收益；其次是自僱的你，雖然沒有辛苦得財運的財源來得那麼直接，財運月始終也是容易有得益的；上班一族雖然不會因一個財運月而收入有所改變，但在平和的氣氛下工作，也算是另一種得益。

財運 本月為肖雞的相合月，與上兩個花錢月來一個大轉變，從商自僱的你本月要好好努力，望能把上兩個月所花的都可以賺回來；惟本月是復活節假期，不論外出與否，都會有一些額外花費，不難是一個財來財去的月份。

事業 本月是肖雞的相合月，上月的不穩定因素已經消除，且來到本月木火運正式開始，秋冬天出生的你要開始感受事業是否開始日漸暢順；如果是的話，本月以後不論想轉工，又或者想作新嘗試都是可以積極考慮的。

感情 本月是肖雞的相合月，上月的不穩定因素已經消除，代之而來是一個感情穩定的月份；即使復活節期間相約外遊，也不會出現甚麼亂子，讓你可以全心投入假期，這必有助感情更加穩定。

身體 相沖月已經過去，代之而來是穩定的相合月，故本月在身體上無甚麼特別要注意的，即使在假期中偶爾夜歸夜眠，健康狀況仍然是可以的。

是非 雲開霧散，天朗氣清。上月之烏雲已經散盡，本月為人緣運要好的相合月，雖然整體社會氣氛不是特別融洽，但也不是是非特別多的月份，只要肖雞的你自身人緣運好，故仍可以藉此月多些外出與客戶、朋友傾談，這不論對順逆轉變中的寒、熱、平命人都可以帶來啟發的。

農曆四月

本月為肖雞的財運月，也是相合月，人緣及財運不比上月差，惟本月是本年的相刑月，整體社會較不平和，這對肖雞的你也間接有影響，唯有盡量少些外出應酬，謹守本份，做好手頭工作算了；雖然這對爭取成績可能帶來負面影響，但這種比高調行事而惹上是非為佳。

財運 不如閒中尋樂，何必為錢重肩。雖然本月是你的財運月，但因本月為本年的相刑月，外間恐怕多風雨。如果不想給風雨沾上你身，本月可以先行放慢腳步；但如果因上月假期開支多了，本月想在財運上豐富一點，也可以埋守於自己的工作，工餘少些應酬亦是良策。

事業 本月雖然在暗中權力提升之中，但本月為本年是非較多的月份，這個暗中權力提升只代表要管的事情多了，責任大了，職位卻不會因此而改變；反而容易因這是非月惹來是非，故本月可以的話，就盡量低調一點好了。

感情 本月是肖雞的相合月，感情運是穩定的，除非另一半是本年沖犯太歲的生肖，才容易出現小風波；如果真是這樣，唯有給對方多些忍讓，多些理解，待本月過後，又一切如常了。

身體 本月為本年的相刑月，容易出現皮膚及

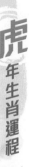

腸胃等流行疾病，雖然這與肖雞的你並無直接關係，但為怕給這些小毛病牽連上；故在飲食上還是要檢點的，本月生冷煎炸之物要盡量少沾。

是非　雖然本月是本年的相刑月，外間恐多風雨，惟這與肖雞的你並無關係，因本月你是人緣運不錯的相合月，惹上是非的機會不大，如不想糾纏於別人的是非當中；本月亦可以獨善其身，少一些外出應酬。

農曆五月

本月為權力地位提升月，也是肖雞的桃花月，本年的相合月，不論肖雞的人緣運，還是整體社會氣氛也都是良好的，這讓你在爭取別人認同時可以全力以赴，不用分神去提防是非。上班一族此月如果知道公司準備作內部提升，亦可以努力爭取，而升遷運與好運壞運是沒有直接關係的；故不論春夏秋冬出生的平、熱、寒命人也可以努力爭取，機會也是均等的。

財運　本月為權力地位提升月，上班一族如果能落實升遷，財運才有可能增加，而從商自僱者，本月也算是名高利少的月份；惟本月在提升自己在行內的名聲時，反而可能因外出應酬多了而開支比平常多，但這些支出是值得的，因不論從商者自僱的你，名聲是生意的保證，長遠而言必能對財運起到正面作用。

事業　明中用力少，暗中耗神多。本月為權力地位提升月，不論是爭取升遷的上班一族，又或者是爭取別人認同的從商自僱者，暗中都要下不少工夫的，而這些工夫又不能做得太過明顯，變成硬銷自己；故本月在事業上是要盡不少心力的。

感情 本月是肖雞的桃花月，也是本年的相合月，不論對已有穩定感情者，又或是仍然是單身的你都能帶來正面作用；單身者可藉此桃花月多些外出，多接觸些陌生人，看看能否因一個桃花月而為你帶出一段新感情來。

身體 本月是肖雞的桃花月，又是本年的相合月，不論自身又或者社會氣氛都是平和的；即使在爭取別人認同時可能要多費一些心力，但本月健康運仍然是良好的。

是非 本月不論肖雞的你，又或者整體社會氣氛都是良好的，即使在爭取別人認同時可以積極些、進取些，也不會因此而招惹是非，讓你可以無憂地放手去做。

農曆六月

本月仍然是權力地位提升月，從商、自僱又或者是上班一族，仍可以努力爭取權力地位提升。雖然本月並非桃花月，人緣運不及上月的好，但本月是本年的桃花月，整體社會氣氛較上月平和，讓你在爭取別人認同時也不用太多顧忌，可以全力進取。

財運 從商自僱者本月仍然是名惠而利不至的月份，但生意是看長線的，收成也不用急在一時；而上班一族除非能落實升遷，否則本月財運亦不會有甚麼突破，惟本月亦非破財月，故財運沒有提升，也沒有減少。

事業 緣外結緣，路外開路。從商自僱的你仍然是一個擴大人際網絡的月份，故在應酬上可能會比平時多，因為這是一個鋪路的月份，在事業及財運上就不必急在一時；生意網絡或人際網絡擴大了，長遠而言，必然是利多於弊的。

感情 肖雞的桃花月已經過去，但單身的你也不用太過失望，因本月是本年的桃花月，你仍然可以多些外出碰碰機會，看看今年的桃花生肖，如肖羊、牛、兔者會不會看上你，讓你成為他人的桃花。

身體 三夏火旺之時，唯一要注意的是皮膚問題。雖然肖雞的你本月並無刑沖，但在飲食上也是要注意一下的；煎炸燥熱之物記着要少沾，尤其是平常已經有着皮膚問題的你就更要小心。

是非 依然無事納禎祥，幾朵梅花撲鼻香。本月是本年的桃花月，本月並無刑沖的你，是非不多；故仍然可以受惠於這個本年的桃花月，即使多出席些行內活動，結果也都是正面的多，負面的少，是非方面更不用太過提防。

農曆七月

本月為貴人舒服得財月，本年你又是貴人舒服懶運的生肖，在本年的相沖月放慢一點腳步也是合適的；因本月容易因本年的相沖月而產生變化，而這個變化之後的好壞是要自己去衡量的。簡而言之，以運氣而言，秋冬天出生的寒命人變好的機會較大，而春夏天出生的你，必然是變差的機會較大了。

財運 本月是貴人舒服懶月，財運就先不要着急好了，因今年下來連續六年都是木火，在攻守之間一定要好好部署；否則在順逆之間難免會出現差池，必然會影響財運之順逆。

事業 春而復夏又秋冬，寒暖相還事不同。今年為水火互換年，本月又是本年的相沖月，事業亦容易出現變化，唯一可做的就是順其自然，看看命運帶領你到何方，尤其是春夏天出生的你，事事宜採取守勢；相反，秋冬天出生的寒命人在靜待時機，宜在時機來前作好準備便是了。

感情　本月是本年的相沖月，除非另一半是本年沖犯太歲的生肖，感情才會出現風波；否則這個相沖月與你無關，不會因此而為你沖來或沖走一段感情。

身體　本月是本年的交通意外高危月，雖然這與肖雞的你並無直接關係，因今年你並無刑沖，本月亦非相沖月；但因車在路上，總會碰上今年沖犯太歲的駕駛者，只怕不小心會給意外牽連上，故本月駕駛外出時仍然是要格外留神的。

是非　本月是本年是非較多的月份，但這與肖雞的你並無關係，而且你還是這個月的霧水桃花生肖，自身人緣運是可以的；如果有需要多些外出接觸陌生人或出席多些群眾活動，也不會因此而惹上是非。

農曆八月

本月是肖雞的犯太歲月，每年到此月都要提醒你要正面一點，莫給負面情緒對你構成困擾，尤其是轉入逆運中的平、熱命人，在心態上更要好好調整過來，今年運氣可以延續的話，算自己是幸運；不能延續而向下滑的話，也要及早作出心理準備；即使進入旺運中的寒命人，有時也會在運氣轉順而又未順之際，情緒會有些忐忑。

財運　本月為貴人舒服懶運，情況與上月差不多；惟人緣運及情緒上則不及上月那麼好，因本月始終是你的犯太歲月，既然如此，財運就先不用太過緊張，待這月過後再行努力好了。

事業

無喜又無樂，名曰寂寞。本月為貴人舒服懶月，人可能不是太過積極，加上又是肖雞的犯太歲月；雖然今年並無刑沖，惟有時情緒也會受到月份影響而出現忐忑，故本月在事業運就先行放慢腳步好了。

感情

本月為肖雞的犯太歲月，自身情緒容易不穩，間接在感情上亦要好好提醒自己盡量正面一點，勿讓這負面情緒影響到你倆的關係。

身體

交通意外高危月已經過去，但代之而來的是肖雞的犯太歲月；除了駕駛時要好好集中精神外，平常走路切菜又或者做運動時也要小心，以免因一時失神而發生意外。

是非

心頭亂，意慌慌。雖然今年並無刑沖，並非犯太歲的生肖，但在人緣及人際往來方面的影響本月是要格外留神的。雖然犯太歲月影響不是太嚴重，但不想因一時之大意而破壞了先前打好的人際關系，本月就少一點外出應酬好了。

農曆九月

本月為辛苦個人力量得財月，上兩個月放慢了的腳步，本月又要積極起來了，因本月為辛苦個人得財月，對不論是寒、熱、平命的自僱者都是能有幫助的，收入必然會跟工作量上升而有所增加；最多是平、熱命人是事倍功半，寒命人是事半功倍而已，但總比徒勞無功為佳。但從商者則不同，收入不一定跟努力成正比的，故寒命人可以積極一點，平、熱命人則以退守為佳，方能免因勤得拙。

財運

本月還是上班一族會較為安穩，因上班一族受自己運氣的影響較少，尤其是從事公職或者收入穩定的專業上班族，運程順逆雖然也有影響，但其實受公司運程的影響會較大，公司順時，整體員工皆好；公司逆時，個人運氣也無補於事。

事業 本月為辛苦個人力量得財月，最受惠的是自僱者，因工作忙了，代表事業在進展中；不同從商或上班一族，忙碌的工作不一定能帶來實質收益，也不能代表事業在進展中。

感情 本月雖然為辛苦個人力量得財月，工作量大了，雙方見面的時間少了，但這不一定代表感情會出現問題；雖然本月是肖雞的相穿月，容易出現一些小小風波，但這對感情不構成壞影響，更可能增加相互了解。

身體 本月為肖雞的相穿月，影響是極其輕微的，最多是皮膚及腸胃的一點點小毛病；只要工餘學識放鬆自己，這些小問題是不會變化的。

是非 雖無大礙，頻多小疵。因本月是肖雞的相穿月，大問題看不到，但容易給一些小是小非纏繞着，可能約會遲到，忘了約會等等的一些私人的小事情，讓相約的朋友稍有怨言。

農曆十月

本月為辛苦個人力量得財月，自僱者仍然可以努力去爭取好成績；從商的你，努力工作的成果雖然不一定成正比地增加，但努力嘗試一下也是無妨的，最少自己努力過，收入增多了固然好，即使沒有增多，但與客戶多了互動，別人有需要時，想起找你的機會自然可以增加。

財運 財似霏霏雨，還需努力追。自僱者本月仍然可以全力投入工作，望能爭取更佳成績，本月工作量雖然大增，但看見財運也能相應增加，忙碌過後，心情仍然是愉快的；收入穩定的上班一族，雖然不會因一時的工作量上升而令收入有所改變，但看見自己仍然有不錯的價值，心情也都是愉快的。

事業　辛辛雖嘗苦，勞勞終得甜。本月為辛苦得財月，不論是從商，自僱又或者上班一族，能夠忙碌地工作也都是好的，代表在職場或商場中，自己仍然有不錯的價值；即使收入不一定有所上升，但這仍然是對自己的一種肯定。

感情　本月並無刑沖，亦非相合或桃花月，感情運不是特別好，也不是爭吵鬧意見月；惟本月是本年的相合月，整體社會氣氛是平和的，這亦有助你倆的感情。

身體　剛踏入冬天，天氣乍寒還暖，最容易因一時不慎而引發氣管毛病，故外出時記着帶備些衣物以作不時之需，以免因外出後夜涼而引致疾病入侵。

是非　雖然本月並非肖雞的桃花人緣月，惟本月是本年的相合月，整體社會氣氛是良好的，這對肖雞的你亦有幫助，最少在爭取好成績時無需去顧忌是非。

農曆十一月

本月為思想學習投資月，踏進順運的寒命人，這是第一個好時機，如果真的想作新嘗試，是可以積極考慮的；而踏入逆運中的平、熱命人，則可以選擇在這時再作進修，尤其是上班一族，不時都要為自己增值，方能免被社會淘汰；而已經在從商且寒命人，今年起可以加大投資。相反，平、熱命人可進則進，不可進則守，切勿盲目冒進，即使眼前有良好機會，也要三思而後行。

財運　本月為思想學習投資月，即使不學習也不作新投資，本月依然會因聖誕新年假而有些額外支出，故本月不難是開支較多的一個月；

故在財政運用上要得宜，以免因開支過度而壞了財政。

事業　條條長路來通津，策放從新始見成。本月是思想學習投資月，秋冬天出生的你，如果想作新投資嘗試，本月是一個起步的好時機；但如果本年信心未定的話也不用急在一時，因二〇二三及二〇二五年都是一個好時機。

感情　本月為肖雞的桃花月，已有穩定感情者，本月必能因桃花月之助而令感情更加融洽，讓你能開心地度過假期；單身者則要在假期前努力一些，看看能否在假期前開展到一段新感情，讓你的假期增添姿采。

身體　本月是肖雞的桃花月，心情是輕鬆愉快的，即使有時因思想學習投資月，決定不了要變動否，心情難免有些忐忑；但整體下來，本月之健康運仍然是良好的。

是非　桃花月，人緣佳，是非想入侵也無從。即使研究是否開展新路時，多了外出作諮詢，別人也是樂於幫忙的，更不會因此而惹上是非。

農曆十二月

本月依然是思想學習投資月，惟年之將盡，在此時作新投資又或者去學習進修都不是一個適當時機，倒不如收拾心情，盡快完成手頭工作去享受一個農曆新年假期；又本月是肖雞的相合月，自身的人緣運是良好的，加上又是本年的桃花月，整體社會氣氛亦是良好的，讓你努力完成手頭工作時，不用分神去處理是非。

財運　雖然本月並非財運月，還可能因農曆年假期而開支大增，惟本月是肖雞的相合月，人緣運是良好的，讓你在急迫的工作下也能從容度過，而這也算是另一種得着。

事業　雖然本月是思想學習投資月，惟年之將盡，作新嘗試並不算是一個好時機，但如果已經是在商場中的你，在此月加大投資是可以的，又或準備在工作上作出新嘗試又或者轉換工作環境的話，本月也是可以的；但這當然是指秋冬天出生的寒命人而言，因春夏天出生的你，應該都是以守為佳。

感情　本月是肖雞的相合月，自身的感情運是穩定的；而單身者未能因本年的桃花月開展到新感情，本月仍然是可以努力的，因本月是本年的桃花月，單身者仍然可以多些外出，看看能否成為別人的桃花。

身體　本月為本年的相合月，突然遇上意外損傷的機會不大，加上本月又是本年的桃花月，整體社會氣氛亦是良好的；故本月的精神壓力不大，這對健康運亦能起到正面作用。

是非　本月是本年的桃花月，整體社會氣氛是良好的，加上肖雞的你本月又是相合月，自身的人緣亦是良好的，且假期接假期，每個人都忙着完成手頭工作放假去也，都無暇去惹是生非。

肖狗運程

- 一九三四
- 一九四六
- 一九五八
- 一九七〇
- 一九八二
- 一九九四
- 二〇〇六
- 二〇一八

寒命人——出生於西曆八月八日後、三月六日前（即立秋後、驚蟄前）。

熱命人——出生於西曆五月六日後、八月八日前（即立夏後、立秋前）。

平命人——出生於西曆三月六日後、五月六日前（即驚蟄後、立夏前）。

肖狗的你去年為太歲相刑年，是非較多，身體亦容易出現不適，惟每年都是有連貫性的，不會因立春新的一年開始便可以切斷去年之影響，故本年春季仍然要小心飲食，提防是非，待夏季來臨時便可以感受到今年遙合年的貴人助力。

今年為肖狗的遙合年，容易有遠方貴人扶助，這對從事常接觸外國人又或者要常外出公幹的你最為有利，亦最能感受到貴人的助力；如工作不用外出又只接觸到本地人，這遙合對你並無幫助。

今年為辛苦個人力量得財年，對收入以件工計算的自僱者最為直接，收入必然能因工作量上升而相應增加；其次是從商的你，因工作量大了，接觸客人的時間多了，做得成生意的機率自然提升，財運亦會相應提升；而收入穩定的上班一族，不會因一時工作的多寡而收入有所改變，故今年難以在上升的工作量而得益。

今年吉星全無，故缺乏外來助力，加上今年又是辛苦年，事事難免都要親力親為，惟整體亦必然比去年太歲相刑為佳。

凶星有「華蓋」，心情容易覺孤獨、不開朗，猶幸本年人緣運佳，苦悶之時可約三數知己外出，以解寂寥。

其他凶星有「天雄」、「飛廉」、「大煞」、「白虎」等無甚影響，可無需理會，故本年可算是吉凶星都無需特別注意的年份。

寒命人 今年為木火運的第一年，去年太歲相刑加上運程一般，相信整年下來都不難是事倍功半的年份，甚至毫無寸進，又或者現在也仍在谷底，但來到這年可以來一個大翻身，即使本年未能馬上好轉，但必然也比去年是非多、腸胃不佳的流年好得多。

熱命人 去年是金水運之最後一年，希望不會因太歲相刑而拖慢了你的運氣；因來到今年，雖然是遙合年，易得遠方貴人扶助。惟今年是木火年的開始，此後六年你都是要採取守勢的，故今年即使有貴人之助，但也不會有甚麼大進展；惟有時運氣會推遲三年的，如果之前的順運在二〇一九年才開始，則可以延到二〇二四年底。

平命人 雖云一生平穩，但總結下來也是金水年要順利一些。今年開始六年木火年，你的運程亦會稍慢下來，惟去年太歲相刑，是非較多，來到此年即使不順，但最少也可以不用提防是非小人，腸胃也會比去年好得多。

一九三四年出生的狗——今年為財運年，惟年近九旬的你，財運能因此而增加的機會不大，即使是從商者，在這時應該已無心商場了，可能只是因有投資收益豐厚些又或者是晚輩給你多些零用罷了。

一九四六年出生的狗——今年為思想學習投資年，除非已在商場上，否則在此年開始投資可能有一些冒險，惟學習新知識就任何時候都是可以的，正所謂活到老，學到老，時刻都要與社會緊貼一些，方能免被社會淘汰。

一九五八年出生的狗——今年為辛苦個人力量得財年，雖然年過六旬，相信仍然是有心有力，因現代人始終長得較為年輕，六十多歲思想成熟，加上社會閱歷，相信仍有機會創出新機來。

一九七〇年出生的狗——今年為貴人舒服懶年，五十有二的你今年可能會慵懶一些，但這也是無妨的，正好讓你在退休前冷靜部署，到底六十歲之後繼續工作，還是另有打算，在這個慵懶的年份可以讓你細想。

一九八二年出生的狗——今年為權力地位提升年，踏進四十歲的你，尤其是上班一族，要好好努力，看看這個地位提升年能否更進一步，從商自僱者亦可藉此年把自己在行內的名聲提升，讓自己能踏上一個新的台階。

一九九四年出生的狗——今年為財運年，接近三十歲的你，是時候開始發力了，望現在開始努力，到了三十歲前能多做出一些成績來，做到三十而立。

二〇〇六年出生的狗——今年為思想學習投資年，而這投資當然是指自己在人生上的投資，不論本地求學又或者遊學他處，本年都是一個吸收學習年，不難獲得滿意的成績。

二〇一八年出生的狗——今年是百厭活躍年，踏進四歲的你，每件事對你來說都是新奇的，有無限的吸收能力，故活躍一點也是正常的。

財運

今年是辛苦個人力量得財年，收入不穩的從商自僱者比較容易獲得不錯的成績，擺脱去年太歲相刑之是非年，今年在爭取財運時應該比去年容易得多，進入順運中的寒命人固然有利；而進入下降軌跡的平、熱命人，說不定仍然在金水流年的餘氣下，財運仍然可以在進展。

事業

今年為辛苦個人力量得財年，不論財運能否有突破，相信事業運都容易比去年太歲相刑是非多的年份較容易取得進展；即使收入穩定的上班一族不會因工作量上升而收入有所增加，但在崗位上仍能有不錯的價值，這也是對內心的一種提升。

感情

去年太歲相刑，感情亦容易出現不穩，而今年正好是讓你修補感情關係的年份；惟今年並非桃花年，單身者能開展到一段新感情的機會不大，如果不想再單身下去，唯有好好把握農曆二月、四月、十月這三個桃花月好了。

身體 去年對腸胃的不良影響，是會延續到這個春季的，故春季在飲食上也要多加小心，夏季以後踏進虎年之氣，肖狗的你並無刑沖，身體狀況必然比去年佳；惟夏秋天出生的你，在皮膚方面要小心點，因踏進今年以後為木火燥年，皮膚比較容易出現敏感。

是非 去年太歲相刑之是非是會延續到這個春季的，尤其是農曆三月是非仍多，夏季以後正式踏進虎年後，人緣運便會慢慢好起來；即使不是從事常外出或常往外地公幹者，雖然不一定能得到貴人之力，但本年總是較平和之年，是非必然比去年少。

農曆一月

本月為肖狗的財運月，惟一年才剛開始，在本月財運能夠突破的機會始終不大。除非上班一族在去年已落實升遷，來到農曆年後才可能有加薪機會，否則這個財運月可能不能兌現；從商自僱者情況一樣，農曆年過後很多公司仍然未投入全面運作，想努力爭取成績可能也無處着力，本月反而可能因新春應酬多了而增加了開支。

財運 財似霏霏雨，還需努力追。本月就先把人際網絡打好，多些外出與客戶聯繫，鋪定一條康莊大道，待本月下半月又或者下月開始，便可以努力工作去爭取最好成績。

事業 農曆年假期才剛完結，假期慵懶的心情仍在，事業就先不要着急好了，加上本年是水火互換的第一年，寒、熱、平命人無論是攻是守都是要先行部署的，故本月就放慢一下腳步，趁新春之時，商討一下今年攻守之道。

感情 上月相刑已經過去，本月是肖狗的暗合月，感情運是可以的；惟本月是本年的犯太歲月，如果另一半是本年的犯太歲的生肖，感情運才要小心。

身體 經過農曆年假期後，身心都回復到最高狀態，腸胃之疾逐漸遠離；惟本月是本年犯太歲月，駕駛者要小心駕駛，雖然肖狗的你今年並非沖犯太歲的生肖，惟車在路上甚麼生肖的駕駛者都會遇上，怕一不小心便會給意外牽連上。

是非 雖然本月是本年的犯太歲月，但這與肖狗的你並無影響，本月你是遙合生肖，自身的人緣運是良好的，即使多些外出與客戶聯繫，也不會因此而惹出是非來。

農曆二月

本月為肖狗的財運月，從商自僱者又可以努力爭取財運了，尤其是從商者，必然能因財運月而有所得益，不難是事半功倍的一個月份；其次是自僱者，本月付出的努力不難有相同的果實；上班一族收入始終穩定，本月唯有嘗試多買一些彩票，看看能否給你帶來一些意外收穫，即使沒有，算是做了點善事也好。

財運 財如春草，不見其生，日有所長。本月雖然是正財月，代表要經過努力才能獲得的財，並非意外橫財，但這對從商自僱的你也是習以為常的，故本月就努力一點好了。

事業 本月為肖狗的相合月，又是本年的桃花月，肖狗的桃花月，人緣運與整體社會氣氛也都是良好的，讓你努力工作之餘，無需分神去提防是非，這必能讓本月之事業運更加順暢；

而收入穩定的上班一族，本月亦能因桃花之助而令工作情緒上升，讓你能輕鬆地面對工作。

感情　本月為肖狗的桃花月，也是本年的桃花月，感情運比上月更佳；單身者亦可藉本月肖狗的雙重桃花多些外出，看看能否因這個桃花月而碰上心儀對象。

身體　本月為肖狗的相合月，突然碰上意外損傷的機會不大，加上本月又是桃花月，人緣運良好，心情也較輕鬆愉快，而這亦有助增加抵抗病毒的能力。

是非　不論肖狗者又或者整體社會氣氛也都是良好的，故本月不論努力爭取財運，又或多些外出應酬，反應也都是正面的多、負面的少，算是一個良好的月份。

農曆三月

本月為權力地位提升月，惟本月是肖狗的相沖月，自身是非唯恐較多，故上班一族如果想在本月爭取升遷，最好低調一點，以免爭取不到卻惹來與同事間的不和；從商自僱者亦不宜太過高調地出席行內活動，即使想建立更佳口碑，也是等待下月肖狗的桃花月，效果會更佳。

財運　本月為肖狗的相沖月，且乘接去年太歲相刑的餘氣，本月唯恐是非小人較多，加上腸胃容易出現不適，故不宜給自己太多壓力，故在財運上就順其自然好了，反正下個月是你的桃花月，那時再努力，成果必然更佳。

事業　表面風光，地位提升是非多。雖然本月是權力地位提升月，即使真的名氣地位有所提升的話，結果也不一定是好的；因本月是你的相沖月，是非必然較多，加上去年太歲相刑的餘氣再現，比較容易遇上工作的麻煩事，又不能馬上解決，整個月纏擾着你，故本月宜低調行事，方能免是非埋身。

感情

本月為肖狗的相沖月，感情亦恐怕不太穩定，單身者還好，沒有甚麼需要趨避；已有穩定感情者本月要好好控制自己的情緒，方能免爭吵、鬧意見而影響到你們的假期。

身體

土土相沖，腸胃不佳。雖然肖狗的你今年並非腸胃疾病生肖，惟本月始終是你的相沖月，且去年腸胃不佳的餘氣容易帶到這個月；故本月除了要在飲食上多加小心外，亦要盡量放鬆心情。

是非

閉口藏舌，閒事莫理。既然是自己的相沖月，為免是非無故纏身，本月就盡量減少外出應酬好了；即使無可避免要出席公司又或者行內活動，亦要盡量低調一點，待這月過後才積極進取也不遲。

農曆四月

本月為權力地位提升月，又是肖狗的桃花月，雖然本月是本年的太歲相刑月，外間恐怕較多風雨，惟本月是你人緣比較好的月份，仍然可以積極主動一點，外間的風雨是不會沾上你身的；上班一族如果知道公司想作內部提升，而你又有意思的話，不妨主動一點，雖然今年你並非地位提升年，但在這個桃花月仍然是有一定機會的。

財運

本月為權力地位提升月，又是肖狗的桃花月；不論從商、自僱又或者上班一族都可以努力去爭取，看看能否獲得更好成績，讓財運都能順應而上升。

事業

上班一族固然可以努力爭取升遷，從商

自僱者亦可以藉此月把自己在行內的名聲提升，故本月宜多些主動出席一些行內活動，讓更多人認識，這對日後事業、財運必然能起到正面作用。

感情 桃花月，這必然是對感情有幫助的，況且本月開始，便可以完全擺脫去年太歲相刑的壞影響，且單身的你還可以藉此月多些外出，看看能否因月令的桃花而令你找尋到心儀對象，從而開展到一段新感情。

身體 本月是你的桃花月，人緣運佳，連帶心情都好起來，這必然能增加你抵抗疾病的能力，即使因爭取別人認同時而多了出席一些飯局，也不會因此而惹出病來，本月算是健康運良好的一個月。

是非 除當塗之瓦礫，剪礙道之荊榛。上月相沖的壞影響已經完全消散，代之而來是人緣要好的一個月。雖然本月為本年的相刑月，但肖狗的你人緣運會比很多生肖為佳；正所謂人退我進，故本月積極一些去爭取別人認同是可以的。

農曆五月

本月為貴人舒服懶月，是時候放慢一下腳步，作一個中期檢討。寒命人如果發現開始轉順，往下來的日子也是可以的，但如果目前還沒有好轉跡象，那便要小心應對，因為有些人會在二〇二五年後才開始轉順的；相反，春夏天出生的你如果發現這個春季運程還可以，那順運有機會延至二〇二四年底，但這些都是要實際考證的，不要欺騙自己。

財運 窮通得失皆前定，何必怨天而尤人。在這順逆交接的年份，轉順轉逆也是運數使然；除非已經進入了大運中，才會一直平穩向上，否則大順之後必有大逆，大逆之後必有大順，這樣高高低低也是正常的，故本月就放慢腳步，細心觀察好了。

事業 有喜有憂，瑕瑜互見。別人之得可能是我之所失，相反亦如是，因今年以後火旺進氣，三夏又是火旺之時。秋冬天出生的寒命人應該開始轉順，而春夏天山生的平、熱命人則要小心觀察目前形勢，可進則進，不可進則守；如果發現目前運程開始轉慢，就要好好準備防守了。

感情 本月是肖狗的相合月，又是本年的相合月，感情運應該是穩定的，尤其是因上月桃花月才認識的異性，來到此月，感情更可以邁進一步。

身體 本月雖然不是桃花月，人緣運不及上月的好，但整體也算是不錯的，加上工作量不大，亦無甚麼工作壓力，只要接受運程之順逆交替，本月健康運是良好的。

是非 不論肖狗又或者與本年太歲，本月都是一個相合的月份，各樣事情都是穩定的；即使間時多了外出，是非也無需特別擔心，算是一個平和的月份。

農曆六月

本月為肖狗的相刑月，自身是非唯恐較多，腸胃亦容易出現不適，且下半月工作量突然增多，這亦會給你構成壓力；猶幸本月是本年的桃花月，整體社會氣氛是平和的，並沒有為你加添是非，故本月不論是非、壓力或腸胃問題都是由自己引發的，與外在環境並無關係，只要自己懂得放鬆，相信一個月的小問題，轉瞬間便會消逝。

財運

先懶後勤，本該如此。上半月工作量依然不大，但下半月卻突然忙了起了，讓你差點兒應付不來，加上本月腸胃容易不適，小人是非又比別人多；即使是收入不穩的從商自僱者也不宜太過積極，此運就等過了此月再行努力好了。

事業

勞人草草，小心翼翼。本月是肖狗的相刑月，是非小人、腸胃疾病都是由自身引發的，猶幸本月是本年的桃花月，不會為你增添煩惱，只要自己方面好好控制便可；故本月在工作上盡量放鬆一點，減輕競爭之心，這必能讓這月無是無非地安然度過。

感情

本月為肖狗的相刑月，連帶感情都恐怕不太穩定；固有的感情還好，如果因今年桃花月才開展的新感情，關係本來已經不是很密切，更容易受到本月的小衝擊而引發問題。

身體

本月土土相刑，腹部、腸胃、消化系統易生毛病，除了要在飲食上多加注意，盡量吃得清淡一點外，也要把心情放鬆，切勿因壓力而令情況惡化。

是非

圓月必虧，朝雲易散。由人緣要好的兩個月轉到是非較多的這個月，只要盡量減少外出應酬，這小小的一個是非月不會為你帶來軒然大風波的，況且肖狗的你本年不是是非生肖，亦無是非星，這個是非可說是轉瞬即逝。

農曆七月

本月為辛苦個人力量得財月，又是到了從商及自僱的你努力的時候了，惟本月為本年的沖太歲月，社會氣氛唯恐不太和諧，恐易生事端，這對要努力爭取的你，必然會帶來負面影響；故本月在努力之餘亦要調整一下心態，即使一分耕耘只能有半分收穫也要坦然面對，上班一族本月

「加辛」而不加薪也是理所當然的。

財運 本月為辛苦個人力量得財月，最直接受惠的是自僱者，收入必然能因工作量上升而有所增加；惟從商的你面對這個本年的沖太歲月，容易受到外界影響而成績沒有預期的理想，而唯一可做的就是調整一下自己的心態。

事業 上山多費力，有樹可扳枝。雖然本月是本年的太歲相沖月，外間唯恐較多風雨，惟肖狗的你只要盡力做好自己，減少些外出應酬；即使進步的步伐慢了，相信仍然是可以慢步前進的。

感情 本月為本年的相沖月，但這與肖狗的你並無直接關係，除非另一半是本年沖犯太歲的生肖，感情才會起波濤；否則，本月你的感情運是平穩的。

身體 本月為本年的相沖月，金木交戰，唯恐意外較多；故肖狗的你，本月也是要小心一點為佳，尤其是駕駛者，因車在路上，總會碰上今年沖犯太歲的生肖，怕一個不留神便會被意外牽連上。

是非 本月為肖狗的遙合月，易有遠方貴人扶助，尤其是對從事常往外地又或者常接觸外地人的生意會特別有利；否則，本月這個貴人運是起不了作用的，加上本月為本年的相沖月，唯恐社會氣氛不太和諧。肖狗的你本月也要減少應酬為佳，以免外出時碰上今年沖犯太歲的生肖而給是非牽連上；即使今年沖犯太歲生肖的好友約你外出，也要記着好好地做一個聆聽者，切勿參與自己的意見。

農曆八月

本月為辛苦個人力量得財月，且整體社會氣氛又回復和諧，讓肖狗的你可以盡力去爭取。從商者本月即使高調一點，也不怕競爭時遭人在背後暗算，相信本月不難爭取到好成績；自僱者如果上月成績已經不錯，相信本月仍然可以更上一層樓；上班一族雖然不會因一時工作量上升而收入有所改變，但本月至少不用分心去提防是非，忙碌之餘可以多些相約好友共聚，心情也都是愉快的。

財運

辛辛雖嘗苦，勞勞終得甜。本月是辛苦個人力量得財月，收入不穩的從商自僱者即使面對忙碌的工作，心情仍然是愉快的，加上收入不難跟工作量同時上升，這讓你可以越忙越是起勁。

事業

立定腳跟，認清方向。本月為辛苦個人力量得財月，從商自僱者要認清目標，盡全力去爭取心中定下的目標。不論是春夏秋冬出生的自僱者，都容易獲得不錯的成績；但春夏天出生的從商者則可能不是一分耕耘一分收穫，那唯有盡力去做好了。

感情

本月是遙合月，對已有穩固感情者幫助較大，讓你此月容易相處融洽；惟單身者本月可能只是外出時碰上心儀對象，但這能夠發展的機會始終不大，最多是在生活中留下一個印象而已。

身體

相沖月已經過去，代之而來是一個平穩的月份，而自身身體狀況也是正常的，只要在忙碌工作過後，爭取充足睡眠，本月健康運是沒有甚麼地方要特別小心的；惟本月睡眠質素可能因思想過度而不能沉睡，那唯有睡前盡量放鬆自己又或者喝少量葡萄酒讓自己鬆弛下來。

是非

上月之烏雲已經散盡，代之而來是較平穩的一個月；而肖狗的你本月是非不多，即使工作之餘多些相約朋友共聚，也無需刻意防備是非。

農曆九月

本月為思想學習投資月，又是肖狗的犯太歲月，學習進修在犯太歲年是適合的，所以這個犯太歲月也是可以的；惟投資方面就要三思了，雖然肖狗的你今年並非犯太歲，本來是沒有甚麼需要避忌的，但因為投資不是一時三刻的事，如果不着急的話，可以等待下月才開始，因農曆十月是你的桃花月，人緣運必然比這個月好，徵求別人意見時得到的助力會更明顯。

財運 本月為思想學習投資月，不論學習或投資，或多或少都要有所付出，即使新計劃不是馬上實行，但可能做些前期諮詢，也是有些額外花費的，故本月開支可能會較平常為多。

事業 欲進未能進。秋冬天出生的寒命人如果想計劃在本年作出新改變的話，本月雖然是一個可以改變的月份，但為怕決策錯誤，如果不着急的話可以留待下個月才去開始；而春夏天出生的你則以守舊為佳，不要輕言改變。

感情 本月是你的犯太歲月，雖然本年並非沖犯太歲的生肖，但在感情上也是要謹慎一些為佳，勿因一時情緒問題而引致雙方不快；唯有盡量提醒自己又或者本月少些見面，而一個月的小影響轉瞬便過了。

身體 雖然肖狗的你今年並無刑沖，惟來到農曆九月也是要小心一點為佳，不論在飲食上又或者駕駛時都要留神一點；惟只是一個犯太歲月，其實也是無需要過分擔心的。

是非 閉口藏舌，閒事莫理。因本月始終是自己的犯太歲月，為怕突然出現情緒不穩而得罪了別人而不自知，那就減少一些外出應酬好了；即使要找客戶、朋友外出諮詢，也是要找些相熟一些，對你了解多一些的為佳。

農曆十月

本月為思想學習投資月，也是肖狗的桃花月，人緣運明顯比上月佳，這對不論投資又或是學習進修都能起到正面作用，讓你在進修時能與同學相處融洽，單身者說不定在班中給你碰上心儀對象。本月雖然亦有利投資，但平、熱命人不宜作新嘗試，而舊有投資目前如果仍然在進展中，才可以慢步加大投資力度。而今年轉運中的寒命人，今年踏上順運之第一年，是可以小試牛刀；即使踏上第一步時不太順利，也算是一種經驗，此後有六年順運，即使今年失敗也無妨，算是攞攞經驗也好。

財運 本月為思想學習投資月，如果沒有打算學習進修，也不打算作新嘗試去投資，本月財運是不錯的；尤其下半月，從商自僱的你，可以盡努力去爭取，望能在這冬季獲得更好收益。

事業 欲左欲右，心中不定。本月雖然是思想學習投資月，上班一族想改變狀況是要付出很大勇氣的，因上班不同從商，上班一族每月收入是穩定的，少不了也多不了；但做生意卻不同，有時付出努力也不一定會有回報，所以在決定改變工作環境之前，要先探究一下自己抵抗壓力的能力，如果發現逆境指數不高，那就安安穩穩地做個上班一族好了。

感情 本月是肖狗的桃花月，如果無需為事業忐忑，本月感情運是良好的；單身者亦可藉此桃花月多些外出，多接觸些陌生人，給自己製造多些機會，看看能否在本年自己最後一個桃花月，開展到一段感情。

身體 犯太歲月已經過去；代之而來是人緣要好的桃花月。雖然本月是思想學習投資月，如無學習亦不投資，思想恐怕無處可歸而引致失眠，那唯有睡前看些消閒的書，聽聽音樂，又或者喝少量葡萄酒，這也是有助入眠的。

是非 犯太歲月已經過去，代之而來是人緣要好的桃花月，本月即使多些外出應酬，又或者想在改變前多些諮詢別人意見時，樂於幫助的遠比拒絕者為多，就好好利用這個人緣運要好的桃花月吧！

農曆十一月

本月為肖狗的財運月，讓你可以在假期前努力爭取好成績，然後過一個豐裕的假期，而這財運月最能受惠的是從商的你，財運必然能夠相應增加；其次是自僱者，財運雖然沒有辛苦得財月來得那麼直接，但應該依然是不錯的；只有上班一族未能因財運月而有所獲益，唯有嘗試多買些彩票，看看能否有些意外收穫，得固然好，否則也當是做了點慈善。

財運 守株竟會得兔，緣木居然得魚。本月並非辛苦得財月，故不一定要很努力才能獲得應有的財運；從商自僱者可能無意中獲得一些銀碼較大的訂單，讓你在不經意下獲得意外收穫。

事業 本月是你的財運月，加上並無刑沖，人緣運雖然不及上月桃花月那麼好，但也不用去愁是非，加上工作壓力不大，不用花太多時間便能完成手頭工作，而且收入又比意想中較為豐厚。

感情 本月並無刑沖，感情運是正常的，即使因今年桃花月才開展的新感情，也不用愁因假期會面的時間多了而產生矛盾，反而容易在這段時間加深相互了解，讓這段感情更容易走下去。

身體 本月並無刑沖，工作壓力也不是很大，加上假期在即，連情緒都高漲起來，這必然能提升你抵抗病菌的能力；惟仲冬氣候有時突然變冷，故外出時多準備點衣服以作不時之需，以免被感冒入侵而影響到你的假期心情。

是非 平常歲月，是非不多。不論是肖狗的你，又或者整體社會氣氛都是平穩的，雖然並沒有桃花月那麼融洽，但也無需去提防是非，這讓你在工餘之時諮詢一下朋友、客戶的旅遊資訊，也無需擔心別人會拒絕。

農曆十二月

本月為肖狗的財運月，情況不比上月差，惟下半月工作量比上月為多，這也是正常的，因假期過後要清理手頭上積壓的工作，而又要趕在另一個假期來臨前，快點完成手頭工作，去籌備假期；故下半月工作便顯得有些忙碌，這可能不是工作量增加了，可能是工作的天數少了，故在感覺上工作量上升了。

財運 應如疾風勁草，再接再厲。本月仍然是財運月，從商自僱者仍然可以盡最大努力，望能獲得更豐厚的財源，讓你的農曆年假期過得更豐裕；因為不論留港渡歲又或者外遊，本月的額外花費也必然比平常多，望這個月的收入能填補這個月的額外開支。

事業 出手便利，進退裕如。雖然本月是肖狗的相刑月，一般來到此月你都要提防是非；惟本年你是太歲遙合生肖，整體人緣運是可以的，小小的一個相刑月並未為你帶來困擾，讓你可以全心投入工作，然後過一個愉快的假期。

感情 本月是你的相刑月，感情上的一點點小意見，可能是商討農曆年假期時大家的方向不同而已，相信最終也能在有商有量下爭取到共識，讓這個假期更添姿采。

身體 本月為肖狗的相刑月，腸胃方面雖然容易出現不適，惟本年肖狗的你並非疾病生肖，也無疾病凶星；這個相刑月相信不會發生太大影響，即使下半月工作壓力稍大，相信健康運仍然是正常的。

是非 小是小非，無需太過顧忌。即使本月是你的相刑月，一般都要稍為提防是非的；惟本年肖狗的你人緣運整體是可以的，故這個相刑月並沒有為你帶來太多不快，即使與朋友或愛侶外遊時，也不會因此而出現嚴重爭執。

肖豬運程

• 一九三五
• 一九四七
• 一九五九
• 一九七一
• 一九八三
• 一九九五
• 二〇〇七
• 二〇一九

寒命人——出生於西曆八月八日後、三月六日前（即立秋後、驚蟄前）。

熱命人——出生於西曆五月六日後、八月八日前（即立夏後、立秋前）。

平命人——出生於西曆三月六日後、五月六日前（即驚蟄後、立夏前）。

肖豬

今年為相合生肖，除了其他三個桃花生肖外，肖豬的你今年貴人人緣運算是排第四的。而沖代表動、代表變化多，合則代表穩定、變化少，不論在事業、住屋或是感情上相對其他生肖都算是較為穩定，惟這個穩定年只對於春夏天出生的平、熱命人有利；因今年以後連續六年都是木火流年，運程方面，快則今年下降，慢則待至二〇二五年，但總的來說，今年以後最好是沿着舊路去走，新嘗試可免則免。

但秋冬天出生的寒命人則不同，因往後六年木火流年運程會逐漸轉順，快則今年夏秋，慢則二〇二五年開始；故今年以後要積極爭取，主動求變也是可以的，因今明兩年都是你的相合年，如果不主動求變的話，這兩年都是較安穩的。

肖豬今年為權力地位提升年，最直接受惠的是上班一族，如果得知公司準備去作內部提升，不妨努力去爭取，而升遷運與運情順逆有時並無直接關係，故不論寒、熱、平命人都可以盡努力去爭取的；但從商自僱者則不一樣，因運程順逆之影響力較大，故春夏天出生的平、熱命人也是要低調一點為佳，而寒命人夏天以後可以開始活躍及主動一點。

吉星有「歲合」，即太歲相合，人緣佳，易得貴人扶助。

「福星」，普通貴人星，雖然力量不是很大，但總比小人是非星為佳。

「天德」，逢凶化吉，其實此星代表心慈，少報復心，這樣間接凶險事少，自能逢凶化吉。

凶星「劫煞」，代表因朋友而破財，故擔保之事可免則免；即使要好的朋友問你借貸而不能拒絕，也要衡量他今年內可能不能償還，而這樣也不會影響到自己的財政便好。

「卷舌」，容易與人有口舌之爭，即使平常忍耐力高，但來到此年也容易與人發生口舌之爭，尤幸今年你是太歲相合生肖，這些小爭執是不會影響到今年的大局的。

「絞煞」，其力不大，可以無需理會。

寒命人 往後六年都是木火流年，你的逆運已經完結，今年以後便可以進攻了，如果知道自己已經入了大運更可以放膽嘗試，此期間不論轉工或者轉行都是可以嘗試的，運程每六年一個週期，有人轉運較快，有人轉運較慢，快者今年開始至二〇二七年終完結，慢者由二〇二五年起始至二〇三〇年底，你到底是快的還是慢的，這就要靠自己去體驗了。

熱命人 六年金水流年已經過去，代之而來是六年木火流年，你的運程快則今年夏天轉慢，遲者則可延至二〇二五年始，惟從今年開始，始終都是要以放慢腳步為佳。

平命人 一生較為平穩的你，比較起來也是金水年較順而木火年較慢，而從今年開始六年木火流年，平命的你相信運程也是會慢下來的，尤其是去到二〇二五至二〇二七年更加要以退守為佳。

一九三五年出生的豬——今年為財運年，惟年事已高，仍在商場上的機會始終不大，這財運年可能是因有投資的收入多了，又或者是晚輩多給些零用錢而已。

一九四七年出生的豬——今年為思想學習投資年，惟這年紀作出新投資的機會始終不大而且還有些冒險，除非仍在商場中才可以稍作考慮；否則，本年必以學習為佳，而學習是沒有時間限制的，而且這還可以保持頭腦靈活。

一九五九年出生的豬——今年為辛苦個人力量得財年，對收入不穩的從商自僱者幫助最大，必能因工作量上升而收入有所增加，雖然年過六旬，但現代人長得比較年輕，仍有心有力的你，今年仍可以加一把勁。

一九七一年出生的豬——今年為貴人舒服懶年，踏進五十的你，在這時放鬆一下腳步，細想一下日後去向，在時間上也是合適的，到底在退休後退而不休，抑或是再去闖一番事業呢？

一九八三年出生的豬——今年為權力地位提升年，快要踏進四十歲的你，看看今年能否在事業運更上一層樓；上班一族可以盡力爭取升遷，從商自僱者亦可藉此年把自己在行內的名聲提升。

一九九五年出生的豬——今年為財運年，各個肖豬中以你財運最佳，故今年可以努力爭取，看看能否在三十歲以前做到一番成績，惟也不用開心得太早；因為有時三十歲前行運會不太穩固，三十歲後容易要重頭再起，最好是三十歲前存一點錢，留待三十歲後以備不時之需。

二〇〇七年出生的豬——今年為思想學習投資年，這年紀學習一下運用金錢也是適宜的，而今年為學習年，必然能增加你對各樣事情的吸收能力。

二〇一九年出生的豬——今年為百厭活躍年，踏入三歲的你，各樣事情都是新奇的，而且可能本年開始體驗群體生活，活躍一點可能有助你認識新朋友。

財運

今年為權力地位提升年，如果上班一族能夠落實升遷，那財運當然可以相應增加；而自僱者亦能藉此名氣地位提升年而吸引多些人光顧；惟從商者，在今年水火互換年財運上不要太過着急，不論寒、熱、平命人都以打好自己在行內的名聲為先，這不論攻守也是有幫助的。

事業

一人進一人退，吉裏藏凶仔細推。因今

年為水火互換年，寒、熱、平命人運程來一個大轉運，故吉凶進退因人而異，平、熱命人要保持着自己在行內的名聲，望逆運來時不至下降得太快；寒命人則要盡力爭取別人認同，讓順運時能夠一蹴而就，行得更高更遠，故本年都適宜以求名為先。

感情

今年為肖豬的相合年，感情運是相對穩定的，未婚而已經有穩定感情者可以進一步發展，加深相互了解；惟本年並非桃花年，對單身的你幫助不大，唯有把握本年農曆三、九及十一月這三個桃花月，如果能在這三個桃花月開展到新感情，今年感情運也是穩定的。

身體

今年為太歲相合年，突然遇上意外損傷的機會不大，加上又無疾病星，故健康狀況是良好的，即使因要爭取別人認同時而多了外出應酬，偶爾夜歸夜眠，身體仍然是頂得住的。

是非

今年為太歲相合生肖，人緣運佳，是非欲生也無從。上班一族在爭取升遷時不管成功與否，也能與同事融洽相處；從商自僱的你在爭取別人認同時即使多些出席些行內活動，反應也是正面的多、負面的少，這讓你能減少不少顧慮，就好好多利用這個人緣要好的相合月好了。

農曆一月

本月為肖豬的辛苦得財月，農曆年過後，可能要忙於清理掉手頭上積壓的工作，上班一族可能會比較忙碌；從商自僱者可能只是新春時應酬多了，顯得有些忙，並不一定是因工作而起，因農曆年過後一般都是比較淡靜的，正所謂一節淡三墟，這也是常態，故本月能因此而財運能有所上升的機會不大，故在財運上就不要心存厚望。

財運

本月為辛苦個人力量得財月，一般時間

都對自僱者是有利的，因為財運會因工作量上升而相應增加；惟農曆年假才剛完結，能夠因工作量增加而財運有所上升的機會始終不大，可能這個月只是忙於應酬而已。

事業 我且盡其力，厚薄隨其緣。本月為辛苦得財月，辛苦就有可能，財運就不要太過寄予厚望好了；上班一族本月在工作上忙碌一些也都是正常的，因農曆年假期後要追回假期中積壓的工作。

感情 本月為肖豬的相合月，感情運是良好的，即使另一半是本年沖犯太歲的生肖，來到這個本年的犯太歲月，感情也不會因此而起波濤。

身體 本月為本年的犯太歲月，亦是交通意外的高危月，這雖然與肖豬的你並無直接關係，但駕駛者在路上仍然是要留神的，因路上一定會碰上今年沖犯太歲的生肖，怕一不留神便會給意外牽連上。

是非 本月雖然是本年的犯太歲月，而肖豬的你要外出應酬的機會也較多，惟這樣也不怕給是非牽連上來，一來肖豬的你今年是太歲相合人緣要好的生肖，二來今年一月的犯太歲月影響不大，其大影響可能延至二〇二三年的農曆一月才要小心。

農曆二月

本月為辛苦個人力量得財月，從商及自僱的你本月可盡全力去爭取好成績了，加上本月是你的相合月，自身人緣運仍然是良好的，本月又是本年的桃花月，整體社會氣氛亦是融和的，讓你在爭取好成績時能在一個平和的環境下努力，即使再忙心情也都是愉快的；收入穩定的上班一族本月雖然只是徒添忙碌，薪酬不會因此而增加，但能在融洽的環境下工作，也算是另一種得着。

財運 東風解凍，春氣宜人。本年的犯太歲月已經過去，加上進入了農曆二月各間公司都已經正常運轉，故從商自僱的你可以盡努力去爭取好成績，而這個辛苦得財月最能直接受惠的當然是自僱者，因收入必然能因工作量上升而相應增加。

事業 熙熙攘攘，日熾月昌。本月是肖豬的相合月，自身人緣運良好，在這平和的月份工作起來，連效率都相應提升，雖然工作量較大，但也並不覺得辛苦；且忙碌過後，還可相約三數知己外出傾談，事業運算是一個順暢的月份。

感情 本月是肖豬的相合月，自身的感情運是良好的，即使有時工作太過忙碌而忽略了對方也能得到對方諒解，讓你可全心投入工作而不用怕冷落了另一半。

身體 本月並無刑沖，交通意外的高危月已經過去，代之而來是一個比較平穩的桃花月；加上自身人緣運也是良好的，即使本月工作量較大，但壓力卻沒有因此而增加，算是健康運良好的一個月。

是非 犯太歲月已經過去，代之而來是一個桃花月，社會氣氛較為融和；加上肖豬的你本月也是人緣運良好的月份，即使在工作上積極點去爭取更佳成績，也不怕因此而惹上是非。

農曆三月

本月為思想學習投資月，投資方面，不論寒、熱、平命人都是要三思的，平、熱命人只能沿着舊路發展，新投資恐怕在今年以後數年都不太合適；而轉順中的寒命人，除非資金非常充裕，在這時開始也有餘錢應付可能運程會進入得較慢，因寒命人快則今年這個月後開始好轉，慢則要待至二〇二五年，故在作出新投資時首先要考慮自己的承受能力。

財運

本月為思想學習投資月，不論落實投資又或者去進修學習，都是會有些額外開支的；加上本月又是復活節假期，即使不外出渡假，留在本地時也有機會外出用膳而導致有些額外花費，故本月不難是開支較多的一個月。

事業

暗中摸索處，忽見一明燈。平、熱命人即使眼前道路通暢，也是要以守為先，不及秋冬天出生的寒命人，今年起始有六年順運，不論運程來得快或慢；如果今年踏出去，二〇二五至二〇二七年這三年必然是順暢的收成期，故即使不知自己是否本年馬上轉順，但如果看見前路光明，仍然是可以踏出去的。

感情

本月是肖豬的重桃花月，這必然能助你倆度過一個愉快的假期。而單身者更可以藉此桃花月多些外出，接觸多些陌生人，看看能否在假期前開展到一段新感情；否則，在假期時也是一個好機會。

身體

本月為肖豬的桃花月，人緣運比上兩個月更佳；加上本年又是太歲相合生肖，一切事情都會較為平穩，在健康運上是良好的，不論在身心都能保持在良好狀態。

是非

片帆無恙，更遇東風。本月為肖豬的桃花月，即使多些外出接觸多些陌生人，反應都是正面的多、負面的少，即使本月踏上新路，樂於相助的也必然比小人為多。

農曆四月

本月為肖豬的相沖月，運程有機會出現兩極化，故春夏天出生的平、熱命人要好好體驗這一個月，如果發現開始不順，甚至明顯下滑，停滯不前，那可能你的運程會在今年終結；相反，秋冬天出生的你本月出現良好變化的話，你的旺運極可能在這個夏季開始，一路延至二〇二七年底。

財運 本月仍然是思想學習投資月，加上又是肖豬的沖太歲月，變動可能會多一些，且容易有些意想不到的額外花費，故在財政上要謹慎一點，以免在順逆改變之時，沒有餘錢去應付未來。

事業 昔日徘徊總不前，今日快馬可加鞭。這當然是指秋冬天出生的你而言，經過漫長六年金水運後，今年開始六年的木火運終於來臨，如已經在從商的你，今年後可以快馬加鞭了，而今年開始三年努力期，二〇二五年後可以慢慢見到收成，即使在今年才開始踏上新路，相信前程也是可以拾級而上的。

感情 本月為肖豬的相沖月，感情運恐怕不太穩定，對固有感情者還好，因本年始終是相合生肖，整體感情運是穩固的；但如果因上月桃花月才開展的新感情，就要過渡此月方有機會維持下去。

身體 本月為肖豬的相沖月，每年到此月你都要提防足、腹、面、齒之傷；雖然肖豬的你今年並無損傷星，亦非沖犯太歲的生肖，但也是要小心一些為佳，總好過一不小心跌倒在人前，這樣既傷痛又尷尬。

是非 小是小非，無需掛懷。雖然本月是你的相沖月，是非恐防比春季為多，但因今年你始終是太歲相合生肖，整體人緣運是穩固的，一個小小的相沖月轉眼便過，即使惹上些小是小非，本月過後便會隨風消散了。

農曆五月

本月為肖豬的財運月，又到了從商者要努力的時候了，且上半月為偏財月，說不定有些意想不到的生意自己送上門來，讓你平白無端地多了一些意外之財；其次是收入不穩的自僱者也能因財運月而增加了收入；收入穩定的上班一族，唯有多買些彩票，看看能否因一個偏財月而讓你得些意外之財。

財運　彩雲扶日出，秋水送潮來。本月是肖豬的財運月，加上又是暗合月，容易有貴人暗中扶助，從商自僱者可能是客戶介紹一些生意給你，讓你無需太過努力便能做到不錯的生意；雖然這個財運月對秋冬天出生的寒命人較為有利，惟春夏天出生的你，相信也能因這個財運月或多或少都得到些好處。

事業　本月為肖豬的財運月，從商自僱者也可以推斷為事業進展不錯的月份，加上有貴人暗中扶助，而且本月也是本年的相合月，整體社會氣氛良好，這必能讓你的事業進展良好。

感情　本月為肖豬的暗合月，感情運又變回穩定，即使因上月相沖而疏離了，可藉此相合月多些相約對方外出，鞏固一下雙方關係；惟單身者能因這暗合月開展到新感情的機會不大，最多就是出現暗中心儀的對象而已。

身體　相沖月已經過去，本月一切又回復正常，因本年肖豬的你健康運是良好的，加上本月又是你的暗合月，一切都會來得較為穩定，本月財運雖然有所上升，惟工作壓力都不大，故身心都算是良好的。

是非　浮雲散盡，依舊晴明。肖豬的相沖月過去，又回復本年人緣要好的現象，加上本月是你的暗合月，不難有貴人暗中扶助，別人想在背後中傷你也不容易入侵，故本月可按自己的步伐行事，無需太多顧慮。

農曆六月

本月為肖豬的財運月，又是遙合月，易有遠方貴人扶助，對從事常往外地又或者做外地生意的你助力最大，財運必然能夠快速增長；又本月是本年的桃花月，整體社會氣氛比上月更佳，即使是收入穩定的上班族也能因融和的社會氣氛而感到心情愉快，故本月不論收入有否因財運月而增加，也都算是一個不錯的月份。

財運 應如疾風勁草，再接再厲。本月仍然是肖豬的財運月，情況比上月更佳，必能因本月桃花月之助而令生意更加順利，財運自然也相應增加，雖然沒有上月偏財月來得那麼容易，但也算是不錯的。

事業 本月下半月為暗中權力提升月，上班一族可能責任大了，要管的範圍多了，但財運可能只是多一點點，但這也算是有進展的；況且本月是本年的桃花月，工作環境也相對較融洽，這必然能令你工作更加輕鬆。

感情 本月是肖豬的遙合月，本來只會容易出現異地暗戀對象，惟本月是本年的桃花月，單身者本月仍然可以多些外出碰碰運氣，看看能否成為本年桃花生肖的桃花。

身體 本月仍然是相合月，突然遇上意外損傷的機會不大，加上又是本年的桃花月，整體社會氣氛亦相對較為融和；即使下半月可能工作的壓力大一點，但健康運仍然是可以的，並沒有因暗中權力提升而感到不安。

是非 山前山後皆明月，江北江南總是春。本月是本年的桃花月，又是肖豬的遙合月，不論是整體社會氣氛又或者是肖豬的人緣運也都是良好的，這讓你全力追逐財運時也無需分神去處理是非。

農曆七月

本月為肖豬的相穿月，是非恐怕要多一點，加上本月又是本年的沖太歲月，外間氣氛也不太良好，這必然間接或直接影響到你的運程；本月雖然是你的地位提升月，惟本月氣氛較差，自己人緣運亦一般，故不宜着力爭取，不論上班一族又或者從商自僱的你，本月就放慢一點，從容一點好了。

財運 東邊沒了西邊出，引動諸般是與非。本月不論是肖豬的你又或者是整體社會氣氛都不太平和，故在財運上就先不要太過着急，以免追不到財運反而惹來滿盤是非，上班一族也不要急於爭取升遷，當然這樣財運亦不會有所上升。

事業 休道事無訛，其中進退多。本月為本年的相沖月，恐防意想不到的事情會較多，加上自身人緣運在此月亦不太理想；雖然本月是你的權力地位提升月，但也不宜太過積極，怕爭取不到別人認同，反而惹來滿盤是非。

感情 本月為肖豬的相穿月，感情容易出現小風波，惟相穿的影響輕微，不會嚴重影響到你倆的感情，除非另一半是今年沖犯太歲的生肖，壞影響才會加深；如果真的是這樣，唯有雙方互相忍讓，待過了本月一切又會如常。

身體 本月為肖豬的相穿月，每年到此月你都要留意腎、膀胱、泌尿系統，尤其是女性的豬更要小心，生冷冰凍之物要少沾為上；又本月為本年的交通意外高危月，雖然與肖豬的你並無直接影響，惟車在路上一定會碰上今年沖犯太歲的生肖，怕一不留神便給意外牽連上。

是非 口舌紛紜，人事不寧。本月不論肖豬的你又或者外間氣氛都不太平和，為免惹上是非而影響到今年整體的人緣運，那本月就盡量少些外出應酬好了，一個月的壞影響轉眼便消逝，待下月再去努力好了。

農曆八月

本月為權力地位提升月，上月之是非已經消散，又可以努力爭取了，上班一族如果知道公司準備作內部提升，而你又有意思的話不妨努力爭取，今年為地位提升生肖的你來到這個地位提升月，其升遷機會必然比別的生肖為佳；加上本月並無刑沖，也不怕在努力爭取之時惹來滿盤是非，即使成不成功也能保持着與各方的關係。

財運 本月是權力地位提升月，上班一族除非能落實升遷，否則財運是不會有突破的；從商自僱者本月還可能在爭取別人認同時，而多出席一些行內或慈善活動，花費有可能比平常還多。

事業 先名後利，數該如此。本月是你的權力地位提升月，從商自僱者可藉此月多些出席一些行內活動，讓更多人認識；今年肖豬的你始終是相合生肖，整體人緣運是良好的，也不怕太過高調而惹來反效果，故本月可以着力一點，日後定當有應得的回報。

感情 木穿相沖月過去了，又回復到平淡無波的月份；雖然本月並非桃花相合月，感情運只一般而已，惟這是感情的常態，平淡相處反而能恆常持久。

身體 本月並無刑沖，又回復到今年的正常狀態；今年太歲相合的你整體人緣運是不錯的，故今年人事上的壓力也不大，這也是能提升你的健康運的，即使因本月爭取別人認同時而應酬多了一點，但身體仍然是可以的。

是非

莫為弩末，當着鞭先。本月雖然並非人緣特別要好的月份，但也不用防備是非；因總的來說今年你算是人緣運不錯的生肖，故本月在爭取別人認同時也不怕太過高調而惹來滿盤是非，就努力一點去爭取好了。

農曆九月

本月為貴人舒服懶月，來到季秋放慢一下腳步也是適宜的，因寒、熱、平命人來到此月可能已經可以初步掌握目前運程的好壞，平、熱命人如果看見運程明顯慢下來，那便要開始好好退守；相反，寒命人如果發現運氣已經開始通順，則可能會於今年後漸入佳景，故本月放慢冷靜一下去客觀分析眼前形勢，可進則進，不可進則守。

財運

本月雖然是貴人舒服懶月，但下半月仍然會有暗財，從商自僱者可能收到些應收而未收的賬，讓你在這個慵懶的月份也可以把財運提升。

事業

本月為肖豬的桃花月，既然本月工作量不大，不如藉此月多些外出與客戶聯繫，這不論對上升中的寒命人或下降中的平、熱命人都是能帶來好處的；因人緣運好了，得到客戶賞識，這必能增加寒命人上升的動力，亦可減慢平、熱命人的下降軌跡。

感情

本月為肖豬的桃花月，這必有助你倆的感情能踏上新台階；而單身的你又可以好好利用這個自己的桃花月，多些外出去接觸多些陌生人，看看能否當中出現你的心儀對象。

身體

依然無事納禎祥，幾朵梅花撲鼻香。本月不單止並無刑沖，而且是肖豬的桃花月，人緣運是要好的，加上又是貴人舒服懶月，工作壓力也不大，故本月健康運是良好的；即使有時相約朋友夜蒲，偶爾夜眠，也不會對健康運帶來負面影響。

是非

散淡前山去，山奇水亦奇。本月為肖豬的桃花月，今年人緣運要好的你，看看這月會否有奇運，出現一個在事業上能夠扶你一把的貴人；即使遇不上也不要失望，因藉此人緣要好的月份多結識些新朋友也是不錯的。

農曆十月

本月仍然是貴人舒服懶月，惟人緣運必然沒有上月桃花月那麼好，因本月是你的犯太歲月，雖然今年你是人緣要好的相合生肖，但也都要避免在此月太多應酬，以免因一個不良的月份破壞了辛苦努力打下的人緣運；加上下半月工作量突然增加，你亦忙於從新投入工作，也沒有太多時間去外出應酬。

財運

逆水行舟，且前且後。本月始終是你的犯太歲月，運程難免反覆，上半月工作量不大，讓你有些餘暇去享受一下生活；下半月工作量突然增加，讓收入不穩的從商自僱者可以追回上半月所失。

事業

顧此失彼，勢難兩全。雖然本月仍是貴人舒服懶月，但剛好又是肖豬的犯太歲月，所以即使仍是貴人月，但也是要減少外出應酬為佳；因本月不難是小人貴人同時而至，以免一不小心給小人在背後有機可乘，故上半月不宜太多應酬，而下半月則全心投入工作好了。

感情

本月為肖豬的犯太歲月，平常來到此月在感情上是要小心一點的，惟本年你是太歲相合生肖，感情運本來是穩定的，故不會因一個犯太歲月而影響到你倆的感情；加上本月是本年的相合月，外間的氣氛是良好的，這對你的感情運也是起到正面作用的。

身體

雖然本月是你的犯太歲月，但突然遇上意外損傷的機會不大，可能只會出現些負面情緒，偶爾失眠罷了；如果真是這樣，在睡前多看一些消閒書籍又或者喝少量葡萄酒這也是有助入眠的。

是非

本月既然是肖豬的犯太歲月，那就少一點外出應酬好了；反正今年是你的相合月，整體人緣運是良好的，一個月的歸忍，也不會影響到你努力打下的良好基礎，本月就抽多些時間去處理私人事務好了。

農曆十一月

本月為肖豬的辛苦個人力量得財月，又是你的桃花月，人緣運必然比上月好得多，讓你本月可以全心投入工作，望財運能相應提升，能讓你可以過一個較豐裕的假期。本月最直接受惠的當然是從事件工計算收入的你，因收入必然能因工作量增加而直接上升；其次是從商的你，工作忙了，接觸客戶的機會多了，做得成生意的機率當然會上升，財運也會相應增加。

財運

從商自僱的你本月可以努力爭取最佳成績，讓你能在假期時豪花一點；但收入穩定的上班一族，本月可能只是徒添忙碌，收入能因一個月的改變而有所增加的機會不大，唯有寄望今年公司業績理想，老闆津貼員工的旅遊花費。

事業

辛辛雖嘗苦，勞勞終得甜。本月的辛勞是有回報的，加上本月又是你的桃花月，在全心投入工作努力爭取之時，也不用分心去處理是非，讓事業運能進展得更好，收入穩定的上班一族也能因桃花之助而令工作時心情都愉快一些。

感情　本月為肖豬的桃花月，對已有另一半的你必然起到正面作用。而單身者亦可以看看能否因這個桃花月而令自己不用單身度過；雖然本月是霧水桃花，易聚易散，但即使這樣也能為你的生活增添姿采。

身體　工作量雖然增多，但健康運仍然是良好的，加上本月又是你的桃花月，人緣運方面不錯，心情亦能維持在輕鬆狀態；惟三冬氣寒，只要記着外出之時帶一點備用衣物，本月整體健康運就無需擔心了。

是非　三陽交泰，君子道亨。本月是肖豬的桃花月，自身的人緣運是良好的，工作量雖然增多，但因無需刻意提防小人是非，這讓你能集中精神盡快完成手頭工作放假去也。

農曆十二月

本月為辛苦個人力量得財加暗中權力地位提升月，從商自僱者仍然可以盡努力去爭取好成績；而上班一族本月暗中權力提升代表要管的事情多了，責任大了，這也算是受公司重用，這不知會否是升遷之先兆呢？總的來說，本月工作運是良好的，加上本月是本年的重桃花月，整體社會氣氛平和而良好，且仍在單身的豬，本月仍可以繼續多些外出，接觸多些陌生人，看看自己能否成為別人的桃花。

財運　本月為辛苦個人力量得財月，自僱及從商的你仍然可以努力爭取，看看能否在農曆年前把業績推得更高；上班一族雖然在財運上有突破的機會不大，惟在這個本年重桃花的月份工作，心情也都是愉快的。

事業　應如疾風勁草，再接再厲。自僱者本月仍然能因工作量上升而收入相應增加，這能讓你越忙越是起勁，加上農曆年假在即，連腎上腺素都有所提升，一點兒辛苦都不覺得；其次是忙碌的從商者，本月之生意運應該也是不錯的。

感情 雖然本月並非肖豬的桃花月，但單身者無需氣餒，因本月為本年的重桃花月，仍能在假期前多些外出，看看能否成為今年桃花生肖的桃花。

身體 工作量雖然不輕，但健康運仍然是可以的，加上肖豬的你今年人緣運佳，本月又是本年的桃花月，在這個平和的環境下工作，並沒有為你加添壓力，故身心仍然是健康的。

是非 本月為本年的重桃花月，整體社會氣氛是平和的，惟雖則如此，但本月工作量仍然不輕，根本抽不出多少時間去交際應酬，惟本月不用去提防是非，也算是良好的一個月份。

肖鼠運程

- 一九三六
- 一九四八
- 一九六〇
- 一九七二
- 一九八四
- 一九九六
- 二〇〇八
- 二〇二〇

寒命人——出生於西曆八月八日後、三月六日前（即立秋後、驚蟄前）。

熱命人——出生於西曆五月六日後、八月八日前（即立夏後、立秋前）。

平命人——出生於西曆三月六日後、五月六日前（即驚蟄後、立夏前）。

肖鼠

今年無刑無沖，也非桃花相合年，人緣運不及去年好，但也不用去提防是非，算是一個平穩的年份；又肖鼠今年為驛馬生肖，有遷移外出之動象，雖然不是如肖猴的沖太歲驛馬年動象那麼大，但今年可能外遊的次數會比平常多，想搬遷的話，今年亦是適合的，但當然要找一個好的方位，總之不要找大門向東北及西南這兩個位置便可。

今年肖鼠為權力地位提升年，上班一族可以盡努力爭取，如果知道公司準備作內部提升，主動爭取一下也是無妨的，得固然好，爭取不了也沒有甚麼損失，又升遷運與運程的順逆並無直接關係，不論春夏秋冬天出生的寒、熱、平命人機會也是均等的。

從商自僱的你亦可藉此年爭取一下行內及各人的認同，這長遠對生意必然能起到正面作用。惟在攻守方面今年可能開始趨向兩極化，春夏天出生的平、熱命人，快則今年夏天運情轉逆，慢則最多也只能延至二〇二四年底；相反，秋冬天出生的寒命人快則今年入夏運情開始轉順，慢則要等待至二〇二五年開始。惟總體來說，平、熱命人運程從今年開始可能日漸轉弱，故只可以守着原有的路向發展，新投資可免則免，而秋冬天出生的寒命人由今年開始，如果有新發展計劃，可以逐步付諸實行，轉換工作環境亦是如此。

今年吉星全無，無外來助力，事事都要靠自己去努力爭取，不能寄望有貴人在旁助你一把，爭取升遷也是要好好表現自己，老闆是不會對你另眼相看的。

凶星有「天狗」、「弔客」、「災煞」，無甚影響，無需理會；故肖鼠的你不單止無刑無沖，亦非桃花或相合生肖，吉凶星亦無幫助又無壞影響，應該是較為平靜的一年，惟本年是驛馬生肖，變動或外遊機會仍然是大的。

寒命人 經過六年金水流年後，從今年開始進入六年木火年，又是時候到了你要進攻的時候了，如果你在二〇一六年便開始轉弱，那好運應該今年開始，但如果你在二〇一九年才開始轉差，則有可能要等至二〇二五年順運才開始。

熱命人 今年開始六年木火流年，你的運程會逐步轉弱，快則今年夏天開始，慢則二〇二五年前；故踏入今年後要認清方向，細心分析，可進則進，不可進則守，新投資項目更是不宜。

平命人 金水年剛過去，代之而來是六年木火流年，一生平穩的你從今年開始也會逐步慢下來，故要好好做足心理準備，往後幾年可能不會太過通順；惟平命的你也容易受社會經濟影響，如果經濟下滑，對你的影響也是較大的。

一九三六年出生的鼠——今年為思想學習投資年，雖然年事已高，但學習是無止境的，時刻要與社會保持聯繫，但投資在此年紀好像是不太適合吧！

一九四八年出生的鼠——今年為辛苦個人力量得財年，七十四歲的你如果是自僱又或者從商者，今年仍可以一闖，進行與否，就要看自己的體能了。

一九六〇年出生的鼠——今年為貴人舒服懶年，過了六十不久的你，在此時放慢一下腳步也是合適的，上班一族即使可以延遲退休，相信你的也會距離不遠；從商自僱者也可以考慮一下日後的步伐，仍在前線進攻？還是放慢一下腳步去享受人生？

一九七二年出生的鼠——今年為權力地位提升年，上班一族有升遷機會，加上今年肖鼠又是地位提升年，各個肖鼠者以你機會最大；從商自僱者亦可藉此年把自己在行內的名聲提升，長遠而言，必能對事業起到正面作用。

一九八四年出生的鼠—今年是財運年，各個肖鼠者以你財運最佳，真的是要好好努力了；尤其是在今年運程順逆轉變年，望能爭取到好成績，讓日後的路更加好走。

一九九六年出生的鼠—今年為思想學習投資年，踏入二十六歲的你如果想再去進修，時機上是可以的；投資方面，雖然年紀太輕，但仍然是可以一試的，算是汲取一下經驗，待下次再有機會時可以把握得更好。

二〇〇八年出生的鼠—升上中學的你今年是辛苦學習年，而這也是正常的，在此時要慢慢適應新環境及尋找一下自己的步伐，故今年這辛苦年可以為你的學習添些姿采。

二〇二〇年出生的鼠—今年為貴人舒服懶年，踏進兩歲的你應該每樣事情都覺得新奇才對；惟每個人性情是不一樣的，動好靜好，也是個好選擇。

財運　本年是權力地位提升年，上班一族除非能馬上落實升遷，否則財運能滿意地上升的機會不大；從商自僱者在這水火互換之年亦適宜放慢一下腳步，觀望一下然後再作打算，財運在本年就不要太過着急好了。

事業　本年為權力地位提升年，求名易得，求利未成。平、熱命人運程開始減慢，看看今年財運與事業運能否延續下去；而秋冬天出生的寒命人則可能要今年開始部署路向，故本年在事業運上都是以穩守而後動，看清眼前形勢，才在攻守方面再部署。

感情　本年無刑無沖，亦非桃花生肖，感情運看不見特別變化，不是要好的一年也不是容易爭吵不和的一年，就平平淡淡而已；其實這才是感情的常態，激情只會短暫維持，老是爭吵則索然無味，今年就好好享受一下平淡恬靜的感情生活吧！

身體 今年並無刑沖，突然遇上意外損傷的機會不大，即使因驛馬年而多了外遊機會，也不用怕舟車之險，而今年吉凶星也不明顯，身體算是一個平穩的年份。

是非 無刑無沖無是非，也不是人緣特別要好的桃花或相合年，加上吉凶星全無，故今年就要看自己表現了，平常不善交際的你相信今年亦難得貴人之助，甚至乎要小心提防是非；善於交際者今年在人緣運上仍然是不錯的，是非相對也會較少。

農曆一月

本月為肖鼠的驛馬月，今年是驛馬生肖的你，不知道這個月會否外遊遠一點，時間耐一點呢？而本年驛馬動月除了這個一月及今年農曆七月外，還會延至二〇二三年的農曆一月，如果有打算在今年內搬遷，或其他變動，這也是正常的；又本月為肖鼠的辛苦月，可能農曆年假期放長了，回來後要馬上清理積壓下來的工作，故忙一點也都是正常的。

財運 我且盡其力，厚薄隨其緣。農曆年假才剛回來，上班一族除非去年已經落實農曆年過後升遷，否則在本月財運能夠增加的機會不大；從商自僱者亦然，農曆年過後一般生意都容易比農曆年前慢，故本月財運能有突破的機會不大。

事業 勞勞碌碌，未見成績。本月可能只是忙於交際應酬而已，因新春過後一般飯局或行內活動都會稍多，故本月之忙碌運可能都用於廣結人緣及人際關係上，不一定是事業上的忙碌；但本年多點交際應酬也是應該的，這必有助你今年的權力地位名氣提升年。

感情 本月為肖鼠的驛馬月，可能農曆年與愛侶外遊，這也算是應掉了驛馬的，而這個月並無刑沖，旅行期間或過後感情運也都是正常而平穩的。

身體 本月為本年的犯太歲月，又是肖鼠的驛馬月，肖鼠的你雖然今年不是容易遇上意外損傷的生肖，但本月仍然是要小心為上；因本月是本年的交通意外高危月，而今年是驛馬生肖的你，本月外出機會也比平常多，即使不是外遊，駕駛或走路時也要穩固一點為上。

是非 本月為本年是非較多的月份，還幸農曆年假才剛完結，各人都容易懷着愉快的心情，加上肖鼠的你本月並非是非多的一個月份，故外出應酬時也無需刻意怕惹上是非。

農曆二月

本月為辛苦個人力量得財月，又是肖鼠的桃花月，本年的桃花月，人緣運及整體社會氣氛也都是良好的，讓你能全心投入工作，盡最大努力去爭取好成績。自僱者必然因這個辛苦得財月而因工作量上升，令收入相應增加；其次是從商的你；至於上班一族當然不會因一兩個月的工作量上升而收入有所改變。

財運 既獲操縱裕如之利，更乏往來負累之憂。本月既是肖鼠的桃花月，又是本年的桃花月，良好的社會氣氛與及肖鼠的你得人緣運之助，做起事來都特別容易得心應手，這必能讓財運來得更為豐盛；肖鼠的你，本月就好好把握好了。

事業　指臂相應，轉折從心。上月打下的人緣運來到此月便可以馬上發揮效力了，本月在忙碌工作之餘，亦能因桃花之助而讓人緣及人際關係跨進一步，這必讓今年餘下來的月份走得更為通順。

感情　上班一族收入雖然不會因工作量上升而有所改變，但因在忙碌之餘得到另一半的慰問，心情也都是愉快的；單身者在忙碌工作過後，還可以多些相約朋友外出碰碰運氣，看看能否因一個桃花月而遇上心儀對象。

身體　本月並無刑沖，突然遇上意外損傷的機會不大，加上又是肖鼠的桃花月，工作雖然忙碌，但心情仍然是開心愉快的，這必有助身體健康，況且肖鼠的你先天疾病不多，故在此月當然也可能欣然而過。

是非　不論肖鼠者或是本年的這個月份也都是桃花月，故肖鼠人緣運以及整體社會氣氛也都是良好的，讓你投入忙碌工作之餘少了與客戶聯絡，也不會因此而影響到雙方關係。

農曆三月

本月為思想學習投資月，而這個月開始運程容易出現兩極化，平、熱命人作新投資發展固然不可，即使舊有投資之擴展，也要細心審視然後再作決定；相反，秋冬天出生的寒命人則可以考慮是否想作新投資又或者新改變，無論轉工也好、新投資也好、舊有投資擴展也好，今年以後都是可以考慮的。

財運　本月為思想學習投資月，上班一族如果想在本年學習進修的話，這兩個月是起步的好時機，因上班一族不時要再作進修以保持自己的競爭力，方能免被社會淘汰；惟不論投資或者學習，都是有些意外花費的，故本月在財政上要處理得好一點。

事業 條條長路來通津，策放從新始見成。秋冬天出生的寒命人，經過六年退忍之後，今年起始開始漸入佳境，即使不是今年馬上起運，但運程應該也是日增月盛的；故在此時作新嘗試也是可以的，如能馬上上到軌道固然好，否則算是為二〇二五至二〇二七年試一下水溫也都是合適的。

感情 本月為肖鼠的相合月，感情運是穩定的，尤其是由本年桃花月才開展的新感情，本月必然有助讓你的感情穩固下來；而已有穩定感情的，本月亦必能讓你倆的感情更進一步。

身體 本月為肖鼠的相合月，健康運也是良好的，即使季春之時陰濃濕重，也不怕對身體有不良影響，除非平常已經皮膚敏感的你，本月才要小心及多吃喝一些去濕的食物及湯水。

是非 本月為肖鼠的相合月，人緣運即使沒有上月的好，但仍然是不錯的，讓你在本月踏上新路又或者要多些外出諮詢，樂於相助的也必然比拒絕的多。

農曆四月

本月為思想學習投資月，不論學習或投資，本月仍然是可以的，雖然本月為本年的相刑月，整體社會氣氛沒有上月好，但這對肖鼠的你影響不大，因肖鼠本月為暗合月，也容易有貴人暗中扶助，這些是是非非對你的影響不大；惟開始轉入逆運的平、熱命人，相對是要謹慎一些為上。

財運 本月仍然是思想學習投資月，仍然容易有些意外花費，即使這兩個月不作新投資，也沒有去學習進修，但也不難因上月之復活節假期所多花了的錢，本月要逐步歸還。

事業 順水行舟又遇順風相送。本月仍然是肖鼠的暗合月，人緣運仍然是良好的，且容易出現貴人暗中扶你一把，這對從商自僱又或者是上班一族，都必然能起到正面作用而讓事業更加順暢；這能讓踏上順運的寒命人更快踏上上升軌跡，而讓下滑中的平、熱命人把下滑的速度減慢。

感情 本月為肖鼠的暗合月，感情運仍然是穩定的，即使雙方不宣諸於口，但心中仍然是掛念着對方的；惟單身者能在此月開展到新感情的機會不大，即使出現了心儀對象，但能夠發展的機會不大，那唯有將此好感藏於心中好了。

身體 本月為本年的相刑月，對皮膚、腸胃容易產生不良影響，惟肖鼠的你先天有着腸胃問題的機會不大，只要注意皮膚問題便可，故本月仍然要多吃些去濕及清潤的食物為佳。

是非 本月肖鼠的個人人緣運仍然是良好的，惟本月是本年的相刑月，外間是非恐防較多，但這對肖鼠的你影響不大，本月所有事情還是可以按自己的計劃去實行的。

農曆五月

本月為肖鼠的相沖月，今年是驛馬生肖的你，本月亦容易出現遷移外出之動象，又本月水火相沖，手指、背脊容易碰傷，故本月在運動時要小心一點，切莫過勞而導致損傷或勞損，駕駛者在駕駛時本月亦要留神一點；雖然肖鼠的你並非容易遇上意外損傷的生肖，亦無損傷星，但在這個相沖月也是要小心一點為上。

財運 本月為肖鼠的財運月，下半月容易財來財去，先來財後破財，但錢財是用來花的，搵得來、花得去，這也是良好的；從商自僱者本月的收入固然容易上升，上班一族亦可嘗試買多些彩票，看看能否獲得些意外之財。

事業　本月沖財，為財來財去月。因為先來財、後破財，故本月事業運應該是良好的，這樣才有可能收入因此而上升，惟因此能獲得意外之財的機會不大，故想爭取更豐厚的財運，本月在事業上便要努力加一把勁了。

感情　本月為肖鼠的相沖月，自身感情恐怕不太穩定，加上本年是驛馬生肖的你，各樣事情都容易出現變化；而變化有好有壞，分手、結婚、懷孕也都是變化的一種，希望你是變好而不是變壞。

身體　水火相沖，提防手指、背脊受損。雖然肖鼠的你本年並非損傷生肖，惟在這個相沖月還是要謹慎一點為上，以免這個財來財去月而金錢花在醫療上便不值了。

是非　喜雀烏鴉，同堂而叫。本月是本年的相合月，整體社會氣氛又回復平穩，這必有助本月相沖的鼠，讓外在環境不致於把你自身的小是非擴大；又本月可以少些外出應酬，這亦是可以減免是非的。

農曆六月

本月為肖鼠的財運月，財運比上月更佳，因本月意外開支不多，讓財來之後不致於要馬上花掉；雖然本月是你的相穿相害月，但比起上月的相沖輕微得多，加上本月又是本年的桃花月，整體社會氣氛比上月更佳，這必有助減低你招惹是非的機會。

財運　財似霏霏雨，還需大力追。本月是財運加暗中權力提升月，收入不穩定的從商自僱者可以盡努力爭取最大收益；上班一族也能因本月的暗中權力提升而有所得益，這可以代表自己更受公司重用。

事業

本月是財運加暗中權力提升月，雖然也是肖鼠的相害相穿月，小是小非在所難免，惟本月是本年的重桃花月，對肖鼠的你必然能起到正面作用，讓是非的影響減至最低，讓你能全心投入工作而不受是非影響；從商自僱者必然能因事業進展良好而連帶財運也豐裕一些，而上班一族更受公司重用，距離真正升遷還會遠嗎？

感情

本月是肖鼠的相穿相害月，其影響並不嚴重，最多是偶爾鬧一下意見而已；且單身者還可以藉本年的這個桃花月多些外出，看看能否成為別人的桃花，因肖鼠的你本年始終不是桃花生肖，主動也不一定能獲益，倒不如藉本年的桃花月看看能否給人看中，這樣可能機會更大。

身體

本月為肖鼠的相穿月，腎、膀胱、泌尿系統及腸胃都要小心，除了多吃些清潤的食物外，還要盡量放鬆自己，在努力爭取財運時不要給自己太多壓力。

是非

雖然本月是肖鼠的相穿月，容易起小波濤，惟本月是本年的桃花月，整體社會氣氛比較平和，讓肖鼠的你也能得着，加上月令相穿，比起犯、沖或刑的月份都要輕鬆，故本月不用太愁惹是非。

農曆七月

本月為權力地位提升月，又是肖鼠的相合月，人緣運又回到今年相合年的好處，讓你在爭取升遷或別人認同時都不用怕太過高調而惹上是非；上班一族如果知道公司準備作內部提升，肖鼠的你不妨主動一點，因本年是你的升遷年，機會較其他生肖為高，尤其是一九七二年出生的鼠更加要努力積極。

財運　上班一族除非本月落實升遷，財運才可能有望上升；否則，本月在財運上看不見有甚麼突破．從商自僱者本月也是以求名為先，故可能會出席多些行內或慈善活動，故本月不難是花費較多的一個月份。

事業　名高利少，數當如此。經過上兩個財運月後，本月應該以求名為先，故本月宜多些出席行內活動又或者多些去拜訪客戶，打下更佳的人際關係及行內名聲，這必能讓日後事業運更加通順，寒命人能加速進展；而平、熱命人望能靠着別人之助而控制着下降軌跡。

感情　相沖相穿月已經過去，又回復到今年感情運穩定的狀態，加上本月是你的相合月，算是感情人緣要好的月份，即使上兩個月發生甚麼齟齬，本月也能和好如初。

身體　本月為肖鼠的相合月，突然遇上意外損傷的機會不大；但本月為本年的相沖月，為交通意外高危月，雖然與肖鼠的你並無直接影響，但駕駛者仍然是要小心為上，因車在路上總會遇上今年沖犯太歲的生肖，怕一不留神便給意外牽連上。

是非　雲開日現，波靜風平。雖然本月是本年的相沖月，社會氣氛唯恐不太平和，惟本月是肖鼠的相合月，自身的人緣運還是良好的，即使多些外出應酬，也不怕是非惹上你身的。

農曆八月

本月為權力地位提升月，又是肖鼠的桃花月，人緣運比上月更佳，加上社會氣氛又轉回平和，故上班一族還可以努力爭取，因本年本月未能成功，就要等待下一個升遷運了；從商自僱者仍然可藉此月，好好打開與行內人及客戶的正面關係；單身者亦可藉此月多些外出，朋友介紹也好、六人晚膳也好，就好好利用這個桃花月好了。

財運 有求皆自得，無物不從容。雖然本月要爭取升遷又或者別人認同，但因得桃花之助，過程都會是愉快的，但財運方面就見不到有突破；相反在爭取升遷又或者別人認同時，外出吃飯的花費是少不了的，故本月算是一個花費較平常多的月份。

事業 康莊可步，安用徘徊。本月是你的桃花月，人緣運是良好的，出席群體活動時都不難成為焦點，讓你的名氣得以提升；加上本月社會氣氛亦回歸融和，讓你除了取得名氣地位外，生意也容易拾級而上。

感情 本月是你的桃花月，雙方相處能更加融洽；且單身者在本年的最後一個桃花月要好好努力爭取，否則下半年又要單身度過了，但也不用灰心得太早，因明年是你的紅鸞桃花年，本月把握不到，明年還是有很大機會的。

身體 平地過江江無浪，渡水行舟舟安然。本月是你的桃花月，人緣運是良好的，心情也都較為輕鬆愉快，交通意外高危月又已經過去，代之而來是一個平穩的月份，故本月在健康運上沒有甚麼是要提防的。

是非 本月人緣運比上月較佳，讓你外出交際時更無後顧之憂，而桃花代表別人容易與你產生好感；雖然桃花月的力量比較少，但最少也能抵抗是非及小人在背後惡意中傷，所以桃花之月份仍然是有一定防小人的作用的。

農曆九月

本月為貴人舒服懶月，在這時候步伐放慢一點也算是一個好時機，因為已經到了季秋，寒、熱、平命人也應該知道運程到底開始上升抑或是在下滑，然後便可以調整步伐。秋冬天出生的你如果在之前半年運程開始上升，那麼你的好運應該今年開始，然後至二○二八年頭止；春夏天出生的平、熱命人如果見到運程明顯下滑又或者是呆滯不前，那可能今年之後要開始退守，靜待至二○二八年再踏上另一個旺運，但如果目前形勢尚可，運程仍在邁進，則此運可延到二○二四年底。

財運

貴人舒服懶月，步伐放慢了。財運就不要寄望有突破好了，尤其是從商自僱的你，更要審視目前形勢，再去作攻守的打算；因這關係到往後六年的運程，在財運上更不用着急在一時。

事業

順逆轉折之時，在事業運上要好好考量，才決定攻守之道，平、熱命人可進則進，不可進則今年以後開始退守，望能把守勢穩固一點，退忍以後再靜待另一個好時機。秋冬天出生的寒命人如果想在這段運程開創新機，亦要開始詳細分析，如果目前見到運程已經開始通順，那就不要再猶豫了；如果心情仍然忐忑，最多也是能待至二○二五年一定要嘗試了。

感情

本月並無刑沖，也非桃花相合月，感情運是平穩的；如果有另一半的你，可以商量一下眼前步伐到底應該是攻還是守好，因為有時旁人會比自己看得更加清楚的。

身體 本月並無刑沖，加上工作量不大，即使多了外出向客戶朋友諮詢，多了些應酬，偶爾夜歸夜眠，健康狀況仍然是良好的，加上季秋暑氣漸消，連心情也較柔和平靜，健康運自然能提升。

是非 平常歲月，是非不多。本月是你的貴人舒服懶月，又是要調整攻守步伐的時候，除了要自己衡量得失外，多外出諮詢一下行內人的意見也是好的，而本月即使應酬多了，也不要刻意提防是非。

農曆十月

先懶後勤，數該如此。上半月工作量不大，讓你仍然可以多些外出，諮詢一下別人意見，下半月工作量明顯增加，又要投入忙碌的工作了；相信經過一個多月的考量，你應該已經清楚了解到自己目前形勢，不論是順是逆，這個月也是要開始全心投入工作，只是要在得失方面調整一下心態而已。

財運 上半月工作量與上月差不多，讓你多了半個月去細心分析目前形勢，然後決定去向，下半月工作量開始多起來，已經讓你無暇去細想，況且多想也無益，最後也是要自己做決定的；而下半月工作量較多，這必能讓從商自僱者能爭取上半月慢了腳步而失去的成績。

事業 本月先懶後勤，這對上班一族並無影響，因為不是地位提升月，工資不會因工作量多寡而有所改變；從商自僱者不論運程順逆，下半月也是要努力爭取的，只是結果不同而已。平、熱命人在爭取把下降軌跡減慢，相反寒命人望能在今年把事業運大幅提升。

感情 本月仍是無刑無沖的平穩月份，然本月為本年的相合月，整體社會氣氛是融和的，這對你倆的感情亦能起到正面作用，因為外間氣氛融和必能讓你們外出之時因氣氛良好而提升你們的感情運。

身體 三冬氣候乍寒還暖，日間可能氣溫仍高，晚上可能東北風侵襲而變冷；雖然肖鼠的你今年健康運是良好的，但也要提防突變的天氣而準備不足，而受病魔入侵。

是非 本月是本年的相合月，整體社會氣氛是良好的。雖然本月肖鼠的你人緣運一般，但也不是小人是非特別多的一個月份，故上半月即使多了外出應酬，也是無需刻意提防是非的，而下半月因工作忙了而少了外出，那是非更加無法興起。

農曆十一月

本月為肖鼠的辛苦個人力量得財月，最能直接受惠的是自僱者，因收入必然能因工作量上升而收入有所增加，這對寒、熱、平命人也是直接有幫助的，可能只是寒命人增長得較快，而平、熱命人較慢而已，不會是徒勞無功的；從商的你便不一樣了，因付出的努力不一定會成正比例地得到回報，有時甚至會是徒勞無功的，故只能抱着我且盡力，毋問收穫的心情去苦幹好了。

財運 本月工作量雖然大增，但上班一族收入卻不會因此而增多或減少，其實在這順逆交替的年月，上班一族是最幸福的，尤其是對自信心不足的你幫助最大；因為上班一族運程順逆與升遷無關，今年的升遷運不論是順逆中的寒、熱、平命人也是均等的，結果只是寒命人升遷以後事業運順了一些；而平、熱命人升遷後可能感到壓力大增而已。

事業 我且盡其力，厚薄隨其緣。本月自僱者收入必能因工作量上升而有所增加，而上班一族收入仍如往常一樣；而從商者努力不一定得到相應的回應，有時可能盡了最大努力也談不成生意，有時會不勞而獲而生意自動送上門，故本月對從商自僱而言，結果是最不可預料的。

感情 本月為肖鼠的犯太歲月，如果不想在聖誕假期前鬧翻，就要好好控制自己的情緒了；雖然肖鼠的你今年不是犯太歲生肖，感情出現障礙的機會不大，但在這個犯太歲月還是小心一點為佳。

身體 本月工作忙碌，加上又是犯太歲月，身心都容易出現疲累，故本月工餘時要盡量爭取休息時間，以免在假期前病倒而影響到你良好的假期；而駕駛者本月在駕駛時也是要格外留神的，怕因犯太歲月一時分神便發生了意外。

是非 本月是你的犯太歲月，是非必然比別的生肖為多，加上本月工作忙碌，又要籌劃聖誕新年假期，自己忙得連時間都不太夠用，遑論外出應酬；而應酬少了，當然也能避免是非。

農曆十二月

本月是肖鼠的辛苦得財月，上半月工作量仍然不輕，讓自僱的你仍然可以努力爭取，望能過一個豐裕的農曆年假，且本月為肖鼠的相合月，人緣必然比上月佳；且本月為本年的桃花月，整體社會氣氛良好，這必能對從商、自僱又或者是上班一族的你都是有幫助的，讓你在良好的氣氛下盡快完成手頭工作放假去也。

財運 自僱者仍然因工作量上升而收入有所增

加，而從商的你亦可以大力爭取，收入穩定的上班一族收入雖然不會因工作量上升而有所改變；惟本月下半月工作量減慢，人緣運提升，讓你能抽出更多時間去籌備假期，這也算是另一種得着。

事業　上半月工作量依然多，故仍要全心努力投入工作，下半月工作量減少，而本月又是你的相合月，本年的桃花月，工作氣氛及社會氣氛良好，加上下半月空閒時間多了，必能讓你可以多了時間去籌備假期而不怕阻礙了工作。

感情　本月是肖鼠的相合月，感情運是良好的，讓你倆在商討假期活動時能在融和的氣氛下進行，這必能增添你倆假期的樂趣；而且本月是本年的重桃花月，單身的你可以在假期前多些外出，看看能否成為今年桃花生肖的桃花，讓你不用孤單地去度過假期。

身體　本月是肖鼠的相合月，人緣運是良好的，忙碌的工作又要集中在上半月，讓你在下半月得到良好休息，能保持着良好的身心去度過你的假期而不用擔心身體，故算是一個身體良好的月份。

是非　本月是本年的桃花月，又是肖鼠的相合月，故不論整體社會氣氛又或者是肖鼠的你人緣運都是良好的；即使下半月出席些年夜飯，反應也是良好的多，更不會讓你在農曆年假期前惹上是非而影響到你的假期心情。

肖牛運程

- 一九三七
- 一九四九
- 一九六一
- 一九七三
- 一九八五
- 一九九七
- 二〇〇九
- 二〇二一

寒命人——出生於西曆八月八日後、三月六日前（即立秋後、驚蟄前）。

熱命人——出生於西曆五月六日後、八月八日前（即立夏後、立秋前）。

平命人——出生於西曆三月六日後、五月六日前（即驚蟄後、立夏前）。

肖牛的你去年犯太歲，來到今年來個大逆轉，因今年你是紅鸞桃花生肖，人緣運與去年有天淵之別，故要好好把握今年這個人緣要好的機會，尤其是春夏天出生的平、熱命人，本來去年是你旺運的最後一年，應該要全力爭取的，唯恐怕受犯太歲影響而拖慢了腳步，故踏進今年這個桃花年望能把下降軌跡延後一點；反而秋冬天出生的寒命人去年沒有甚麼大損失，反正也正在行壞運，再加多個犯太歲年壞上加壞又如何，反正都已經在谷底，今年開始反彈也是理所當然的，故秋冬天出生的你如果今年想作些新嘗試也是可以的，即使未能馬上轉佳，但怎樣也會比二〇二一年犯太歲時為佳。

肖牛今年為辛苦個人力量得財年，最能直接受惠的是自僱者，春夏天出生的平、熱命人望今年能追回去年的損失，秋冬天出生的寒命人也能望今年能有突破，那就共同努力好了；其次是從商者，今年工作量大了，代表與客人洽談的機會增多，自然能增加做得成生意的機率；上班一族今年收入雖然不會因工作量上升而有所增多，但也能因桃花年之助而令工作較為順利。

吉星有「紅鸞」，桃花星，如去年因犯太歲而分了手的話，今年可藉助這桃花星而盡快開展一段新感情；如在去年因犯太歲而已經結婚或正在懷孕，這也是正常的，而已經有了穩定感情的你，也能得這桃花之助而令人緣運好起來或更進一步。

「陌越」，有利地位提升，雖然今年並非升遷年，但努力爭取一下也是無妨的，得固然佳，失也沒有甚麼損失。

凶星有「病符」，小疾病，肖牛的你今年並無刑沖，加上又是桃花生肖，這病星的壞影響不大，稍為留意春季去年帶下來的犯太歲餘氣便可。

其他凶星「吞陷」、「寡宿」、「天煞」，無甚影響，可無需理會。

寒命人 今年為水火互換年，利木火忌金水的你，水旺運的最後一年已經過去，今年先踏上三年木年，再下去三年火年，運情必然會日增月盛，惟每個人轉運的速度有所不同，大多數人會在今年夏天以後逐漸轉好，但少數人會在二〇二五年才轉變；但不管運程來得早或遲，都會是六年的，並不會因為來遲了而讓運程縮短了。

熱命人 去年是你好運的最後一年，可惜因犯太歲的關係有機會把運程拖慢，雖然今年開始往後六年都是木火流年，運程將會逐漸減慢，去到二〇二五年後會更為明顯，今年只能寄望桃花年之助而令下降軌跡遲來一點。

平命人 即使一生較為平穩的你也是金水年較為順暢，惟從今年起，是木火年交替之時，你的運程亦會開始減慢，因由今年開始，你要逐漸採取守勢，把腳步放慢一下去接受木火年的來臨，而作出充分的準備。

一九三七年出生的牛——今年為思想學習投資年，學習方面，不會因年齡而停頓的，如果心力還可，去學一些有興趣的也無不可；但投資方面，即使仍在商場的你，好像都不是一個適合的年齡。

一九四九年出生的牛——今年為辛苦個人力量得財年，雖然已經年過七旬，但仍像年輕人般那麼有衝勁的相信仍然不少；如果人仍然在職場中，今年仍然是可以努力的，尤其是自僱者，其次是從商的你。

一九六一年出生的牛——今年為貴人舒服懶年，相信很多人會在今年退休，突然間步伐慢下來有些兒不適應；惟才剛退休的你，慢下來籌劃一下以後的去向也是合適的；而仍在職場中的你在今年放慢腳步，調整一下步伐，在這年紀是一個好時機。

一九七三年出生的牛——今年為權力地位提升年，上班一族固然可以努力爭取升遷，從商自僱者亦可藉此年努力把自己在行內的名聲提升，相信今年因桃花之助而令事情來得更加順暢。

一九八五年出生的牛——今年為財運年，各個肖牛者以你的財運最佳，這對從商的你幫助最大，必能讓生意不期然地增長而從中獲益；其次是收入以件工計算的自僱者，而收入穩定的上班一族唯有嘗試多買些彩票，看看能否有些意外收穫。

一九九七年出生的牛——今年為思想學習投資年，踏進二十五歲的你在今年作一些小小投資算是取一些經驗也是好的，但平、熱命人不要投太大期望；又在今年再學習進修或者仍然在進修者，也能因今年思想學習年而令思緒更加清晰。

二〇〇九年出生的牛——今年為辛苦活躍年，即使平常較靜的你也可能因這活躍年而多動起來，參加多些課外活動；而這亦有助你的學習運的，必然能增加思想的清晰度而間接對學業起到正面作用。

二〇二一年出生的牛——今年為貴人舒服懶年，其實我想你對每樣事情都是充滿好奇的，只是今年才踏進一步的你未能自由學習而已。

財運

今年為辛苦個人力量得財年，最能直接受惠的是自僱者，因必然能因工作量上升而收入有所增加；其次是從商的你，今年亦能因工作量上升而與客戶的互動多了，這自然能增加做成生意的機率，再加桃花人緣之助，必能提升你的生意及財運；而收入穩定的上班一族可能只是徒添辛勞，收入卻不會因此而上升，惟在這桃花年內，工作環境必然比去年犯太歲年為佳，故工作雖然忙碌，但能在平和的環境下工作也算是另一種得着。

事業

今年為水火互換年，運程容易出現大逆轉，所以今年在攻守上是要三思，看清形勢再去作打算，因春夏天出生的平、熱命人快則本年夏天運程開始減慢，故要在秋冬之時作出檢視，可進則進，不可進則守；相反，秋冬天出生的寒命人快則今年夏天運程會逐漸通順，待秋天後如發現真的開始順暢，則可以開始進攻，二〇二五年後更可以大舉出擊。

感情

去年沖太歲的你感情容易出現變化，結婚、分手、懷孕也都是變化的一種，如果不幸因沖太歲而分了手，現在便要盡快收拾心情，準備去投入一段新感情；又桃花年只代表容易吸引別人對你垂青，但不會出現你心中所想的對象，如果自己在心中已經設定對象，那恐怕會容易錯過這桃花年了。

身體

去年因沖太歲而易見損傷，以及腸胃特別容易出現不適，來到此年一切又回復正常了，平常沒有腸胃毛病的，今年也不忘要特別小心；再加上今年為肖牛的桃花年，人緣運比去年好得多，只擔心今年是水火互換運程逆轉的年份，怕這樣會形成壓力而導致情緒欠佳，那唯有看清形勢，盡力接受好了。

是非

去年因沖太歲而產生的是非，今年夏天以後便會逐漸消散，代之而來是人緣運要好的桃花年，讓你可以盡力去爭取人緣運及客戶的認同；因今年為運程交替的年份，旁人的助力也是提升運程的關鍵。

農曆一月

本月為肖牛的財運月，又是桃花月，惟沖太歲的餘氣猶在，故本月不宜太過着力爭取，而本年桃花的作用仍然較弱，亦不宜多外出應酬，新春要出席的活動照常出席，而且也要低調行事，因才從農曆十二月轉過來，而農曆年間仍未立春，仍算是牛年農曆十二月，故一切仍然是要小心的。

財運 雖然今年是辛苦個人力量得財年，而本月又是你的財運及桃花月，照理應該是運程暢順才對，惟運程之好壞有時是會延續的，不是今年立春以後便可以馬上割斷去年之氣，故本月不要對財運太過着緊。

事業 逆水行舟，且前且後。雖然踏進了紅鸞桃花年，人緣運來一個大翻身，惟每年之氣都是會延續的，故本月仍然容易受到去年犯太歲的影響；加上自己的情緒亦可能未完全恢復過來，故本月在事業上就先不要着急，待至農曆二、三月後才漸漸努力好了。

感情 去年犯太歲的你如果是已經結婚或懷孕，來到此時沒有甚麼要提防，如早已結婚的你如因去年犯太歲而鬧不快，本月以後這些矛盾亦會逐漸消散；但如果因為去年犯太歲分了手而回復單身的你，恐怕仍未能收拾心情，故本年你的這個桃花月對你不一定有用了。

身體 去年之餘氣猶在，故在飲食方面本月仍然是要小心的，腹瀉者要少吃些生冷冰凍之物；便秘者則要多吃些清潤的食物，煎炸燥熱的要少沾為妙。

是非 本月雖然是你的桃花月，今年又是桃花生肖的你，人緣運應該要好才是，惟犯太歲年月才剛過去，其餘氣猶在，為以防萬一，本月也不宜太過積極，反而最好能盡量減少外出應酬，讓去年帶下來的是非早日消散。

農曆二月

本月為肖牛的財運月，來到農曆二月，去年受犯太歲的影響逐漸遠離，這個月就努力一點，看看能否有些意外收穫；加上本月為本年的桃花月，整體社會氣氛比上月為佳，這對肖牛的你亦是有幫助的，而本年你又是桃花生肖，人緣運已經比別人為佳，這必讓你更容易達到目標。

財運 財如春草，不見其生，亦有所長。這兩個月都是你的財運月，上月雖然不宜太過努力爭取，但這不代表財運不會自然而然地來，本月也是，稍為努力一點應該便能獲得應有的回報。

事業 合用之財不可吝，當行之事毋庸疑。肖牛的你本月為財運月，雖然是一點虛財，但最少能賺回要花的錢；而事業運也能得人緣之助而自然而然地在進展中，不論在順逆運中的寒、熱、平命人，都容易因此月仍然在進步中。

感情 雖然本月並非肖牛的桃花月，但今年是桃花生肖的你，來到本年的這個桃花月仍然是有用的，有鞏固感情者固然能相處愉快；單身者亦可藉此年的這個桃花月多些外出，看看能否給你碰到心儀對象。

身體 仲春之時陰濃濕重，最要留意是皮膚問題，如平常已經有着皮膚問題的你，本月更要小心，在飲食上盡量多吃喝些去濕食物，這樣必然有助身體回復平衡。

是非 本月是本年的桃花月，整體社會氣氛是平和的，而開始踏進桃花年的你也能直接受惠，即使本月多些外出應酬，反應都是良好的多而負面的少，更不用分身去處理是非。

農曆三月

本月是權力地位提升月，又是到上班一族要努力的時候了，如果知道公司準備作內部提升而你又有意爭取的話，不妨可以主動一點，因本年肖牛的你是桃花生肖，人緣運都容易比別的生肖為佳，這讓你無後顧之憂，即使爭取不了也不會惹來滿盤是非；又升遷運與運程順逆是沒有直接關係的，即使運程轉順的寒命人又或者開始轉逆的平、熱命人，機會也都是均等的。

財運 本月為權力地位提升月，上班一族除非本月可以馬上落實升遷，否則，財運是不會有特別進展的；從商自僱者反而因為要爭取別人認同，可能會多些出席一些行內又或者慈善活動，開支反而會比平常為多。

事業 暗中摸索處，忽見一明燈。肖牛的你今年始終是桃花生肖，整體人緣運比去年好得多，且不難有貴人扶持一把，在爭取名氣地位提升時都能事半功倍；而這必有助平、熱命人減慢下降軌跡，而寒命人則望能踏進夏天日程便可以日增月盛。

感情 本月為平穩的月份，感情方面並無刑沖，少見爭吵，但也不是桃花相合月，相處之時必然較為平淡，即使在復活節假期中外遊，也都是如平常日子般就度過了。

身體 每年到農曆三月你都是要小心飲食，注意腸胃的，惟本年肖牛的你並無刑沖，加上是桃花生肖，故不論身體內部又或者外在環境也不會令到健康運變差，這必能讓你能愉快地度過復活節假期。

是非　平常歲月，無需刻意提防是非；雖然本月並非肖牛的桃花相合月，但也並無刑沖，人緣運還是可以的，今年是桃花生肖的你只是遇上刑沖犯的月份才要小心一些，其餘即使不是桃花又或者相合月，人緣運仍然是不錯的。

農曆四月

本月為權力地位提升月，也是肖牛的遙合月，容易出現遠方貴人扶助，如果公司是外地公司又或者老闆、上司是外地人，這對你的升遷運是可以加分的；本月雖然是本年的相合月，整體社會氣氛不太平和，外間恐防較多風雨，惟這對人緣要好的你不單只是沒有影響，反而是一個好機會，因為人退我進，這是必然的。

財運　本月仍然是權力名氣地位提升月，從商自僱的你在爭取別人的認同時，仍然可能在應酬上會有較多花費，惟這些花費是值得的，日後必然能助你帶來應得的回報，故本月仍然是要以求名為先。

事業　名惠而利不至。本月為表面風光，地位提升年，惟從商自僱者，名聲有時會比直接去追求成績、提升財運來得更為有用；因長遠而言，名聲好了，必然能為你帶來長久的回報，如只爭朝夕，只顧眼前利益，相信是難以長久維持的。

感情　本月雖然是本年的相刑月，即使另一半是本年相刑的生肖，只要對他/她稍作忍耐，相信感情運仍然是良好的；惟單身者在本月能開展到一段新感情的機會不大，不如留待下月肖牛的桃花月再努力爭取機會好了。

身體　本月是本年的相刑月，容易引發皮膚及腸胃方面的毛病，這雖然與肖牛的你並無直接關係，惟外出應酬時同枱總會碰上今年沖犯太歲的同伴，故在飲食上也是要清淡一點為佳。

是非

本身肖牛的你本月人緣運是要好的，雖然本月是本年的相刑月，外間恐多風雨，但這也無阻你自身的人緣運；雖然本月自身人緣運一般，但比起別的生肖而言，算是良好的了。

農曆五月

本月為貴人舒服懶月，踏入仲夏放慢一下腳步也是適宜的，因今年為水火互換年，相信春季過後可以開始審視一下目前形勢，平、熱命人如果發現運程仍然可以，那有機會會延至二〇二四年底，但如果發現上月已經遇到明顯下滑，那由現在開始要採取守勢了；相反，寒命人發現運程明顯轉順，那往後日子可以進取一些，但如果發現只有寸進又或者仍然未有進展，則要再細心體驗夏秋的運程再去決定攻守。

財運

本月為貴人舒服懶月，財運就先不要去着急好了，反而本月細心檢視一下目前情況，再去作攻守準備，總比只爭朝久好得多，這樣必然能夠讓運程更加穩固。

事業

本月是貴人舒服懶月，工作量不大，也無需迫自己去忙，反倒藉此肖牛的桃花月，多些外出與客戶、朋友聯繫，獲取多些最新資訊，這必比埋頭苦幹地去死幹好得多；常保持與外間關係，這必然能夠更加進退有度，這不論是平、熱、寒命人在此時此刻是最需要的。

感情

本月為肖牛的桃花月，反正本月工作量不大，倒不如騰出多些時間去聯繫感情；而單身者今年為桃花生肖，來到這個桃花月必然能增加你早日脫離單身的機會，本月就多些去出席公眾場合好了。

身體

本月為肖牛的桃花月，本年並無刑沖的

你，身體健康及情緒都必然比去年為佳；來到這個桃花月更是心情輕鬆，即使多些外出去一些飯局，健康狀況也都是良好的。

是非 桃花月，人緣佳，是非欲生也無從。加上本月又是本年的相合月，社會氣氛又轉回融和，讓肖牛的你即使多些相約朋友、客戶外出諮詢，樂意幫忙的也不會少。

農曆六月

本月為貴人舒服懶月，惟本月是肖牛的相沖月，容易出現少許變化，不論在事業、住屋或感情上都是要留意的，如果想因今年紅鸞桃花而讓感情更進一步，本月是籌劃的好時機，而單身者亦容易因相沖月而為你沖出一段感情來；事業方面，運程順逆可能來得更為明顯，讓寒、熱、平命人更能看清此後攻守之道。

財運 先懶後勤，數當如此。上半月工作量不大，財運當然也不會有任何突破，而下半月工作量突然大增，最直接受惠的是自僱者，因收入必然能跟從上升的工作量而有所提升；其次是從商的你，而上班一族雖然不會因工作量上升而收入有所改變，但慵懶了一個多月，也是時候全心去投入工作了。

事業 本月為肖牛的相沖月，也是運程最容易逆轉之時，不論寒、熱、平命人都宜冷靜去分析目前形勢，當進則進，不可進則守；又本月因相沖的關係，最適宜順其自然，看看命運到底想將你帶向哪一方。

感情 本月為肖牛的相沖月，今年是紅鸞桃花的你如果打算在本年內結婚，本月是一個適當的籌劃月份；如果單身的你想盡快脱離單身行列，本月亦都是一個好機會，故本月宜多些外出，看看命運能否帶引你去開展一段新感情。

身體 本月是你的相沖月，雖然今年你是紅鸞桃花生肖，人緣運比別的生肖好，但腸胃方面仍然是要留意的；雖然一個月的問題不會太嚴重，但為免去年的腸胃問題復發，本月在飲食上也是要小心為上。

是非 水火未能濟，上下豈相乎。本月是肖牛的相沖月，也是水火交戰、水火互換的月份，充滿着很多不明朗的因素，最上策者為靜觀其變；故本月在人緣交往上亦不要太過積極，望這個月的小波濤不會興風作浪。

農曆七月

本月為辛苦個人力量得財月，又是肖牛的桃花月，不論自身的工作運及人緣運都是良好的；惟本月是本年的相沖月，社會氣氛唯恐不太平和，在是非經濟或交通意外上都容易出現突發事件，故人緣運良好的你本月也適宜獨善其身，望能排除在不太平穩的社會氣氛外。

財運 本月是辛苦個人力量得財月，這對自僱者最有幫助，收入必然能因工作量上升而有所增加；加上本月是本年氣氛較差的一個月，你亦適宜全心投入工作，除了望獲得更好成績外，也望能逃避於是非中。

事業 上山多費力，有樹可扳枝。本月雖然社會氣氛唯恐不太和諧，但其實對桃花生肖的你影響不大；加上本月又是你的桃花月，人緣運明顯比別的生肖為佳，故在事業上其實仍然可以慢步而進的，只要盡量埋首於自己工作，少外出應酬，本月的不平穩是可與你無關的。

感情 本月是本年的相沖月，但這與肖牛的你並無關係，除非另一半剛好是今年沖犯太歲的生肖，才會容易惹起波濤；如果真是這樣，唯有對對方多作忍讓，待這月過去又可以一切如常了。

身體 本月為本年的交通意外高危月，肖牛的駕駛者在駕駛時仍然是要打醒十二分精神的；雖然這個相沖月與肖牛的你並無直接關係，但因車在路上，總會碰上今年沖犯太歲的生肖，怕一不留神便給意外牽連上。

是非 本月是肖牛的桃花月，自身的人緣運是良好的，惟本月是本年的沖太歲月，整體社會氣氛唯恐不太融和，變故稍多；故肖牛的你亦不宜太多應酬，以免無故惹上是非影響到你本月良好的人緣運。

農曆八月

本月為辛苦個人力量得財月，自身的人緣運沒有上月的好，但整體社會氣氛卻轉歸平和，讓你不用擔心外界環境，可以用全力去爭取好成績，故從商自僱者要好好加一把勁，望能讓業績提升得更加理想；雖然本月並非肖牛的桃花月，但卻是相合月，容易出現貴人來扶你一把，故業績不難比上月為佳。

財運 指臂相應，轉折從心。本月為辛苦個人力量得財月，自僱者還可以盡最大努力去爭取更佳成績，尤其是以每單工作計算收入的你，相信本月財運應該是不錯的；其次是從商的你，本月必能因貴人之助而令業績有正面增長。

事業 動止順利，自納禎祥。本月是肖牛的相合月，易得貴人扶助，而整體社會氣氛又轉歸平和，讓你本月在工作上都順暢了不少，也不用擔心外間的風風雨雨，即使收入沒有增長的上班一族，工作運也都是良好的。

感情 本月是肖牛的相合月，感情運是穩定的，如果因今年桃花年才開展的新感情，本月正好有機會讓你把感情穩固下來，故本月在忙碌工作之餘，一定要多花些時間在感情上。

身體 本月為肖牛的相合月，遇上意外損傷的機會不大，加上交通意外高危月又已經過去，一切又回復正常；本月即使工作量仍然高但身體狀況仍然是良好的，加上人緣運佳，在情緒上也是不錯的，算是身心良好的一個月。

是非 相沖月已經過去，整體社會氣氛又回復正常，加上本月又是肖牛的相合月，自身人緣運仍然是良好的，相比起來，本月整體人緣運會較上月佳，故本月無愁是非纏繞。

農曆九月

本月為思想學習投資月，學習進修方面，不管寒、熱、平命人都是適宜的，尤其是上班一族，時刻都要為自己增值，方能免被社會淘汰。但新投資方面，平、熱命人一定不適宜，舊有投資擴展也都要三思而後行；相反，秋冬天出生的寒命人在往後六年也是順運，如果知道自己已經入了大運更不用猶豫，可以起步嘗試，即使未入大運，有時六年一段的流年運也是可以做出成績的。

財運 本月為思想學習投資月，不論學習又或者投資都是有些額外開支的，加上本月又是肖牛的相刑月，容易有些意想不到的花費，故本月在財政上要處理得宜，以免開支過度。

事業 欲左欲右，心中不定。本月不論寒、熱、平命人都容易出現猶豫未決的情況，但這只是對想作新投資者而言；上班一族及自僱的你，本月是非顯然較上兩個月為多，但下半月工作忙碌，事業仍然是有進展的。

感情 本月為肖牛的相刑月，感情運上容易出現些小風波，惟相刑的影響比較輕微，可能只是在一些小事情上意見不合而已，不會對穩定的感情帶來太大影響；除非是因今年桃花年才開展的感情，因為不夠深厚，故本月要好好維繫及多作忍讓。

身體 本月是肖牛的相刑月，每年到此月你都要小心腸胃，注意飲食；惟本年不比去年犯太歲，心理壓力不大，胃腸問題也不會太嚴重，只要在飲食上略加注意便是了。

是非 本月是肖牛的相刑月，自身是非稍多，雖然本年你是桃花生肖，整體人緣運是良好的，但也不要因為一個是非月而影響到整年下來的努力，故本月還是少點外出應酬為佳。

農曆十月

本月仍然是思想學習投資月，仍在猶豫的你，本月要好好做決定了，如果本月不想起步，也可以等待到明年夏天的；在進修方面，這個月仍然是可以進行的，反正農曆十月也應該不會特別忙，花一些時間去吸收一些新知識，在學習時也能增加不少生活樂趣的。

財運 本月仍然是思想學習投資月，上班一族投資方面可能與你無關，惟秋冬天出生的寒命人如果朋友想起步作嘗試，你也可以夾一些錢去湊一下，這樣既可以保持工作，也能作一些新嘗試，算是一舉而兩得。

事業 無舵舟，循則游。本月仍然是思想學習投資月，惟每人性格不同，有人喜歡穩定的上班生活；有人喜歡一生不停去嘗試甚至屢敗屢戰，永不會退縮；故在事業取向上人人不同，就順着自己性格去做好了。

感情 本月是肖牛的遙合月，感情運是穩固的，上月的小風波來到此月必然消散殆盡；惟單身者能在此月開展到新感情的機會不大，最多是你外出之時遇上外來的心儀對象而已，能夠發展到的機會不大。

身體 相刑月已經過去，又回復到今年健康良好的狀況，惟本月如不投資也沒有打算學習進修，那思想可能無所歸而容易胡思亂想引致失眠；如果真的這樣，在睡前看些消閒書又或者喝少量葡萄酒這也是有助入眠的。

是非 小人道消，君子道長。上月的小是小非已經散盡，本月又可以如往常的交往，加上本月是本年的相合月，整體社會氣氛良好；即使有時心中多了些事而猶豫不決而要向客戶、朋友諮詢，相信樂於幫忙的也不會少，亦不會因此而惹上是非或給人背後嘲笑。

農曆十一月

本月是你的財運月，又是人緣運要好的相合月，各樣事情都來得相對穩定，讓你努力爭取好成績時少了不少顧慮。本月最能受惠的是從商的你，必能因這個財運月而獲得不錯的成績；其次是自僱者，雖然不是多勞多得的月份，但收入不穩的你相信也能因財運月而收入有所上升；而收入穩定的上班一族唯有多買些彩票，看看能否有點意外之財。

財運 順水行舟又遇順風相送。本月不單止是肖牛的財運月，而且也是容易有貴人相助的相合月，加上本年肖牛的你又是桃花生肖，故本月不論在貴人、人緣及財運上都是正面的；秋冬天出生的寒命人固然佳，相信踏進逆運中的平、熱命人也能因財運月而獲得一些好處。

事業　盡可放馬揚鞭，自能頭頭是道。本年是桃花生肖的你，來到這個容易有貴人相助的月份，相信事業能夠順利進展，上班一族即使未能因財運月而獲得意外收穫，但相信這月份必然有助你在上司心中留下良好印象。

感情　本月是你的相合月，不論對舊有感情又或者因今年桃花年才開展的戀情，來到此月都是良好的，加上聖誕新年假期在即，必然把你倆的感情推進一步。

身體　本月為肖牛的相合月，損傷傾跌之事不用太過提防，加上又是財運月，財源豐盛了人亦自然較輕鬆；加上假期在即，人的衝勁也大大增加，病菌想入侵也無從。

是非　人在桃園裏，何處不春風。本年是桃花生肖的你，一整年下來人緣運必然比去年犯太歲好得多，加上本月又是你的相合月，易得貴人扶助；本月在公在私都無需去提防小人，就好好享受這無是無非的時光好了。

農曆十二月

每年來到此月都是你的犯太歲月，惟今年與去年不同，去年你是犯太歲心情特別差的生肖，今年則是人緣運特別好的桃花生肖，故本年的這個十二月無需防備甚麼，加上本月是本年的桃花月，整體社會氣氛亦較去年的這個月好得多，故肖牛的你本月仍可以努力爭取，望能過一個較豐裕的農曆年假期。

財運　前面是農曆年假期，不論外出旅遊又或者留港度歲，或多或少都會有些意外花費的，惟本月仍然是肖牛的財運月，相信不難把本月的額外開銷賺回來；惟上班一族收入始終穩定，只能望今年公司業績理想而分發些特別花紅。

事業 生意源源有，緊鬆我自選。本月是不愁生意的，財運月加上你又是人緣運要好的生肖，相信稍稍努力，便能達到心目中的好成績；惟假期接假期，總也要抽點時間去處理些私人事件，即使簡單如農曆年間外遊，也是要早些定策略的，故公私之時間分配就好好處理吧！

感情 雖然本月是你的犯太歲月，每年到此月都會叫你好好維繫感情的，惟去年犯太歲年，感情是合是分是好是壞相信已非常明瞭，故來到本年這個月份，已經沒有甚麼要提防了。

身體 每年十二月都是你的犯太歲月，都會叫你小心情緒及注意腸胃，小心飲食；惟本年你是桃花生肖，而本月又是本年的桃花月，不論是肖牛的人緣運又或者整體社會氣氛也都是良好的，故本月出現負面情緒的機會不大，腸胃也自然較健康。

是非 本月是本年的桃花月，整體社會氣氛是融和的，即使是犯太歲月的你，也沒有甚麼要特別小心；即使年底或者應酬多些，也無需刻意提防甚麼，與家人、朋友商討農曆年假期去向時，氣氛也都是和諧的。

生肖增加財運方法

生肖	方法	生肖	方法
鼠	南面放紅色物件	馬	西面放音樂盒
牛	北面放水	羊	北面放水
虎	西南面放石頭	猴	東面放植物
兔	東北面放石頭	雞	東面放植物
龍	北面放水	狗	北面放水
蛇	西面放音樂盒	豬	南面放紅色物件

生肖增加健康運方法

生肖	方法	生肖	方法
鼠	西面放音樂盒	馬	東面放植物
牛	南面放紅色物件	羊	南面放紅色物件
虎	北面放水	猴	西南面放石頭
兔	北面放水	雞	東北面放石頭
龍	南面放紅色物件	狗	南面放紅色物件
蛇	東面放植物	豬	西面放音樂盒

這兩個方法可用於辦公室座位或自己之房間內。

生肖增加桃花人緣運方法

鼠 肖鼠的你，每遇兔年是你的紅鸞桃花年，然每十二年才有一年兔年，所以不是兔年的時候如果想增加自己的桃花運，可以在身上佩帶一兔形飾物或在家中正東方放一個兔形擺設即可。

牛 肖牛的你，每遇虎年是你的紅鸞桃花年，然每十二年才有一年虎年，所以不是虎年的時候如果想增加自己的桃花運，可以在身上佩帶一虎形飾物或在家中東北方放一個虎形擺設即可。

虎 肖虎的你，每遇牛年是你的紅鸞桃花年，然每十二年才有一年牛年，所以不是牛年的時候如果想增加自己的桃花運，可以在身上佩帶一牛形飾物或在家中東北方放一個牛形擺設即可。

兔 肖兔的你，每遇鼠年是你的紅鸞桃花年，然每十二年才有一年鼠年，所以不是鼠年的時候如果想增加自己的桃花運，可以在身上佩帶一鼠形飾物或在家中正北方放一個鼠形擺設即可。

龍 肖龍的你，每遇豬年是你的紅鸞桃花年，然每十二年才有一年豬年，所以不是豬年的時候如果想增加自己的桃花運，可以在身上佩帶一豬形飾物或在家中西北方放一個豬形擺設即可。

蛇 肖蛇的你，每遇狗年是你的紅鸞桃花年，然每十二年才有一年狗年，所以不是狗年的時候如果想增加自己的桃花運，可以在身上佩帶一狗形飾物或在家中西北方放一個狗形擺設即可。

馬 肖馬的你，每遇雞年是你的紅鸞桃花年，然每十二年才有一年雞年，所以不是雞年的時候如果想增加自己的桃花運，可以在身上佩帶一雞形飾物或在家中正西方放一個雞形擺設即可。

羊 肖羊的你，每遇猴年是你的紅鸞桃花年，然每十二年才有一年猴年，所以不是猴年的時候如果想增加自己的桃花運，可以在身上佩帶一猴形飾物或在家中西南方放一個猴形擺設即可。

猴 肖猴的你，每遇羊年是你的紅鸞桃花年，然每十二年才有一年羊年，所以不是羊年的時候如果想增加自己的桃花運，可以在身上佩帶一羊形飾物或在家中西南方放一個羊形擺設即可。

雞 肖雞的你，每遇馬年是你的紅鸞桃花年，然每十二年才有一年馬年，所以不是馬年的時候如果想增加自己的桃花運，可在身上佩帶一馬形飾物或在家中正南方放一個馬形的擺設即可。

狗 肖狗的你，每遇蛇年是你的紅鸞桃花年，然每十二年才有一年蛇年，所以不是蛇年的時候如果想增加自己的桃花運，可以在身上佩帶一蛇形飾物或在家中東南方放一個蛇形擺設即可。

豬 肖豬的你，每遇龍年是你的紅鸞桃花年，然每十二年才有一年龍年，所以不是龍年的時候如果想增加自己的桃花運，可以在身上佩帶一龍形飾物或在家中東南方放一個龍形擺設即可。

第五章

吉日一覽

嫁娶吉日

農曆一月

正月初一日（西曆二月一日星期二）
成酉日——上頭時間—凌晨零時至三時
（沖兔）出門時間—上午七時至九時
上午十一時至下午一時

正月初十日（西曆二月十日星期四）
定午日——上頭時間—凌晨一時至三時
（沖鼠）出門時間—上午七時至十一時

正月廿二日（西曆二月二十二日星期二）
定午日——上頭時間—凌晨一時至三時
（沖鼠）出門時間—上午九時至下午一時

農曆二月

二月十五日（西曆三月十七日星期四）
滿巳日——上頭時間—凌晨零時至一時
（沖豬）出門時間—上午七時至下午一時

二月廿九日（西曆三月三十一日星期四）
定未日——上頭時間—凌晨零時至一時
（沖牛）出門時間—上午七時至下午一時

農曆三月

三月初五日（西曆四月五日星期二）
成子日——上頭時間—凌晨零時至三時
（沖馬）出門時間—上午七時至十一時

三月初七日（西曆四月七日星期四）
開寅日——上頭時間—凌晨一時至三時
（沖猴）出門時間—上午七時至下午一時

三月十四日（西曆四月十四日星期四）
執酉日——上頭時間—凌晨零時至三時
（沖兔）出門時間—上午七時至下午一時

三月十七日（西曆四月十七日星期日）
成子日——上頭時間—凌晨一時至三時
（沖馬）出門時間—上午七時至十一時

農曆四月

四月十七日（西曆五月十七日星期二）
除午日——上頭時間—凌晨一時至三時
（沖鼠）出門時間—上午七時至下午一時

四月廿六日（西曆五月二十六日星期四）
開卯日——上頭時間—凌晨零時至一時
（沖雞）出門時間—上午七時至十一時

農曆五月

五月初八日（西曆六月六日星期一）
成寅日——上頭時間—凌晨一時至三時
（沖猴）出門時間—上午七時至下午一時

五月十六日（西曆六月十四日星期二）
定戌日——上頭時間—凌晨一時至三時
（沖龍）出門時間—上午十一時至下午一時

五月二十日（西曆六月十八日星期六）
成寅日——上頭時間—凌晨一時至三時
（沖猴）出門時間—上午七時至下午一時

五月廿三日（西曆六月二十一日星期二）
閉巳日——上頭時間—凌晨一時至三時
（沖豬）出門時間—上午七時至九時
上午十一時至下午一時

五月廿五日（西曆六月二十三日星期四）
除未日——上頭時間—西曆六月二十二日
晚上九時至十一時
（沖牛）出門時間—上午七時至下午一時

五月廿八日（西曆六月二十六日星期日）
定戌日——上頭時間—凌晨一時至三時
（沖龍）出門時間—上午十一時至下午一時

農曆六月

六月初二日（西曆六月三十日星期四）
成寅日——上頭時間—凌晨一時至三時
（沖猴）出門時間—上午七時至十一時

六月初四日（西曆七月二日星期六）
開辰日——上頭時間—凌晨一時至三時
（沖狗）出門時間—上午七時至下午一時

六月十四日（西曆七月十二日星期二）
危寅日——上頭時間—凌晨零時至一時
（沖猴）出門時間—上午九時至下午一時

六月廿三日（西曆七月二十一日星期四）
定亥日——上頭時間—凌晨零時至一時
（沖蛇） 出門時間—上午七時至九時
上午十一時至下午一時

六月廿七日（西曆七月二十五日星期一）
成卯日——上頭時間—凌晨零時至一時
（沖雞） 出門時間—上午七時至下午一時

農曆七月

七月初八日（西曆八月五日星期五）
危寅日——上頭時間—凌晨三時至五時
（沖猴） 出門時間—上午七時至下午一時

七月廿四日（西曆八月二十一日星期日）
開午日——上頭時間—凌晨一時至三時
（沖鼠） 出門時間—上午九時至下午一時

農曆八月

八月初一日（西曆八月二十七日星期六）
定子日——上頭時間—凌晨零時至三時
（沖馬） 出門時間—上午七時至十一時

八月十四日（西曆九月九日星期五）
定丑日——上頭時間—凌晨零時至三時
（沖羊） 出門時間—上午七時至九時
上午十一時至下午一時

農曆九月

九月十二日（西曆十月七日星期五）
成巳日——上頭時間—凌晨零時至一時
（沖豬）出門時間—上午七時至十一時

九月廿二日（西曆十月十七日星期一）
執卯日——上頭時間—凌晨零時至三時
（沖雞）出門時間—上午九時至下午一時

九月廿四日（西曆十月十九日星期三）
危巳日——上頭時間—凌晨零時至三時
（沖豬）出門時間—上午十一時至下午一時

九月廿五日（西曆十月二十日星期四）
成午日——上頭時間—凌晨一時至三時
（沖鼠）出門時間—上午九時至下午一時

農曆十月

十月初八日（西曆十一月一日星期二）
成午日——上頭時間—凌晨一時至三時
（沖鼠）出門時間—上午九時至十一時

十月十四日（西曆十一月七日星期一）
滿子日——上頭時間—凌晨零時至三時
（沖馬）出門時間—上午九時至十一時

十月十七日（西曆十一月十日星期四）
定卯日——上頭時間—凌晨零時至三時
（沖雞）出門時間—上午七時至九時
上午十一時至下午一時

十月廿三日（西曆十一月十六日星期三）
開酉日——上頭時間—淩晨零時至三時
（沖兔）　出門時間—上午七時至九時
　　　　　上午十一時至下午一時

十月廿九日（西曆十一月二十二日星期二）
定卯日——上頭時間—淩晨零時至一時
（沖雞）　出門時間—上午七時至九時
　　　　　上午十一時至下午一時

農曆十一月

十一月十一日（西曆十二月四日星期日）
定卯日——上頭時間—淩晨零時至三時
（沖雞）　出門時間—上午七時至九時
　　　　　上午十一時至下午一時

十一月廿二日（西曆十二月十五日星期四）
滿寅日——上頭時間—淩晨零時至三時
（沖猴）　出門時間—上午七時至十一時

農曆十二月

十二月初十日（西曆一月一日星期日）
危未日——上頭時間—淩晨零時至一時
（沖牛）　出門時間—上午七時至十一時

十二月二十日（西曆一月十一日星期三）
定巳日——上頭時間—淩晨零時至一時
（沖豬）　出門時間—上午七時至下午一時

十二月廿四日（西曆一月十五日星期日）
成酉日——上頭時間—淩晨零時至三時
（沖兔）　出門時間—上午七時至下午一時

開張、動土、入伙吉日

農曆一月

正月初一日（西曆二月一日星期二）

成酉日（沖兔）吉時—上午十一時至下午一時
下午三時至七時

正月初四日（西曆二月四日星期五）

開子日（沖馬）吉時—上午五時至十一時
下午五時至十一時

正月初十日（西曆二月十日星期四）

定午日（沖鼠）吉時—上午七時至十一時
下午一時至三時
下午五時至七時

正月十三日（西曆二月十三日星期日）

危酉日（沖兔）吉時—上午十一時至下午三時
下午五時至七時

正月十六日（西曆二月十六日星期三）

是日忌動土

開子日（沖馬）吉時—下午一時至三時
下午五時至七時

正月廿二日（西曆二月二十二日星期二）

定午日（沖鼠）吉時—上午九時至下午一時
下午五時至十一時

農曆二月

二月初九日（西曆三月十一日星期五）

成亥日（沖蛇）吉時—上午七時至九時
上午十一時至下午一時
下午七時至十一時

二月十五日（西曆三月十七日星期四）

滿巳日（沖豬）吉時—上午十一時至下午三時
是日忌動土

二月十八日（西曆三月二十日星期日）

執申日（沖虎）吉時—上午五時至下午三時

二月廿一日（西曆三月二十三日星期三）

成亥日（沖蛇）吉時—下午一時至三時

二月廿九日（西曆三月三十一日星期四）

定未日（沖牛）吉時—上午九時至下午一時
下午七時至九時

農曆三月

三月初四日（西曆四月四日星期一）

成亥日（沖蛇）吉時—上午十一時至下午三時
下午七時至十一時

三月初五日（西曆四月五日星期二）

成子日（沖馬）吉時—上午五時至十一時
下午五時至七時

三月初七日（西曆四月七日星期四）

開寅日（沖猴）吉時—上午三時至九時
中吉—上午九時至下午三時

三月十四日（西曆四月十四日星期四）
執酉日（沖兔）吉時—上午十一時至下午三時
是日忌動土

三月十七日（西曆四月十七日星期日）
成子日（沖馬）吉時—下午一時至三時
下午五時至七時

三月十九日（西曆四月十九日星期二）
開寅日（沖猴）吉時—下午一時至三時
中吉—上午七時至下午一時

三月廿九日（西曆四月二十九日星期五）
成子日（沖馬）吉時—上午七時至十一時
下午一時至三時

農曆四月

四月初八日（西曆五月八日星期日）
定酉日（沖兔）吉時—上午七時至下午一時

四月十一日（西曆五月十一日星期三）
危子日（沖馬）吉時—上午七時至九時
下午一時至三時

四月十四日（西曆五月十四日星期六）
開卯日（沖雞）吉時—上午十一時至下午三時

四月十七日（西曆五月十七日星期二）
除午日（沖鼠）吉時—上午十一時至下午三時
下午五時至七時

四月二十日（西曆五月二十日星期五）
定酉日（沖兔）吉時—上午七時至十一時

四月廿六日（西曆五月二十六日星期四）
是日忌動土
開卯日（沖雞）吉時—上午十一時至下午三時

農曆五月

五月初八日（西曆六月六日星期一）
成寅日（沖猴）吉時—上午七時至九時
中吉—上午九時至下午三時

五月初十日（西曆六月八日星期三）
開辰日（沖狗）吉時—下午五時至七時
中吉—上午七時至下午三時

五月十六日（西曆六月十四日星期二）
定戌日（沖龍）吉時—上午十一時至下午三時

五月二十日（西曆六月十八日星期六）
成寅日（沖猴）吉時—下午一時至三時

五月廿三日（西曆六月二十一日星期二）
開巳日（沖豬）吉時—下午五時至九時

五月廿五日（西曆六月二十三日星期四）
除未日（沖牛）吉時—上午九時至下午三時
下午五時至七時

五月廿八日（西曆六月二十六日星期日）
定戌日（沖龍）吉時—上午十一時至下午三時

農曆六月

六月初二日（西曆六月三十日星期四）
成寅日（沖猴）吉時—上午七時至九時
下午一時至三時
下午五時至九時

六月初四日（西曆七月二日星期六）
開辰日（沖狗）吉時—上午九時至十一時
下午五時至七時

六月初七日（西曆七月五日星期二）
除未日（沖牛）吉時—上午九時至下午三時

六月十二日（西曆七月十日星期日）
執子日（沖馬）吉時—上午七時至九時
下午一時至三時

六月十四日（西曆七月十二日星期二）
危寅日（沖猴）吉時—上午十一時至下午一時
下午五時至七時

六月十五日（西曆七月十三日星期三）
成卯日（沖雞）吉時—上午十一時至下午一時

六月廿三日（西曆七月二十一日星期四）
定亥日（沖蛇）吉時—下午一時至三時

六月廿七日（西曆七月二十五日星期一）
成卯日（沖雞）吉時—上午十一時至下午三時

農曆七月

七月初五日（西曆八月二日星期二）
定亥日（沖蛇）吉時—上午十一時至下午三時
下午五時至十一時

七月初八日（西曆八月五日星期五）
危寅日（沖猴）吉時—上午七時至九時
中吉—上午九時至下午三時

七月廿四日（西曆八月二十一日星期日）
開午日（沖鼠）吉時—上午九時至下午一時
下午五時至十一時

農曆八月

八月初一日（西曆八月二十七日星期六）
定子日（沖馬）吉時—上午七時至十一時
下午一時至三時

八月初七日（西曆九月二日星期五）
開午日（沖鼠）吉時—上午九時至十一時
下午一時至三時
下午五時至七時

八月十四日（西曆九月九日星期五）
定丑日（沖羊）吉時—下午五時至七時

八月十八日（西曆九月十三日星期二）
成巳日（沖豬）吉時—上午十一時至下午三時

八月廿三日（西曆九月十八日星期日）
除戌日（沖龍）吉時—上午九時至十一時
下午一時至三時

八月三十日（西曆九月二十五日星期日）
成巳日（沖豬）吉時—上午九時至下午三時

農曆九月

九月初五日（西曆九月三十日星期五）
除戌日（沖龍）吉時—上午九時至十一時
下午五時至十一時

九月十一日（西曆十月六日星期四）
危辰日（沖狗）吉時—上午九時至十一時
下午五時至七時

九月十二日（西曆十月七日星期五）
成巳日（沖豬）吉時—上午七時至十一時

九月廿二日（西曆十月十七日星期一）
執卯日（沖雞）吉時—下午七時至九時
中吉—上午九時至下午一時

九月廿四日（西曆十月十九日星期三）
危巳日（沖豬）吉時—下午五時至九時
中吉—上午十一時至下午三時

九月廿五日（西曆十月二十日星期四）
成午日（沖鼠）吉時—上午九時至下午一時
下午五時至十一時

農曆十月

十月初八日（西曆十一月一日星期二）
成子日（沖馬）吉時—上午九時至下午三時
下午五時至七時

十月十四日（西曆十一月七日星期一）
滿子日（沖馬）吉時—下午一時至三時

十月十七日（西曆十一月十日星期四）
定卯日（沖雞）吉時—上午十一時至下午三時

十月廿三日（西曆十一月十六日星期三）
開酉日（沖兔）吉時—上午七時至九時
中吉—下午五時至十一時

十月廿九日（西曆十一月二十二日星期二）
定卯日（沖雞）吉時—上午十一時至下午三時

農曆十一月

十一月初十日（西曆十二月三日星期六）
平寅日（沖猴）吉時—上午五時至九時
中吉—上午十一時至下午三時

十一月十一日（西曆十二月四日星期日）
定卯日（沖雞）吉時—上午十一時至下午一時
下午七時至九時

十一月十八日（西曆十二月十一日星期日）
開戌日（沖龍）吉時—下午一時至三時

十一月廿一日（西曆十二月十四日星期三）
除丑日（沖羊）吉時—上午九時至十一時

十一月廿二日（西曆十二月十五日星期四）
滿寅日（沖猴）吉時—下午一時至三時
下午七時至九時

十一月廿五日（西曆十二月十八日星期日）
執巳日（沖豬）吉時—下午五時至九時

農曆十二月

十二月初五日（西曆十二月二十七日星期二）
滿寅日（沖猴）吉時—上午七時至九時
下午一時至三時
下午五時至九時

十二月初十日（西曆一月一日星期日）
危未日（沖牛）吉時—上午九時至十一時
下午一時至三時

十二月二十日（西曆一月十一日星期三）
定巳日（沖豬）吉時—上午十一時至下午一時

十二月廿一日（西曆一月十二日星期四）
執午日（沖鼠）吉時—上午十一時至下午一時
下午五時至七時

十二月廿四日（西曆一月十五日星期日）
成酉日（沖兔）吉時—上午七時至十一時

十二月廿九日（西曆一月二十日星期五）
除寅日（沖猴）吉時—上午七時至下午一時

大掃除須知

大掃除多數會在每年之年廿八進行，但年廿八不一定是吉日，所以亦有人會選擇在其他吉日進行。但不管選擇了哪一日，都要採用趨吉避凶之法。

如今年事事順遂，運程通順，則宜在大門口開始打掃，然後再往屋內進行，務求把旺氣留在屋內。

但如果今年運程不佳，則宜由屋之末端開始打掃至大門口，把衰氣掃出屋外。更有甚者，今年頭頭碰着黑，處處惹官非破財，則可選擇破日打掃，務求破舊立新，重新開始，但亦宜由屋之末端開始把衰氣掃出屋外。

大掃除吉日

十二月廿三日（西曆一月二十五日星期二）

除寅日（沖猴）

吉時——上午七時至下午一時

下午五時至十一時

十二月廿七日（西曆一月二十九日星期六）

執午日（沖鼠）

吉時——上午五時至下午一時

下午五時至十一時

破日——如去年事事不順，已衰無可衰，可用破日作大掃除，望能破舊立新，掃走衰氣。

十二月廿八日（西曆一月三十日星期日）

破未日（沖牛）

吉時——上午七時至十一時

下午五時至十一時

開市吉日

正月初四日（西曆二月四日星期五）

開子日（沖馬）

吉時——上午五時至下午一時

　　　下午五時至十一時

正月初七日（西曆二月七日星期一）

除卯日（沖雞）

吉時——上午九時至下午一時

　　　下午七時至九時

正月初十日（西曆二月十日星期四）

定午日（沖鼠）

吉時——下午一時至三時

中吉——上午七時至十一時

正月十六日（西曆二月十六日星期三）

開子日（沖馬）

吉時——下午一時至三時

中吉——上午七時至十一時

第六章

虎年通勝

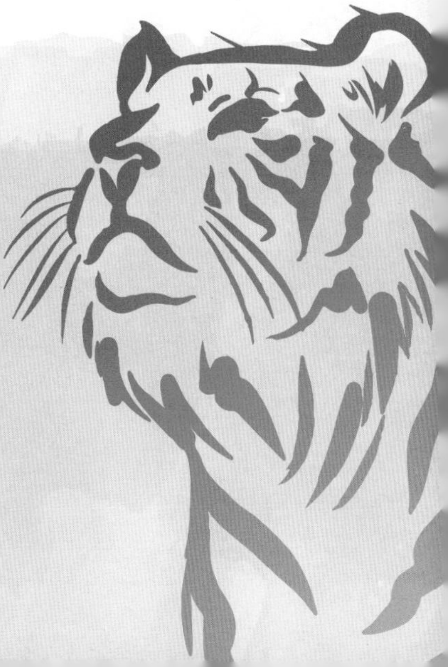

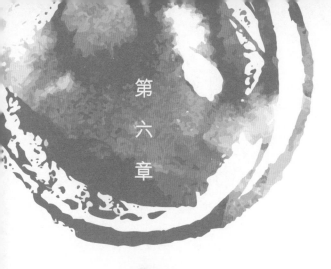

如何看通勝

看通勝之前首先要知道那一天是甚麼日子，有否與自己生肖相沖，如相沖則不能為用，然後再選擇吉時為用。

例如農曆年初一為「乙酉」日，酉為雞，與兔相沖，所以當天肖兔者不能為用。

例如農曆年初二為「丙戌」日，戌為狗，與龍相沖，所以當天肖龍者不能為用。

例如農曆年初三為「丁亥」日，亥為豬，與蛇相沖，所以當天肖蛇者不能為用。

例如農曆年初四為「戊子」日，子為鼠，與馬相沖，所以當天肖馬者不能為用。

十二生肖相沖

例如午日沖生肖屬鼠的人，如屬鼠遇午日則不能為用。

子（鼠）	沖	午（馬）
丑（牛）	沖	未（羊）
寅（虎）	沖	申（猴）
卯（兔）	沖	酉（雞）
辰（龍）	沖	戌（狗）
巳（蛇）	沖	亥（豬）

時辰與常用時間對照表

子時	下午11時至凌晨1時
丑時	凌晨1時至3時
寅時	凌晨3時至5時
卯時	上午5時至7時
辰時	上午7時至9時
巳時	上午9時至11時
午時	上午11時至下午1時
未時	下午1時至3時
申時	下午3時至5時
酉時	下午5時至7時
戌時	下午7時至9時
亥時	下午9時至11時

西曆二〇二二年二月（農曆正月大）

日期	子	丑	寅	卯	辰	巳	午	未	申	酉	戌	亥	忌	農曆	宜
一日星期二	吉	吉	吉	凶	吉	凶	中	凶	吉	吉	中	中	栽種裁衣	初一乙酉水觜成	春節 嫁娶開張動土入伙
二日星期三	吉	中	吉	吉	凶	吉	中	凶	吉	吉	吉	吉	修廚作灶	初二丙戌土參收	祭祀納財捕捉
三日星期四	中	吉	吉	凶	中	凶	吉	凶	中	吉	吉	吉	理髮嫁娶	初三丁亥土井開	掃舍 日值四絕餘事不注
四日星期五	中	吉	凶	吉	吉	吉	凶	中	凶	吉	中	中	買田置業問卜	初四戊子火鬼開	祭祀祈福開市會友開張動土入伙安門作灶
五日星期六	吉	凶	吉	吉	中	吉	中	凶	凶	吉	中	凶	動土針灸	初五己丑火柳閉	作灶安床
六日星期日	凶	吉	吉	吉	吉	中	中	中	凶	中	凶	中	祭祀動土	初六庚寅木星建	會友立約交易安床作倉
七日星期一	中	中	吉	吉	中	吉	吉	中	凶	凶	吉	中	造酒開池	初七辛卯木張除	祭祀祈福求嗣開市出行嫁娶納采移徙立約交易修造動土安葬
八日星期二	中	吉	吉	吉	中	吉	中	中	凶	吉	凶	吉	除服行喪	初八壬辰水翌滿	祭祀祈福會友出行訂婚嫁娶裁衣移徙開張動土
九日星期三	吉	中	中	吉	吉	吉	中	凶	凶	中	吉	凶	詞訟遠行	初九癸巳水軫平	平道飾垣
十日星期四	凶	吉	吉	中	中	中	凶	吉	凶	吉	中	中	開倉出財搭廁	初十甲午金角定	祭祀祈福訂婚嫁娶開市出行納采移徙開張動土入伙交易動土
十一星期五	吉	凶	吉	吉	中	凶	中	中	凶	中	吉	吉	栽種蒔插	十一乙未金亢執	入學理髮建屋捕捉
十二星期六	吉	吉	凶	中	凶	吉	中	吉	凶	吉	吉	吉	作灶安床	十二丙申火氐破	破屋壞垣
十三星期日	中	吉	中	凶	中	中	吉	吉	凶	吉	中	吉	理髮整甲	十三丁酉火房危	祭祀祈福出行嫁娶掃舍移徙開張動土入伙修造安床作灶安葬
十四星期一	中	吉	凶	吉	凶	中	吉	吉	凶	中	中	中	買田置業	十四戊戌木心成	入學開張
十五星期二	吉	凶	吉	吉	中	凶	吉	吉	凶	中	中	凶	嫁娶成服	十五己亥木尾收	上元 祭祀出行開張交易栽種

西曆二月（農曆正月大）

日期	子	丑	寅	卯	辰	巳	午	未	申	酉	戌	亥	忌	干支	宜
十六星期三	凶	吉	中	中	中	中	凶	吉	凶	吉	凶	中	動土	十六庚子土箕開	祭祀祈福開市入學出行嫁娶納采開張動土入伙安床
十七星期四	中	吉	吉	吉	中	吉	吉	凶	凶	凶	中	吉	造酒	十七辛丑土斗閉	祭祀
十八星期五	中	吉	吉	吉	中	中	中	吉	凶	中	吉	中	祭祀動土	十八壬寅金牛建	會友訂婚納采交易安床安葬
十九星期六	吉	中	吉	吉	中	中	中	凶	凶	凶	吉	中	詞訟開池	十九癸卯金女除	入學出行嫁娶移徙醫病掃舍破土安葬
二十星期日	吉	吉	中	中	吉	中	凶	吉	凶	吉	凶	吉	開倉行喪	二十甲辰火虛滿	祭祀祈福會友裁衣
廿一星期一	吉	吉	中	中	中	凶	中	中	凶	吉	吉	凶	栽種遠行	廿一乙巳火危平	平治道塗
廿二星期二	凶	中	中	中	凶	吉	吉	中	凶	吉	吉	吉	修廚作灶搭廁	廿二丙午水室定	祭祀祈福訂婚嫁娶求嗣入學納采交易開張動土入伙修倉安葬
廿三星期三	中	凶	中	凶	中	吉	吉	吉	凶	吉	中	吉	理髮新船進水	廿三丁未水壁執	祭祀祈福入學出行裁衣移徙開張修造動土成服安葬
廿四星期四	中	吉	凶	中	吉	吉	中	吉	凶	中	中	中	置產安床	廿四戊申土奎破	破屋壞垣
廿五星期五	吉	凶	中	凶	吉	吉	吉	吉	凶	中	中	凶	栽種蒔插	廿五己酉土婁危	祭祀理髮掃舍開張動土成服安葬
廿六星期六	凶	吉	中	中	凶	中	吉	吉	凶	中	凶	中	除服	廿六庚戌金胃成	裁衣入學
廿七星期日	中	吉	吉	吉	中	凶	吉	吉	凶	凶	吉	中	嫁娶	廿七辛亥金昴收	祭祀理髮
廿八星期一	吉	吉	吉	吉	吉	吉	凶	吉	凶	中	中	中	問卜	廿八壬子木畢開	祭祀祈福求嗣入學嫁娶納采開張動土修置產室
一日星期二	吉	吉	中	中	吉	吉	中	凶	凶	吉	吉	中	詞訟動土	廿九癸丑木觜閉	安床補塞建屋作灶
二日星期三	中	中	吉	中	吉	中	凶	吉	凶	吉	吉	中	開倉祭祀	三十甲寅水參建	立約交易會友

西曆二〇二二年三月（農曆二月小）

日期	時辰	忌	農曆	宜
三日星期四	子中 丑中 寅吉 卯吉 辰中 巳凶 午中 未吉 申凶 酉凶 戌吉 亥吉	栽種開池	初一乙卯水井除	入學會友出行嫁娶醫病掃舍開張修造動土安床作灶
四日星期五	子中 丑中 寅中 卯中 辰凶 巳吉 午中 未中 申凶 酉吉 戌凶 亥吉	作灶行喪	初二丙辰土鬼滿	祭祀祈福嫁娶裁衣移徙動土
五日星期六	子中 丑吉 寅中 卯凶 辰中 巳吉 午吉 未吉 申凶 酉吉 戌吉 亥凶	新船進水理髮	初三丁巳土柳平	祭祀平道塗飾垣牆
六日星期日	子凶 丑中 寅凶 卯吉 辰中 巳吉 午中 未吉 申凶 酉凶 戌中 亥中	置產	初四戊午火星平	平道塗飾垣牆
七日星期一	子中 丑凶 寅吉 卯吉 辰中 巳吉 午吉 未吉 申凶 酉凶 戌中 亥凶	針灸穿耳	初五己未火張定	祭祀出行移徙開張動土安葬
八日星期二	子凶 丑吉 寅凶 卯中 辰吉 巳吉 午吉 未吉 申凶 酉凶 戌凶 亥中	安床	初六庚申木翌執	拆卸掃舍
九日星期三	子中 丑中 寅吉 卯凶 辰吉 巳吉 午吉 未中 申凶 酉凶 戌中 亥中	造酒	初七辛酉木軫破	破屋壞垣
十日星期四	子中 丑中 寅吉 卯吉 辰凶 巳吉 午中 未吉 申凶 酉凶 戌吉 亥吉		初八壬戌水角危	訂婚移居立約交易安床作灶
十一星期五	子中 丑中 寅吉 卯吉 辰吉 巳凶 午吉 未凶 申凶 酉凶 戌吉 亥吉	嫁娶成服	初九癸亥水亢成	入學裁衣開張動土入伙交易安門作灶栽種
十二星期六	子吉 丑吉 寅吉 卯中 辰吉 巳中 午凶 未吉 申凶 酉凶 戌中 亥中	開倉出財	初十甲子金氐收	祭祀理髮栽種
十三星期日	子吉 丑吉 寅吉 卯吉 辰中 巳凶 午中 未凶 申凶 酉凶 戌中 亥中	栽種蒔插	十一乙丑金房開	祭祀祈福會友訂婚嫁娶移徙理髮入宅動土安床作灶
十四星期一	子吉 丑中 寅中 卯吉 辰凶 巳中 午吉 未中 申凶 酉凶 戌中 亥中	修廚作灶祭祀	十二丙寅火心閉	入學出行嫁娶立約交易修造動土安床安葬
十五星期二	子中 丑中 寅吉 卯凶 辰中 巳中 午吉 未吉 申凶 酉凶 戌中 亥中	理髮動土開池	十三丁卯火尾建	祭祀祈福會友出行嫁娶納采醫病移徙交易
十六星期三	子中 丑吉 寅凶 卯吉 辰中 巳吉 午中 未吉 申凶 酉凶 戌凶 亥中	置產行喪	十四戊辰木箕除	理髮掃舍
十七星期四	子吉 丑凶 寅吉 卯中 辰中 巳中 午吉 未吉 申凶 酉凶 戌中 亥凶	動土遠行	十五己巳木斗滿	會友訂婚嫁娶納采開張動土入伙安門作灶

西曆三月（農曆二月小）

日	星期	子	丑	寅	卯	辰	巳	午	未	申	酉	戌	亥	忌	農曆	宜
十八	星期五	凶	吉	吉	中	中	中	吉	吉	凶	凶	凶	中		十六庚午土牛平	祭祀作灶平治道塗
十九	星期六	中	凶	吉	吉	中	吉	吉	中	凶	凶	中	中	造酒行喪	十七辛未土女定	祭祀 日值四離餘事不注
二十	星期日	吉	吉	凶	吉	吉	吉	中	吉	凶	凶	中	中	安床	十八壬申金虛執	開張動土入伙拆卸掃舍
廿一	星期一	吉	吉	吉	凶	吉	吉	中	凶	凶	凶	中	中	詞訟開張	十九癸酉金危破	求醫治病破屋
廿二	星期二	中	吉	吉	吉	凶	吉	凶	吉	凶	凶	中	中	開倉出財行船	二十甲戌火室危	祭祀祈福求嗣出行訂婚嫁娶移徙開張納財修造動土安葬
廿三	星期三	吉	吉	吉	吉	中	凶	中	吉	凶	凶	中	中	栽種嫁娶成服	廿一乙亥火壁成	會友出行移徙求醫修造開張動土入伙安門安床修廚作灶
廿四	星期四	吉	吉	中	中	凶	吉	凶	中	凶	凶	吉	吉	修廚作灶	廿二丙子水奎收	交易納財捕捉
廿五	星期五	吉	中	中	凶	中	吉	吉	凶	凶	凶	中	吉	理髮整甲	廿三丁丑水婁開	祭祀祈福求嗣入學會友嫁娶納采裁衣動土置產
廿六	星期六	中	吉	凶	吉	吉	吉	吉	吉	凶	凶	中	中	買田置業祭祀祈福	廿四戊寅土胃閉	裁衣立約交易安門修廚作灶栽種安葬
廿七	星期日	吉	凶	吉	吉	中	中	吉	吉	凶	凶	中	凶	動土	廿五己卯土昴建	出行會友
廿八	星期一	凶	吉	吉	中	吉	吉	吉	吉	凶	凶	凶	吉	行喪	廿六庚辰金畢除	出行理髮掃舍
廿九	星期二	中	吉	吉	中	中	吉	吉	吉	凶	凶	吉	凶	遠行	廿七辛巳金觜滿	祭祀祈福會友開張立約交易納財
三十	星期三	凶	吉	吉	吉	中	吉	中	吉	凶	凶	中	吉		廿八壬午木參平	平治道塗修飾垣牆
卅一	星期四	吉	凶	吉	吉	中	吉	吉	凶	凶	凶	吉	中	詞訟針灸栽種	廿九癸未木井定	祭祀祈福求嗣出行會友嫁娶開張動土入伙交易修倉安葬

西曆二〇二二年四月（農曆三月大）

日期	子	丑	寅	卯	辰	巳	午	未	申	酉	戌	亥
一日星期五	吉	吉	凶	中	吉	吉	凶	吉	凶	凶	中	中
二日星期六	吉	吉	吉	凶	吉	凶	中	中	凶	凶	中	中
三日星期日	吉	中	吉	吉	凶	吉	中	中	凶	凶	吉	吉
四日星期一	中	吉	吉	凶	中	凶	吉	吉	凶	凶	吉	吉
五日星期二	中	吉	凶	吉	吉	吉	凶	中	凶	吉	凶	中
六日星期三	吉	凶	吉	吉	中	吉	中	凶	凶	吉	凶	凶
七日星期四	凶	吉	吉	吉	吉	中	中	中	凶	中	凶	中
八日星期五	中	中	吉	吉	中	吉	吉	中	凶	凶	凶	中
九日星期六	中	吉	吉	吉	中	吉	中	中	凶	吉	凶	吉
十日星期日	吉	中	中	吉	吉	吉	中	凶	凶	中	凶	凶
十一星期一	凶	吉	吉	中	中	中	凶	吉	凶	吉	凶	中
十二星期二	吉	凶	吉	吉	中	凶	中	中	凶	中	凶	吉
十三星期三	吉	吉	凶	中	凶	吉	中	吉	凶	吉	凶	吉
十四星期四	中	吉	中	凶	中	中	吉	吉	凶	吉	凶	吉
十五星期五	中	吉	凶	吉	凶	中	吉	吉	凶	中	凶	中

日期	忌	農曆干支	宜
一日	開倉安床	初一甲申水鬼執	祭祀拆卸
二日	栽種除服	初二乙酉水柳破	破屋壞垣
三日	修廚作灶開倉出財	初三丙戌土星危	祭祀祈福訂婚嫁娶出行移徙修造動土
四日	理髮嫁娶成服	初四丁亥土張危	祭祀祈福求嗣入學會友出行開張動土入伙交易修造作灶
五日	買田置業除服行喪	初五戊子火翌成	祭祀入學嫁娶開張動土入伙作灶
六日	成服	初六己丑火軫收	嫁娶作灶納財
七日	祭祀祈福	初七庚寅木角開	出行訂婚嫁娶納采移徙開張動土入伙交易修造安床開倉
八日		初八辛卯木亢閉	理髮安葬
九日	行喪	初九壬辰水氐建	出行開張交易掃舍蓋屋安床
十日	詞訟遠行	初十癸巳水房除	掃舍動土安門作灶
十一	新船進水	十一甲午金心滿	祭祀成服安葬
十二	栽種蒔插	十二乙未金尾平	修飾垣牆
十三	作灶安床	十三丙申火箕定	拆卸掃舍
十四	動土理髮修倉	十四丁酉火斗執	祭祀祈福嫁娶醫病立約交易移徙開張入伙安門安床安葬
十五	置產行喪	十五戊戌木牛破	破屋壞垣

西曆四月（農曆三月大）

														忌		宜
十六	星期六	子吉	丑凶	寅吉	卯吉	辰中	巳凶	午吉	未吉	申凶	酉中	戌凶	亥凶	嫁娶除服	十六己亥木女危	理髮安床栽種
十七	星期日	子凶	丑吉	寅中	卯中	辰中	巳中	午凶	未吉	申凶	酉吉	戌凶	亥中	問卜詞訟	十七庚子土虛成	祭祀祈福出行訂婚嫁娶開張動土入伙裁衣納采醫病安葬
十八	星期一	子中	丑吉	寅吉	卯吉	辰中	巳吉	午吉	未凶	申凶	酉凶	戌凶	亥吉	造酒	十八辛丑土危收	祭祀建屋作灶除服
十九	星期二	子中	丑吉	寅吉	卯吉	辰中	巳中	午中	未吉	申凶	酉中	戌凶	亥中	祭祀	十九壬寅金室開	入學出行嫁娶納采移徙開張動土入伙安床作灶置產
二十	星期三	子吉	丑中	寅吉	卯吉	辰中	巳中	午中	未凶	申凶	酉凶	戌凶	亥中	詞訟針灸	二十癸卯金壁閉	裁衣作灶安葬
廿一	星期四	子吉	丑吉	寅中	卯中	辰吉	巳中	午凶	未吉	申凶	酉吉	戌凶	亥吉	開倉動土	廿一甲辰火奎建	祭祀理髮修飾垣牆
廿二	星期五	子吉	丑吉	寅中	卯中	辰中	巳凶	午中	未中	申凶	酉吉	戌凶	亥凶	栽種遠行成服	廿二乙巳火婁除	掃舍移居裁衣開張安門作灶
廿三	星期六	子凶	丑中	寅中	卯中	辰凶	巳吉	午吉	未中	申凶	酉吉	戌凶	亥吉	修廚作灶	廿三丙午水胃滿	祭祀嫁娶成服安葬
廿四	星期日	子中	丑凶	寅中	卯凶	辰中	巳吉	午吉	未吉	申凶	酉吉	戌凶	亥吉	理髮整甲	廿四丁未水昴平	平治道塗修飾垣牆
廿五	星期一	子中	丑吉	寅凶	卯中	辰吉	巳吉	午中	未吉	申凶	酉中	戌凶	亥中	安床除服	廿五戊申土畢定	祭祀拆卸
廿六	星期二	子吉	丑凶	寅中	卯凶	辰吉	巳吉	午吉	未吉	申凶	酉中	戌凶	亥凶	動土栽種蒔插	廿六己酉土觜執	祭祀祈福訂婚嫁娶掃舍求醫治病安門作灶
廿七	星期三	子凶	丑吉	寅中	卯中	辰凶	巳中	午吉	未吉	申凶	酉中	戌凶	亥中	開張	廿七庚戌金參破	求醫治病破屋壞垣
廿八	星期四	子中	丑吉	寅吉	卯吉	辰中	巳凶	午吉	未吉	申凶	酉凶	戌凶	亥中	嫁娶	廿八辛亥金井危	拆卸掃舍
廿九	星期五	子吉	丑吉	寅吉	卯吉	辰吉	巳吉	午凶	未吉	申凶	酉中	戌凶	亥中	移徙遠回	廿九壬子木鬼成	祭祀祈福出行訂婚嫁娶納采開張動土入伙醫病作灶安葬
三十	星期六	子吉	丑吉	寅中	卯中	辰吉	巳吉	午中	未凶	申凶	酉吉	戌凶	亥中	詞訟開倉	三十癸丑木柳收	捕捉作灶

西曆二〇二二年五月（農曆四月小）

一日星期日	子中 丑中 寅吉 卯中 辰吉 巳中 午凶 未吉 申凶 酉吉 戌凶 亥中	祭祀祈福	初一甲寅水星開	日食
二日星期一	子中 丑中 寅吉 卯吉 辰中 巳凶 午中 未吉 申凶 酉凶 戌凶 亥吉	詞訟開池	初二乙卯水張閉	祭祀祈福出行裁衣動土安床安葬
三日星期二	子中 丑中 寅中 卯中 辰凶 巳吉 午中 未中 申凶 酉吉 戌凶 亥吉	作灶動土	初三丙辰土翌建	祭祀飾垣
四日星期三	子中 丑吉 寅中 卯凶 辰中 巳吉 午吉 未吉 申凶 酉吉 戌凶 亥凶	理髮除服	初四丁巳土軫除	祭祀 日值四絕餘事不注
五日星期四	子凶 丑中 寅凶 卯吉 辰中 巳吉 午中 未吉 申凶 酉吉 戌凶 亥凶	買田置業	初五戊午火角滿	祭祀會友
六日星期五	子中 丑凶 寅吉 卯吉 辰中 巳吉 午吉 未吉 申凶 酉中 戌中 亥凶	成服	初六己未火亢滿	裁衣置產補塞
七日星期六	子凶 丑吉 寅凶 卯中 辰吉 巳吉 午吉 未吉 申凶 酉中 戌凶 亥凶	安床	初七庚申木氐平	拆卸掃舍
八日星期日	子中 丑中 寅吉 卯凶 辰吉 巳吉 午吉 未中 申凶 酉凶 戌中 亥凶	造酒捕捉	初八辛酉木房定	祭祀祈福出行訂婚嫁娶納采移徙開張動土入伙交易修造安葬
九日星期一	子中 丑中 寅吉 卯吉 辰凶 巳吉 午中 未吉 申凶 酉中 戌吉 亥凶		初九壬戌水心執	會友訂婚理髮醫病動土安床
十日星期二	子中 丑中 寅吉 卯吉 辰吉 巳凶 午吉 未凶 申凶 酉中 戌吉 亥凶	詞訟嫁娶	初十癸亥水尾破	破屋壞垣
十一星期三	子吉 丑吉 寅吉 卯中 辰吉 巳中 午凶 未吉 申凶 酉中 戌中 亥凶	開倉出財問卜修倉	十一甲子金箕危	祭祀會友嫁娶交易開張動土入伙安門作灶安葬
十二星期四	子吉 丑吉 寅吉 卯吉 辰中 巳凶 午中 未凶 申凶 酉吉 戌中 亥凶	修廚作灶栽種詞訟	十二乙丑金斗成	祭祀祈福入學出行嫁娶納采裁衣醫病開張動土安門安葬
十三星期五	子吉 丑中 寅中 卯吉 辰凶 巳中 午吉 未中 申凶 酉吉 戌中 亥凶	作灶祭祀	十三丙寅火牛收	出行嫁娶納采移徙立約交易
十四星期六	子中 丑中 寅吉 卯凶 辰中 巳中 午吉 未吉 申凶 酉凶 戌中 亥凶	理髮開池	十四丁卯火女開	祭祀祈福出行訂婚開張動土入伙修造安門作灶栽種
十五星期日	子中 丑吉 寅凶 卯吉 辰中 巳吉 午中 未吉 申凶 酉吉 戌凶 亥凶	買田置業	十五戊辰木虛閉	立約交易

西曆五月（農曆四月小）

日期	子	丑	寅	卯	辰	巳	午	未	申	酉	戌	亥	忌	干支	宜
十六星期一	吉	凶	吉	中	中	中	吉	吉	凶	中	中	凶	遠行除服	十六己巳木危建	月食
十七星期二	凶	吉	吉	中	中	中	吉	吉	凶	吉	凶	凶		十七庚午土室除	祭祀祈福出行訂婚嫁娶納采移徙開張動土入伙交易修造安葬
十八星期三	中	凶	吉	吉	中	吉	吉	中	凶	凶	中	凶	行喪	十八辛未土壁滿	修置產室
十九星期四	吉	吉	凶	吉	吉	吉	中	吉	凶	吉	中	凶		十九壬申金奎平	拆卸掃舍
二十星期五	吉	吉	吉	凶	吉	吉	中	凶	凶	中	中	凶	詞訟修置產室	二十癸酉金婁定	入學訂婚嫁娶裁衣移徙開張動土入伙修倉安葬
廿一星期六	中	吉	吉	吉	凶	吉	凶	吉	凶	中	中	凶	開倉修廚作灶	廿一甲戌火胃執	祭祀嫁娶裁衣納采醫病動土安床
廿二星期日	吉	吉	吉	吉	中	凶	中	吉	凶	中	中	凶	嫁娶	廿二乙亥火昴破	破屋壞垣
廿三星期一	吉	吉	中	中	凶	吉	凶	中	凶	吉	吉	凶	修廚作灶	廿三丙子水畢危	祭祀祈福出行移徙開張交易修造動土安床
廿四星期二	吉	中	中	凶	中	吉	吉	凶	凶	吉	中	凶	整手足甲詞訟	廿四丁丑水觜成	會友出行訂婚納采求醫開張修造動土安門作灶修倉
廿五星期三	中	吉	凶	吉	吉	吉	吉	吉	凶	中	中	凶	祭祀動土	廿五戊寅土參收	建屋
廿六星期四	吉	凶	吉	吉	中	中	吉	吉	凶	凶	中	凶	動土	廿六己卯土井開	祭祀會友出行訂婚嫁娶開張入伙移徙
廿七星期五	凶	吉	吉	中	吉	吉	吉	吉	凶	中	凶	凶	針灸	廿七庚辰金鬼閉	祭祀出行移居立約安床動土安葬
廿八星期六	中	吉	吉	中	中	吉	吉	吉	凶	凶	吉	凶	遠行	廿八辛巳金柳建	會友嫁娶納采移徙求醫
廿九星期日	凶	吉	吉	吉	中	吉	中	吉	凶	中	中	凶	成服	廿九壬午木星除	祭祀祈福出行會友醫病掃舍開張

西曆二〇二二年六月（農曆五月大）

日期	子	丑	寅	卯	辰	巳	午	未	申	酉	戌	亥	忌	農曆	宜
三十星期一	吉	凶	吉	吉	中	吉	吉	凶	凶	中	吉	凶	詞訟行喪	初一癸未木張滿	栽種置產
卅一星期二	吉	吉	凶	中	吉	吉	凶	吉	凶	吉	中	凶	開倉安床	初二甲申水翌平	祭祀拆卸
一日星期三	吉	吉	吉	凶	吉	凶	中	中	凶	吉	中	凶	栽種	初三乙酉水軫定	祭祀祈福求嗣出行嫁娶移徙動土安葬
二日星期四	吉	中	吉	吉	凶	吉	中	中	凶	吉	吉	凶	作灶	初四丙戌土角執	祭祀訂婚納采入宅安床捕捉
三日星期五	中	吉	吉	凶	中	凶	吉	吉	凶	吉	吉	凶	理髮嫁娶	初五丁亥土亢破	祭祀破屋壞垣
四日星期六	中	吉	凶	吉	吉	吉	凶	中	凶	吉	中	凶	買田置業	初六戊子火氐危	出行嫁娶動土作灶安葬
五日星期日	吉	凶	吉	吉	中	吉	中	凶	凶	吉	中	凶	詞訟移徙遠回	初七己丑火房成	祭祀祈福出行訂婚納采裁衣開張交易醫病修造動土
六日星期一	凶	吉	吉	吉	吉	中	中	中	凶	中	凶	中	祭祀祈福詞訟	初八庚寅木心成	嫁娶納采醫病安葬開張動土入伙
七日星期二	凶	中	吉	吉	中	吉	吉	中	凶	凶	吉	中		初九辛卯木尾收	祭祀
八日星期三	凶	吉	吉	吉	中	吉	中	中	凶	吉	凶	吉		初十壬辰水箕開	訂婚納采移徙開張動土入伙作灶
九日星期四	凶	中	中	吉	吉	吉	中	凶	凶	中	吉	凶	詞訟遠行	十一癸巳水斗閉	動土
十日星期五	凶	吉	吉	中	中	中	凶	吉	凶	吉	中	中	開倉出財	十二甲午金牛建	祭祀
十一星期六	凶	凶	吉	吉	中	凶	中	中	凶	中	吉	吉	行喪	十三乙未金女除	嫁娶理髮掃舍動土安葬
十二星期日	凶	吉	凶	中	凶	吉	中	吉	凶	吉	吉	吉	作灶安床	十四丙申火虛滿	祭祀拆卸
十三星期一	凶	吉	中	凶	中	中	吉	吉	凶	吉	中	吉	成服	十五丁酉火危平	平治道塗修飾垣牆

西曆六月（農曆五月大）

日期	子	丑	寅	卯	辰	巳	午	未	申	酉	戌	亥
十四星期二	凶	吉	凶	吉	凶	中	吉	吉	凶	中	中	中
十五星期三	凶	凶	吉	吉	中	凶	吉	吉	凶	中	中	凶
十六星期四	凶	吉	中	中	中	中	凶	吉	凶	吉	凶	中
十七星期五	凶	吉	吉	吉	中	吉	吉	凶	凶	凶	中	吉
十八星期六	凶	吉	吉	吉	中	中	中	吉	凶	中	吉	中
十九星期日	凶	中	吉	吉	中	中	中	凶	凶	凶	吉	中
二十星期一	凶	吉	中	中	吉	中	凶	吉	凶	吉	凶	吉
廿一星期二	凶	吉	中	中	中	凶	中	中	凶	吉	吉	凶
廿二星期三	凶	中	中	中	凶	吉	吉	中	凶	吉	吉	吉
廿三星期四	凶	凶	中	凶	中	吉	吉	吉	凶	吉	中	吉
廿四星期五	凶	吉	凶	中	吉	吉	中	吉	凶	中	中	中
廿五星期六	凶	凶	中	凶	吉	吉	吉	吉	凶	中	中	凶
廿六星期日	凶	吉	中	中	凶	中	吉	吉	凶	中	凶	中
廿七星期一	凶	吉	吉	吉	中	凶	吉	吉	凶	凶	吉	中
廿八星期二	凶	吉	吉	吉	吉	吉	凶	吉	凶	中	中	中

農曆	忌	宜
十六戊戌木室定	買田置業栽種	祭祀祈福訂婚嫁娶納采移徙立約開張動土入伙安門作灶
十七己亥木壁執	嫁娶	祭祀理髮動土
十八庚子土奎破	作灶	破屋壞垣
十九辛丑土婁危	開張造酒造醋	祭祀祈福訂婚嫁娶納采修造動土
二十壬寅金胃成	祭祀祈福	入學嫁娶納采醫病修造開張動土入伙安門安床作灶安葬
廿一癸卯金昴收	詞訟	祭祀
廿二甲辰火畢開	開倉動土	祭祀 日值四離餘事不注
廿三乙巳火觜閉	遠行	嫁娶開張動土入伙
廿四丙午水參建	作灶動土	祭祀
廿五丁未水井除	成服行喪	祭祀祈福出行訂婚嫁娶納采移徙修造開張動土入伙安門
廿六戊申土鬼滿	置業安床	拆卸掃舍
廿七己酉土柳平	修廚作灶	掃舍平道
廿八庚戌金星定	修置產室	祭祀祈福出行嫁娶納采交易開張動土入伙作灶修倉安葬
廿九辛亥金張執	嫁娶	祭祀
三十壬子木翌破		破屋壞垣

西曆二〇二二年七月（農曆六月大）

日期	子	丑	寅	卯	辰	巳	午	未	申	酉	戌	亥	忌	農曆	宜
廿九星期三	凶	吉	中	中	吉	吉	中	凶	凶	吉	吉	中	詞訟除服	初一癸丑木軫危	祭祀開張交易動土安床
三十星期四	凶	中	吉	中	吉	中	凶	吉	凶	吉	吉	中	開倉祭祀祈福	初二甲寅水角成	會友出行訂婚嫁娶醫病開張動土入伙修造安葬
一日星期五	凶	中	吉	吉	中	凶	中	吉	凶	凶	吉	吉	栽種	初三乙卯水亢收	祭祀
二日星期六	凶	中	中	中	凶	吉	中	中	凶	吉	凶	吉	修廚作灶安爐	初四丙辰土氐開	出行嫁娶納采交易開張動土入伙置產
三日星期日	凶	吉	中	凶	中	吉	吉	吉	凶	吉	吉	凶	遠行	初五丁巳土房閉	動土移居
四日星期一	凶	中	凶	吉	中	吉	中	吉	凶	吉	中	中	買田置業	初六戊午火心建	祭祀
五日星期二	凶	凶	吉	吉	中	吉	吉	吉	凶	中	中	凶	行喪	初七己未火尾除	祭祀祈福求嗣出行掃舍開張動土入伙立約交易安床作灶
六日星期三	凶	吉	凶	中	吉	吉	吉	吉	凶	中	凶	中	安床	初八庚申木箕滿	祭祀拆卸
七日星期四	凶	中	吉	凶	吉	吉	吉	中	凶	凶	中	中	針灸造酒造醋	初九辛酉木斗滿	祭祀嫁娶開張立約建屋安葬
八日星期五	中	凶	吉	吉	凶	吉	中	吉	凶	中	吉	吉		初十壬戌水牛平	嫁娶
九日星期六	中	凶	吉	吉	吉	凶	吉	凶	凶	中	吉	吉	詞訟嫁娶	十一癸亥水女定	掃舍
十日星期日	吉	凶	吉	中	吉	中	凶	吉	凶	中	中	中	開倉出財問卜	十二甲子金虛執	祭祀祈福出行嫁娶納采開張交易動土入伙安門安葬
十一星期一	吉	凶	吉	吉	中	凶	中	凶	凶	吉	中	中	栽種	十三乙丑金危破	求醫治病破屋壞垣
十二星期二	吉	凶	中	吉	凶	中	吉	中	凶	吉	中	中	修廚作灶祭祀祈福	十四丙寅火室危	訂婚嫁娶納采出行開張動土入伙安床修倉成服安葬
十三星期三	中	凶	吉	凶	中	中	吉	吉	凶	凶	中	中	詞訟	十五丁卯火壁成	入學出行嫁娶納采醫病移徙開張動土入伙安葬

西曆七月（農曆六月大）

日期	子	丑	寅	卯	辰	巳	午	未	申	酉	戌	亥	忌	干支	宜
十四星期四	中	凶	凶	吉	中	吉	中	吉	凶	吉	凶	中	置產行喪	十六戊辰木奎收	納財
十五星期五	吉	凶	吉	中	中	中	吉	吉	凶	中	中	凶	遠行成服	十七己巳木婁開	祭祀醫病安床修廚作灶
十六星期六	凶	凶	吉	中	中	中	吉	吉	凶	吉	凶	中		十八庚午土胃閉	補塞安葬
十七星期日	中	凶	吉	吉	中	吉	吉	中	凶	凶	中	中	造酒動土	十九辛未土昴建	出行訂婚納采移徙安床
十八星期一	吉	凶	凶	吉	吉	吉	中	吉	凶	吉	中	中	安床	二十壬申金畢除	祭祀拆卸
十九星期二	吉	凶	吉	凶	吉	吉	中	凶	凶	中	中	中	詞訟針灸	廿一癸酉金觜滿	祭祀嫁娶成服安葬
二十星期三	中	凶	吉	吉	凶	吉	凶	吉	凶	中	中	中	開倉動土	廿二甲戌火參平	祭祀作灶平道
廿一星期四	吉	凶	吉	吉	中	凶	中	吉	凶	中	中	中	嫁娶成服	廿三乙亥火井定	出行嫁娶立約交易開張動土入伙安門作灶修倉
廿二星期五	吉	凶	中	中	凶	吉	凶	中	凶	吉	吉	吉	修廚作灶	廿四丙子水鬼執	裁衣理髮捕捉
廿三星期六	吉	凶	中	凶	中	吉	吉	凶	凶	吉	中	吉	理髮	廿五丁丑水柳破	破屋
廿四星期日	中	凶	凶	吉	吉	吉	吉	吉	凶	中	中	中	置業祭祀	廿六戊寅土星危	會友訂婚移徙開張交易安門作灶
廿五星期一	吉	凶	吉	吉	中	中	吉	吉	凶	凶	中	凶	開池成服除服	廿七己卯土張成	祭祀祈福會友出行嫁娶開張動土入伙醫病移徙修倉
廿六星期二	凶	凶	吉	中	吉	吉	吉	吉	凶	中	凶	吉	修倉	廿八庚辰金翌收	納財捕捉栽種
廿七星期三	中	凶	吉	中	中	吉	吉	吉	凶	凶	吉	凶	遠行	廿九辛巳金軫開	祭祀入學會友醫病開張安床
廿八星期四	凶	凶	吉	吉	中	吉	中	吉	凶	中	中	吉		三十壬午木角閉	除服安葬

西曆二〇二二年八月（農曆七月小）

西曆七月（農曆七月小）

日期	子	丑	寅	卯	辰	巳	午	未	申	酉	戌	亥	忌	農曆	宜
廿九星期五	吉	凶	吉	吉	中	吉	吉	凶	凶	中	吉	中	詞訟動土	初一癸未木亢建	祭祀出行嫁娶移居開張安床
三十星期六	吉	凶	凶	中	吉	吉	凶	吉	凶	吉	中	中	開倉安床	初二甲申水氐除	拆卸掃舍
卅一星期日	吉	凶	吉	凶	吉	凶	中	中	凶	吉	中	中	新船進水	初三乙酉水房滿	掃舍開張動土作灶成服安葬
一日星期一	吉	凶	吉	吉	凶	吉	中	中	凶	吉	吉	吉	作灶動土	初四丙戌土心平	祭祀
二日星期二	中	凶	吉	凶	中	凶	吉	吉	凶	吉	吉	吉	嫁娶除服成服	初五丁亥土尾定	出行掃舍開張動土入伙修造
三日星期三	中	凶	凶	吉	吉	吉	凶	中	凶	吉	中	中	置產問卜	初六戊子火箕執	祭祀出行
四日星期四	吉	凶	吉	吉	中	吉	中	凶	凶	吉	中	凶	除服成服	初七己丑火斗破	破屋壞垣
五日星期五	凶	凶	吉	吉	吉	中	中	中	凶	中	凶	中	祭祀祈福作灶	初八庚寅木牛危	訂婚嫁娶開張動土入伙交易安床除服安葬
六日星期六	中	凶	吉	吉	中	吉	吉	中	凶	凶	吉	中	造酒	初九辛卯木女成	祭祀 日值四絕餘事不注
七日星期日	中	凶	吉	吉	中	吉	中	中	凶	吉	凶	吉	開張	初十壬辰水虛收	捕捉
八日星期一	吉	中	凶	吉	吉	吉	中	凶	凶	中	吉	凶	詞訟遠行成服	十一癸巳水危收	嫁娶納采移徙開張交易動土安床作灶
九日星期二	凶	吉	凶	中	中	中	凶	吉	凶	吉	中	中	開倉出財	十二甲午金室開	祭祀嫁娶出行修造動土栽種
十日星期三	吉	凶	凶	吉	中	凶	中	中	凶	中	吉	吉	針灸	十三乙未金壁閉	嫁娶納采動土安門作灶安葬
十一星期四	吉	吉	凶	中	凶	吉	中	吉	凶	吉	吉	吉	作灶安床	十四丙申火奎建	拆卸掃舍
十二星期五	中	吉	凶	凶	中	中	吉	吉	凶	吉	中	吉	理髮整甲捕捉	十五丁酉火婁除	祭祀訂婚裁衣動土安床安葬

西曆八月（農曆七月小）

日期	星期	時辰吉凶	忌	農曆	宜
十三	星期六	子中 丑吉 寅凶 卯吉 辰凶 巳中 午吉 未吉 申凶 酉中 戌中 亥中	置業除服行喪	十六戊戌木胃滿	會友嫁娶納采移徙開張動土
十四	星期日	子吉 丑凶 寅凶 卯吉 辰中 巳凶 午吉 未吉 申凶 酉中 戌中 亥凶	嫁娶除服	十七己亥木昴平	平道塗飾垣牆
十五	星期一	子凶 丑吉 寅凶 卯中 辰中 巳中 午凶 未吉 申凶 酉吉 戌凶 亥中	問卜成服	十八庚子土畢定	祭祀求嗣移徙動土安床作灶
十六	星期二	子中 丑吉 寅凶 卯吉 辰中 巳吉 午吉 未凶 申凶 酉凶 戌中 亥吉	造酒	十九辛丑土觜執	捕捉
十七	星期三	子中 丑吉 寅凶 卯吉 辰中 巳中 午中 未吉 申凶 酉中 戌吉 亥中	祭祀	二十壬寅金參破	破屋壞垣
十八	星期四	子吉 丑中 寅凶 卯吉 辰中 巳中 午中 未凶 申凶 酉凶 戌吉 亥中	詞訟開池動土	廿一癸卯金井危	祭祀祈福求嗣出行嫁娶立約交易移徙安床作灶成服安葬
十九	星期五	子吉 丑吉 寅凶 卯中 辰吉 巳中 午凶 未吉 申凶 酉吉 戌凶 亥吉	開倉出財	廿二甲辰火鬼成	祭祀會友納采立約交易
二十	星期六	子吉 丑吉 寅凶 卯中 辰中 巳凶 午中 未中 申凶 酉吉 戌吉 亥凶	遠行	廿三乙巳火柳收	訂婚嫁娶開張交易安床
廿一	星期日	子凶 丑中 寅凶 卯中 辰凶 巳吉 午吉 未中 申凶 酉吉 戌吉 亥吉	修廚作灶安爐	廿四丙午水星開	祭祀祈福訂婚嫁娶納采交易開張動土入伙修造
廿二	星期一	子中 丑凶 寅凶 卯凶 辰中 巳吉 午吉 未吉 申凶 酉吉 戌中 亥吉	針灸	廿五丁未水張閉	祭祀訂婚裁衣移徙動土
廿三	星期二	子中 丑吉 寅凶 卯中 辰吉 巳吉 午中 未吉 申凶 酉中 戌中 亥中	置業動土安床	廿六戊申土翌建	祭祀拆卸
廿四	星期三	子吉 丑凶 寅凶 卯凶 辰吉 巳吉 午吉 未吉 申凶 酉中 戌中 亥凶	栽種	廿七己酉土軫除	掃舍裁衣修造動土除服安葬
廿五	星期四	子凶 丑吉 寅凶 卯中 辰凶 巳中 午吉 未吉 申凶 酉中 戌凶 亥中	行喪	廿八庚戌金角滿	會友
廿六	星期五	子中 丑吉 寅凶 卯吉 辰中 巳凶 午吉 未吉 申凶 酉凶 戌吉 亥中	嫁娶	廿九辛亥金亢平	平道

西曆八月（農曆八月大）

日期	時辰	忌	農曆	宜
廿七星期六	子吉 丑吉 寅凶 卯吉 辰吉 巳吉 午凶 未吉 申凶 酉中 戌中 亥中	新船進水	初一壬子木氐定	祭祀祈福出行訂婚嫁娶納采移徙交易開張動土入伙修造修倉安葬
廿八星期日	子吉 丑吉 寅凶 卯中 辰吉 巳吉 午中 未凶 申凶 酉吉 戌吉 亥中	詞訟遠回	初二癸丑木房執	祭祀祈福出行訂婚納采醫病動土開倉安葬
廿九星期一	子中 丑中 寅凶 卯中 辰吉 巳中 午凶 未吉 申凶 酉吉 戌吉 亥中	開倉祭祀	初三甲寅水心破	破屋壞垣
三十星期二	子中 丑中 寅凶 卯吉 辰中 巳凶 午中 未吉 申凶 酉凶 戌吉 亥吉	栽種	初四乙卯水尾危	嫁娶安床安葬
卅一星期三	子中 丑中 寅凶 卯中 辰凶 巳吉 午中 未中 申凶 酉吉 戌凶 亥吉	修廚作灶針灸	初五丙辰土箕成	祭祀祈福訂婚開張安門安床成服安葬

西曆二〇二二年九月（農曆八月大）

日期	時辰	忌	農曆	宜
一日星期四	子中 丑吉 寅凶 卯凶 辰中 巳吉 午吉 未吉 申凶 酉吉 戌吉 亥凶	遠行動土	初六丁巳土斗收	祭祀祈福求嗣嫁娶移徙開張交易
二日星期五	子凶 丑中 寅凶 卯吉 辰中 巳吉 午中 未吉 申凶 酉吉 戌中 亥中	置業	初七戊午火牛開	出行嫁娶納采移徙開張動土入伙
三日星期六	子中 丑凶 寅凶 卯吉 辰中 巳吉 午吉 未吉 申凶 酉中 戌中 亥凶	修廚作灶	初八己未火女閉	訂婚動土
四日星期日	子凶 丑吉 寅凶 卯中 辰吉 巳吉 午吉 未吉 申凶 酉中 戌凶 亥中	安床動土	初九庚申木虛建	拆卸掃舍
五日星期一	子中 丑中 寅凶 卯凶 辰吉 巳吉 午吉 未中 申凶 酉凶 戌中 亥中	造酒	初十辛酉木危除	祭祀掃舍動土安門作灶安葬
六日星期二	子中 丑中 寅凶 卯吉 辰凶 巳吉 午中 未吉 申凶 酉中 戌吉 亥吉	行喪	十一壬戌水室滿	祭祀出行嫁娶納采修造動土修倉
七日星期三	子中 丑中 寅凶 卯吉 辰吉 巳凶 午吉 未凶 申凶 酉中 戌吉 亥吉	詞訟嫁娶除服	十二癸亥水壁平	平道飾垣
八日星期四	子吉 丑吉 寅吉 卯凶 辰吉 巳中 午凶 未吉 申凶 酉中 戌中 亥中	開倉出財	十三甲子金奎平	平治道塗修飾垣牆
九日星期五	子吉 丑吉 寅吉 卯凶 辰中 巳凶 午中 未凶 申凶 酉吉 戌中 亥中	除服成服	十四乙丑金婁定	祭祀祈福出行嫁娶納采裁衣開張動土入伙修造作灶
十日星期六	子吉 丑中 寅中 卯凶 辰凶 巳中 午吉 未中 申凶 酉吉 戌中 亥中	作灶祭祀動土	十五丙寅火胃執	會友訂婚裁衣安門成服安葬

西曆九月（農曆八月大）

日期	子	丑	寅	卯	辰	巳	午	未	申	酉	戌	亥	忌	農曆	宜
十一星期日	中	中	吉	凶	中	中	吉	吉	凶	凶	中	中	理髮	十六丁卯火昴破	破屋壞垣
十二星期一	中	吉	凶	凶	中	吉	中	吉	凶	吉	凶	中	新船進水	十七戊辰木畢危	祭祀入學嫁娶納采立約移徙作灶
十三星期二	吉	凶	吉	凶	中	中	吉	吉	凶	中	中	凶	成服行喪	十八己巳木觜成	祭祀祈福嫁娶移徙開張動土入伙安床作灶
十四星期三	凶	吉	吉	凶	中	中	吉	吉	凶	吉	凶	中	搭廁	十九庚午土參收	祭祀針灸
十五星期四	中	凶	吉	凶	中	吉	吉	中	凶	凶	中	中	動土除服	二十辛未土井開	祭祀祈福求嗣入學嫁娶移徙
十六星期五	吉	吉	凶	凶	吉	吉	中	吉	凶	吉	中	中	安床	廿一壬申金鬼閉	拆卸掃舍
十七星期六	吉	吉	吉	凶	吉	吉	中	凶	凶	中	中	中	詞訟動土	廿二癸酉金柳建	出行安葬
十八星期日	中	吉	吉	凶	凶	吉	凶	吉	凶	中	中	中	開倉出財行喪	廿三甲戌火星除	祭祀出行開張動土入伙移居安床
十九星期一	吉	吉	吉	凶	中	凶	中	吉	凶	中	中	中	嫁娶	廿四乙亥火張滿	入學出行移徙開張裁衣動土
二十星期二	吉	吉	中	凶	凶	吉	凶	中	凶	吉	吉	吉	修廚作灶	廿五丙子水翌平	平治道塗修飾垣牆
廿一星期三	吉	中	中	凶	中	吉	吉	凶	凶	吉	中	吉	理髮	廿六丁丑水軫定	入學訂婚嫁娶納采開張交易動土安門作灶安葬
廿二星期四	中	吉	凶	凶	吉	吉	吉	吉	凶	中	中	中	置業祭祀	廿七戊寅土角執	拆卸 日值四離餘事不注
廿三星期五	吉	凶	吉	凶	中	中	吉	吉	凶	凶	中	凶	開池	廿八己卯土亢破	破屋
廿四星期六	凶	吉	吉	凶	吉	吉	吉	吉	凶	中	凶	吉	開倉出財	廿九庚辰金氐危	祭祀祈福嫁娶納采開張動土作灶安葬
廿五星期日	中	吉	吉	凶	中	吉	吉	吉	凶	凶	吉	凶	造酒成服	三十辛巳金房成	祭祀嫁娶納采移徙開張動土入伙安門作灶

西曆九月（農曆九月小）

西曆二〇二二年十月（農曆九月小）

日期	時辰	忌	農曆	宜
廿六星期一	子凶 丑吉 寅吉 卯凶 辰中 巳吉 午中 未吉 申凶 酉中 戌中 亥吉		初一壬午木心收	理髮捕捉
廿七星期二	子吉 丑凶 寅吉 卯凶 辰中 巳吉 午吉 未凶 申凶 酉中 戌吉 亥中	詞訟動土	初二癸未木尾開	祭祀祈福會友訂婚嫁娶納采移徙
廿八星期三	子吉 丑吉 寅凶 卯凶 辰吉 巳吉 午凶 未吉 申凶 酉吉 戌中 亥中	安床針灸	初三甲申水箕閉	拆卸掃舍
廿九星期四	子吉 丑吉 寅吉 卯凶 辰吉 巳凶 午中 未中 申凶 酉吉 戌中 亥中	動土	初四乙酉水斗建	掃舍修置產室
三十星期五	子吉 丑中 寅吉 卯凶 辰凶 巳吉 午中 未中 申凶 酉吉 戌吉 亥吉	修廚作灶行喪	初五丙戌土牛除	祭祀出行掃舍栽衣醫病赴任開張動土入伙開池安床
一日星期六	子中 丑吉 寅吉 卯凶 辰中 巳凶 午吉 未吉 申凶 酉吉 戌吉 亥吉	嫁娶	初六丁亥土女滿	祭祀出行移徙開張動土安床安門
二日星期日	子中 丑吉 寅凶 卯凶 辰吉 巳吉 午凶 未中 申凶 酉吉 戌中 亥中	買田置業	初七戊子火虛平	平治道塗修飾垣牆
三日星期一	子吉 丑凶 寅吉 卯凶 辰中 巳吉 午中 未凶 申凶 酉吉 戌中 亥凶	修置產室	初八己丑火危定	祭祀祈福會友出行嫁娶納采開張動土安門作灶
四日星期二	子凶 丑吉 寅吉 卯凶 辰吉 巳中 午中 未中 申凶 酉中 戌凶 亥中	祭祀	初九庚寅木室執	出行訂婚動土作灶安葬
五日星期三	子中 丑中 寅吉 卯凶 辰中 巳吉 午吉 未中 申凶 酉凶 戌吉 亥中		初十辛卯木壁破	破屋壞垣
六日星期四	子中 丑吉 寅吉 卯凶 辰中 巳吉 午中 未中 申凶 酉吉 戌凶 亥吉	築堤	十一壬辰水奎危	祭祀祈福入學出行嫁娶栽衣交易開張動土入伙成服安葬
七日星期五	子吉 丑中 寅中 卯凶 辰吉 巳吉 午中 未凶 申凶 酉中 戌吉 亥凶	新船進水成服	十二癸巳水婁成	祭祀祈福入學嫁娶移徙開張動土入伙交易修造作灶
八日星期六	子凶 丑吉 寅吉 卯凶 辰中 巳中 午凶 未吉 申凶 酉吉 戌中 亥中	開倉出財	十三甲午金胃收	祭祀嫁娶
九日星期日	子吉 丑凶 寅吉 卯吉 辰凶 巳凶 午中 未中 申凶 酉中 戌吉 亥吉	栽種蒔插	十四乙未金昴收	祭祀
十日星期一	子吉 丑吉 寅凶 卯中 辰凶 巳吉 午中 未吉 申凶 酉吉 戌吉 亥吉	作灶安床	十五丙申火畢開	祭祀拆卸

西曆十月（農曆九月小）

日期	星期	時辰	忌	農曆	宜
十一	星期二	子中 丑吉 寅中 卯凶 辰凶 巳中 午吉 未吉 申凶 酉吉 戌中 亥吉	理髮裁衣	十六丁酉火觜閉	祭祀掃舍成服除服化靈安葬
十二	星期三	子中 丑吉 寅凶 卯吉 辰凶 巳中 午吉 未吉 申凶 酉中 戌中 亥中	買田置業	十七戊戌木參建	建屋搭廁
十三	星期四	子吉 丑凶 寅吉 卯吉 辰凶 巳凶 午吉 未吉 申凶 酉中 戌中 亥凶	嫁娶成服	十八己亥木井除	理髮
十四	星期五	子凶 丑吉 寅中 卯中 辰凶 巳中 午凶 未吉 申凶 酉吉 戌凶 亥中	問卜	十九庚子土鬼滿	祭祀入學開張交易裁衣除服破土
十五	星期六	子中 丑吉 寅吉 卯吉 辰凶 巳吉 午吉 未凶 申凶 酉凶 戌中 亥吉	造酒	二十辛丑土柳平	祭祀平道飾垣
十六	星期日	子中 丑吉 寅吉 卯吉 辰凶 巳中 午中 未吉 申凶 酉中 戌吉 亥中	祭祀	廿一壬寅金星定	動土除服安葬
十七	星期一	子吉 丑中 寅吉 卯吉 辰凶 巳中 午中 未凶 申凶 酉凶 戌吉 亥中	詞訟開倉出財	廿二癸卯金張執	祭祀祈福出行嫁娶納采醫病移徙開張動土入伙安床安葬
十八	星期二	子吉 丑吉 寅中 卯中 辰凶 巳中 午凶 未吉 申凶 酉吉 戌凶 亥吉	開倉出財	廿三甲辰火翌破	破屋壞垣
十九	星期三	子吉 丑吉 寅中 卯中 辰凶 巳凶 午中 未中 申凶 酉吉 戌吉 亥凶	栽種遠行	廿四乙巳火軫危	祭祀嫁娶開張動土入伙納財安床
二十	星期四	子凶 丑中 寅中 卯中 辰凶 巳吉 午吉 未中 申凶 酉吉 戌吉 亥吉	修廚作灶搭廁	廿五丙午水角成	祭祀祈福入學嫁娶納采裁衣醫病移徙開張動土入伙
廿一	星期五	子中 丑凶 寅中 卯凶 辰凶 巳吉 午吉 未吉 申凶 酉吉 戌中 亥吉	理髮整甲	廿六丁未水亢收	捕捉
廿二	星期六	子中 丑吉 寅凶 卯中 辰凶 巳吉 午中 未吉 申凶 酉中 戌中 亥中	置業安床	廿七戊申土氐開	祭祀拆卸
廿三	星期日	子吉 丑凶 寅中 卯凶 辰凶 巳吉 午吉 未吉 申凶 酉中 戌中 亥凶	針灸成服行喪	廿八己酉土房閉	理髮裁衣動土作灶
廿四	星期一	子凶 丑吉 寅中 卯中 辰凶 巳中 午吉 未吉 申凶 酉中 戌凶 亥中	動土行喪	廿九庚戌金心建	祭祀會友出行赴任移徙

西曆十月（農曆十月大）／西曆二〇二二年十一月（農曆十月大）

日期	子	丑	寅	卯	辰	巳	午	未	申	酉	戌	亥	忌	農曆	宜
廿五星期二	中	吉	吉	吉	凶	凶	吉	吉	凶	凶	吉	中	嫁娶動土	初一辛亥金尾除	日食
廿六星期三	吉	吉	吉	吉	凶	吉	凶	吉	凶	中	中	中		初二壬子木箕滿	出行裁衣開張成服安葬
廿七星期四	吉	吉	中	中	凶	吉	中	凶	凶	吉	吉	中	詞訟開張	初三癸丑木斗平	修廚作灶
廿八星期五	中	中	吉	中	凶	中	凶	吉	凶	吉	吉	中	開倉祭祀	初四甲寅水牛定	會友飾垣安葬
廿九星期六	中	中	吉	吉	凶	凶	中	吉	凶	凶	吉	吉	栽種	初五乙卯水女執	祭祀捕捉安床安葬
三十星期日	中	中	中	中	凶	吉	中	中	凶	吉	凶	吉	修廚作灶	初六丙辰土虛破	破屋壞垣
卅一星期一	中	吉	中	凶	凶	吉	吉	吉	凶	吉	吉	凶	遠行	初七丁巳土危危	祭祀訂婚安床
一日星期二	凶	中	凶	吉	凶	吉	中	吉	凶	吉	中	中	買田置業除服	初八戊午火室成	出行訂婚嫁娶納采醫病移徙開張動土入伙交易安床作灶
二日星期三	中	凶	吉	吉	凶	吉	吉	吉	凶	中	中	凶	成服	初九己未火壁收	捕捉
三日星期四	凶	吉	凶	中	凶	吉	吉	吉	凶	中	凶	中	安床	初十庚申木奎開	祭祀拆卸
四日星期五	中	中	吉	凶	凶	吉	吉	中	凶	凶	中	中	造酒	十一辛酉木婁閉	安葬
五日星期六	中	中	吉	吉	凶	吉	中	吉	凶	中	吉	吉	動土除服	十二壬戌水胃建	祭祀祈福求嗣出行裁衣訂婚移徙求醫治病納財安床
六日星期日	中	中	吉	吉	凶	凶	吉	凶	凶	中	吉	吉	詞訟嫁娶	十三癸亥水昴除	掃舍 日值四絕餘事不注
七日星期一	吉	吉	吉	中	凶	中	凶	吉	凶	中	中	中	開倉出財問卜	十四甲子金畢滿	祭祀嫁娶會友出行開張動土入伙除服
八日星期二	吉	吉	吉	吉	中	凶	中	凶	凶	吉	中	中	栽種蒔插除服行喪	十五乙丑金觜滿	月食

西曆十一月（農曆十月大）

日期	子	丑	寅	卯	辰	巳	午	未	申	酉	戌	亥	忌	農曆	宜
九日星期三	吉	中	中	吉	凶	凶	吉	中	凶	吉	中	中	祭祀作灶	十六丙寅火參平	出行嫁娶納采修造動土栽種
十日星期四	中	中	吉	凶	中	凶	吉	吉	凶	凶	中	中	開池	十七丁卯火井定	祭祀出行訂婚嫁娶納采移徙開張動土入伙交易修倉安葬
十一星期五	中	吉	凶	吉	中	凶	中	吉	凶	吉	凶	中	置業動土	十八戊辰木鬼執	祭祀入學嫁娶納采裁衣治病安床
十二星期六	吉	凶	吉	中	中	凶	吉	吉	凶	中	中	凶	遠行除服	十九己巳木柳破	破屋壞垣
十三星期日	凶	吉	吉	中	中	凶	吉	吉	凶	吉	凶	中	搭廁	二十庚午土星危	祭祀祈福出行嫁娶納采移徙開張動土安床作灶安葬
十四星期一	中	凶	吉	吉	中	凶	吉	中	凶	凶	中	中	造酒	廿一辛未土張成	祭祀訂婚嫁娶納采開張修造動土作灶安葬
十五星期二	吉	吉	凶	吉	吉	凶	中	吉	凶	吉	中	中	安床	廿二壬申金翌收	拆卸掃舍
十六星期三	吉	吉	吉	凶	吉	凶	中	凶	凶	中	中	中	詞訟補塞	廿三癸酉金軫開	祭祀祈福求嗣嫁娶開張動土入伙掃舍安床安門作灶
十七星期四	中	吉	吉	吉	凶	凶	凶	吉	凶	中	中	中	開倉出財	廿四甲戌火角閉	祭祀裁衣安床補塞
十八星期五	吉	吉	吉	吉	中	凶	中	吉	凶	中	中	中	嫁娶	廿五乙亥火亢建	祭祀出行建屋
十九星期六	吉	吉	中	中	凶	凶	凶	中	凶	吉	吉	吉	修廚作灶	廿六丙子水氐除	出行訂婚開張立約破土建屋
二十星期日	吉	中	中	凶	中	凶	吉	凶	凶	吉	中	吉	行喪	廿七丁丑水房滿	祭祀裁衣
廿一星期一	中	吉	凶	吉	吉	凶	吉	吉	凶	中	中	中	置產祭祀動土	廿八戊寅土心平	出行嫁娶納采移徙開張安葬
廿二星期二	吉	凶	吉	吉	中	凶	吉	吉	凶	凶	中	凶	開池	廿九己卯土尾定	祭祀嫁娶納采開張動土入伙安葬
廿三星期三	凶	吉	吉	中	吉	凶	吉	吉	凶	中	凶	吉	動土	三十庚辰金箕執	祭祀祈福移徙嫁娶求醫治病安葬

日期	時辰	忌	農曆	宜
西曆十一月（農曆十一月小）				
廿四星期四	子中 丑吉 寅吉 卯中 辰中 巳凶 午吉 未吉 申凶 酉凶 戌吉 亥凶	遠行	初一辛巳金斗破	求醫治病破屋壞垣
廿五星期五	子凶 丑吉 寅吉 卯吉 辰中 巳凶 午中 未吉 申凶 酉中 戌中 亥吉		初二壬午木牛危	祭祀會友訂婚裁衣動土安床作灶
廿六星期六	子吉 丑凶 寅吉 卯吉 辰中 巳凶 午吉 未凶 申凶 酉中 戌吉 亥中	詞訟修廚作灶	初三癸未木女成	祭祀祈福訂婚納采開張動土安床 成服安葬
廿七星期日	子吉 丑吉 寅凶 卯中 辰吉 巳凶 午凶 未吉 申凶 酉吉 戌中 亥中	開倉安床	初四甲申水虛收	祭祀拆卸
廿八星期一	子吉 丑吉 寅吉 卯凶 辰吉 巳凶 午中 未中 申凶 酉吉 戌中 亥中	栽種	初五乙酉水危開	祭祀求嗣入學嫁娶納采移徙開張 動土安床
廿九星期二	子吉 丑中 寅吉 卯吉 辰凶 巳凶 午中 未中 申凶 酉吉 戌吉 亥吉	修廚作灶	初六丙戌土室閉	建屋築堤
三十星期三	子中 丑吉 寅吉 卯凶 辰中 巳凶 午吉 未吉 申凶 酉吉 戌吉 亥吉	嫁娶	初七丁亥土壁建	祭祀
西曆二〇二二年十二月（農曆十一月小）				
一日星期四	子中 丑吉 寅凶 卯吉 辰吉 巳凶 午凶 未中 申凶 酉吉 戌中 亥中	買田置業問卜	初八戊子火奎除	入學出行掃舍裁衣開張動土
二日星期五	子吉 丑凶 寅吉 卯吉 辰中 巳凶 午中 未凶 申凶 酉吉 戌中 亥凶	成服行喪	初九己丑火婁滿	祭祀裁衣動土開張作灶
三日星期六	子凶 丑吉 寅吉 卯吉 辰吉 巳凶 午中 未中 申凶 酉中 戌凶 亥中	祭祀祈福修倉	初十庚寅木胃平	會友出行嫁娶裁衣納采移徙修造 開張動土入伙
四日星期日	子中 丑中 寅吉 卯吉 辰中 巳凶 午吉 未中 申凶 酉凶 戌吉 亥中	造酒開池	十一辛卯木昴定	會友出行嫁娶納采移徙開張動土 入伙成服安葬
五日星期一	子中 丑吉 寅吉 卯吉 辰中 巳凶 午中 未中 申凶 酉吉 戌凶 亥吉		十二壬辰水畢執	入學嫁娶理髮醫病
六日星期二	子吉 丑中 寅中 卯吉 辰吉 巳凶 午中 未凶 申凶 酉中 戌吉 亥凶	詞訟遠行	十三癸巳水觜破	求醫治病破屋壞垣
七日星期三	子凶 丑吉 寅吉 卯中 辰中 巳凶 午凶 未吉 申凶 酉吉 戌中 亥中	開張開倉出財	十四甲午金參破	破屋壞垣
八日星期四	子吉 丑凶 寅吉 卯吉 辰中 巳凶 午凶 未中 申凶 酉中 戌吉 亥吉	栽種	十五乙未金井危	祭祀訂婚納采修造動土安床作灶

西曆十二月（農曆十一月小）

日期	子	丑	寅	卯	辰	巳	午	未	申	酉	戌	亥	忌	農曆	宜
九日星期五	吉	吉	凶	中	凶	吉	凶	吉	凶	吉	吉	吉	作灶安床	十六丙申火鬼成	拆卸掃舍
十日星期六	中	吉	中	凶	中	中	凶	吉	凶	吉	中	吉	理髮除服	十七丁酉火柳收	祭祀掃舍捕捉
十一星期日	中	吉	凶	吉	凶	中	凶	吉	凶	中	中	中	買田置業	十八戊戌木星開	祭祀祈福訂婚開張動土入伙
十二星期一	吉	凶	吉	吉	中	凶	凶	吉	凶	中	中	凶	嫁娶成服	十九己亥木張閉	安床築堤補塞
十三星期二	凶	吉	中	中	中	中	凶	吉	凶	吉	凶	中	動土	二十庚子土翌建	修飾垣牆
十四星期三	中	吉	吉	吉	中	吉	凶	凶	凶	凶	中	吉	行喪	廿一辛丑土軫除	祭祀祈福訂婚嫁娶開張動土入伙 醫病掃舍立約交易
十五星期四	中	吉	吉	吉	中	中	凶	吉	凶	中	吉	中	祭祀祈福	廿二壬寅金角滿	入學出行會友嫁娶立約交易開張 動土入伙安床安葬
十六星期五	吉	中	吉	吉	中	中	凶	凶	凶	凶	吉	中	詞訟	廿三癸卯金亢平	平治道塗修飾垣牆
十七星期六	吉	吉	中	中	吉	中	凶	吉	凶	吉	凶	吉	開倉出財	廿四甲辰火氐定	祭祀祈福出行嫁娶納采開張交易 修造動土安門作灶安葬
十八星期日	吉	吉	中	中	中	凶	凶	中	凶	吉	吉	凶	栽種遠行除服	廿五乙巳火房執	祭祀祈福裁衣修造開張動土入伙
十九星期一	凶	中	中	中	凶	吉	凶	中	凶	吉	吉	吉	修廚作灶	廿六丙午水心破	祭祀破屋
二十星期二	中	凶	中	凶	中	吉	凶	吉	凶	吉	中	吉	理髮除服	廿七丁未水尾危	祭祀祈福訂婚納采修造動土安床
廿一星期三	中	吉	凶	中	吉	吉	凶	吉	凶	中	中	中	安床動土	廿八戊申土箕成	理髮 日值四離餘事不注
廿二星期四	吉	凶	中	凶	吉	吉	凶	吉	凶	中	中	凶	修廚作灶安爐	廿九己酉土斗收	理髮捕捉

西曆十二月（農曆十二月大）

廿三星期五	子凶 丑吉 寅中 卯中 辰凶 巳中 午凶 未吉 申凶 酉中 戌凶 亥中	忌：補塞	宜：祭祀入學嫁娶開張裁衣動土	初一庚戌金牛開
廿四星期六	子中 丑吉 寅吉 卯吉 辰中 巳凶 午凶 未吉 申凶 酉凶 戌吉 亥中	忌：嫁娶	宜：	初二辛亥金女閉
廿五星期日	子吉 丑吉 寅吉 卯吉 辰吉 巳吉 午凶 未吉 申凶 酉中 戌中 亥中	忌：動土	宜：祭祀飾垣	初三壬子木虛建
廿六星期一	子吉 丑吉 寅中 卯中 辰吉 巳吉 午凶 未凶 申凶 酉吉 戌吉 亥中	忌：詞訟成服行喪	宜：祭祀祈福求嗣嫁娶納采移徙開張動土	初四癸丑木危除
廿七星期二	子中 丑吉 寅吉 卯中 辰吉 巳中 午凶 未吉 申凶 酉吉 戌吉 亥中	忌：開倉祭祀祈福	宜：出行開張動土入伙交易修造安床作灶成服安葬	初五甲寅水室滿
廿八星期三	子中 丑中 寅吉 卯吉 辰中 巳凶 午凶 未吉 申凶 酉凶 戌吉 亥吉	忌：栽種	宜：平治道塗修飾垣牆	初六乙卯水壁平
廿九星期四	子中 丑中 寅中 卯中 辰凶 巳吉 午凶 未中 申凶 酉吉 戌凶 亥吉	忌：修廚作灶	宜：祭祀祈福出行訂婚嫁娶納采立約交易動土安門修倉除服安葬	初七丙辰土奎定
三十星期五	子中 丑吉 寅中 卯凶 辰中 巳吉 午凶 未吉 申凶 酉吉 戌吉 亥凶	忌：理髮遠行	宜：祭祀修置產室	初八丁巳土婁執
卅一星期六	子凶 丑中 寅凶 卯吉 辰中 巳吉 午凶 未吉 申凶 酉吉 戌中 亥中	忌：買田置業	宜：求醫治病破屋壞垣	初九戊午火胃破

西曆二〇二三年一月（農曆十二月大）

一日星期日	子中 丑凶 寅吉 卯吉 辰中 巳吉 午凶 未吉 申凶 酉中 戌中 亥凶	忌：栽種蒔插築堤	宜：嫁娶納采開張動土入伙安床修造	初十己未火昴危
二日星期一	子凶 丑吉 寅凶 卯中 辰吉 巳吉 午凶 未吉 申凶 酉中 戌凶 亥中	忌：安床動土	宜：拆卸掃舍	十一庚申木畢成
三日星期二	子中 丑中 寅吉 卯凶 辰吉 巳吉 午凶 未中 申凶 酉凶 戌中 亥中	忌：動土	宜：掃舍	十二辛酉木觜收
四日星期三	子中 丑中 寅吉 卯吉 辰凶 巳吉 午凶 未吉 申凶 酉中 戌吉 亥吉	忌：	宜：祭祀祈福求嗣訂婚納采開張修造動土安門作灶置產	十三壬戌水參開
五日星期四	子中 丑中 寅吉 卯吉 辰吉 巳凶 午凶 未凶 申凶 酉中 戌吉 亥吉	忌：詞訟嫁娶成服	宜：建屋安床作灶	十四癸亥水井閉
六日星期五	子吉 丑吉 寅吉 卯中 辰吉 巳中 午凶 未凶 申凶 酉中 戌中 亥中	忌：開倉動土	宜：祭祀出行裁衣交易補塞安葬	十五甲子金鬼閉

西曆二〇二三年一月（農曆十二月大）

日期	子	丑	寅	卯	辰	巳	午	未	申	酉	戌	亥	忌	農曆	宜
七日星期六	吉	吉	吉	吉	中	凶	中	凶	凶	吉	中	中	栽種除服	十六乙丑金柳建	祭祀會友訂婚納采安床
八日星期日	吉	中	中	吉	凶	中	吉	凶	凶	吉	中	中	修廚祭祀	十七丙寅火星除	訂婚嫁娶掃舍立約交易除服安葬
九日星期一	中	中	吉	凶	中	中	吉	凶	凶	凶	中	中	理髮	十八丁卯火張滿	祭祀出行訂婚開張安門作灶除服
十日星期二	中	吉	凶	吉	中	吉	中	凶	凶	吉	凶	中	買田置業	十九戊辰木翌平	修飾垣牆
十一星期三	吉	凶	吉	中	中	中	吉	凶	凶	中	中	凶	遠行成服行喪	二十己巳木軫定	祭祀訂婚嫁娶納采開張動土入伙 修造安床安門作灶修倉
十二星期四	凶	吉	吉	中	中	中	吉	凶	凶	吉	凶	中		廿一庚午土角執	祭祀祈福出行嫁娶開張動土入伙 移徙安床安葬
十三星期五	中	凶	吉	吉	中	吉	吉	凶	凶	凶	中	中	造酒	廿二辛未土亢破	破屋壞垣
十四星期六	吉	吉	凶	吉	吉	吉	中	凶	凶	吉	中	中	安床	廿三壬申金氐危	祭祀拆卸
十五星期日	吉	吉	吉	凶	吉	吉	中	凶	凶	中	中	中	詞訟動土破屋壞垣	廿四癸酉金房成	出行訂婚嫁娶裁衣掃舍醫病移徙 開張動土入伙交易成服安葬
十六星期一	中	吉	吉	吉	凶	吉	凶	凶	凶	中	中	中	開倉出財	廿五甲戌火心收	祭祀捕捉作灶
十七星期二	吉	吉	吉	吉	中	凶	中	凶	凶	中	中	中	嫁娶除服	廿六乙亥火尾開	祭祀祈福入學開張作灶
十八星期三	吉	吉	中	中	凶	吉	凶	凶	凶	吉	吉	中	修廚作灶	廿七丙子水箕閉	裁衣安葬
十九星期四	吉	中	中	凶	中	吉	吉	凶	凶	吉	中	吉	行喪	廿八丁丑水斗建	立約交易
二十星期五	中	吉	凶	吉	吉	吉	吉	凶	凶	中	中	中	置業祭祀祈福	廿九戊寅土牛除	嫁娶開張動土入伙移徙掃舍開張
廿一星期六	吉	凶	吉	吉	中	中	吉	凶	凶	凶	中	凶	開池	三十己卯土女滿	祭祀入學訂婚納采開張交易納財

蘇民峰二〇二二虎年運程

作者

蘇民峰

責任編輯

嚴瓊音

造型攝影

Polestar Studio

美術設計

鍾啟善

出版者

圓方出版社

香港北角英皇道 499 號北角工業大廈 20 樓

電話：2564 7511

傳真：2565 5539

電郵：info@wanlibk.com

網址：http://www.wanlibk.com

http://www.facebook.com/wanlibk

發行者

香港聯合書刊物流有限公司

香港荃灣德士古道 220-248 號荃灣工業中心 16 樓

電話：2150 2100

傳真：2407 3062

電郵：info@suplogistics.com.hk

承印者

中華商務彩色印刷有限公司

香港新界大埔汀麗路 36 號

規格

32 開 (216mm X 142mm)

出版日期

二〇二一年九月第一次印刷

Published in Hong Kong, China by Forms Publications,

a division of Wan Li Book Company Limited.

ISBN 978-962-14-7376-9

蘇民峰教室

從一九八六年正式開班教學至二〇一一年，已有二十五個年頭。期間有苦有樂，苦則每個星期要定時教學，自由度受限制，較難有長久之假期；樂則看見大部分學生學成以後，對中國之傳統學問都有所認識，知悉中國玄學、術數、命理、風水等並非迷信的東西，從而解開一般人對術數的疑團，因一般人對命理風水不是過分迷信，就是過分排斥，大多不能用較中肯正確的角度去分析。

在這三十多年間，看見從當初教學之時，大部分學生皆比我年長，至近年大部分學生都比我年幼，就知道光陰已悄悄地溜走。在這二十多年教學生涯中，我總算做到了「教師不仁，以學生為芻狗」的境地——我對每一個學生均無特別喜愛，亦無怨恨，只要他們上課時真的學到了應有的知識，我已於願足矣。在這二十多年間，我總算能無私地教授，雖然有時對學生是兇了一點，但都是出於恨鐵不成鋼之心，當中並無涉及私人感情。幸而這二十多年的努力總算沒有白費，因有很多學生都已成材，有的已加入這行業，有的甚至把我的學問再傳授予下一代，總算能把正確的風水命理知識發揚光大。再進一步，我當然希望能逐漸把迷信杜絕，但這任務可能要留給我的學生去做了。因本人教學至近幾年，已開始覺得有點身心疲累，可能不再教下去了，所以從二〇一一年起開始停教所有蘇派「寒熱命」命理、面相、掌相、文王卦，以及風水，只餘下私人教授，讓有志從事這行業的人學習。

私人個別教授

蘇派風水——八宅、飛星、九宮飛佈等風水綜合混用。（共二十課，每課一小時）
費用：八十萬元正

蘇派八字——從傳統宋代子平至本人所創的寒熱命論，深入淺出讓你能完全掌握傳統八字後再轉到寒熱命，令你能知己知彼，鑒古知今。（共四十課，每課一小時）
費用：一百六十萬元正

全科——蘇派風水、八字寒熱命、面相、掌相。（共八十課，每課一小時）
費用：三百萬元正

註：先付二十萬元訂金，再留下本人八字、掌面相影印本，有天份有緣份者再商談上課時間，無緣份者訂金全數退回。